第**3**版

東陽監査法人[編]

建設業の会計・税務ハンドブック

清文社

はじめに

　本書は、建設業の会計に携わる経理担当者が、日常的に生じる取引の会計処理・税務処理について疑問が生じたときに、すぐに手にとって調べることができる入門書・実務書として役立つよう編集したものです。

　2019年の本書新版発刊後、建設業の会計に重要な影響を与える収益認識会計基準が適用されたことにともない、収益認識会計基準の概要から税務を含む個別論点まで第Ⅰ部第3章を中心に記載内容を見直し、充実させました。

　具体的には収益認識会計基準の基本原則である収益認識の5つのステップについて解説の上、完成工事高の計上方法から特定の状況または取引における取扱いや、重要性等に関する代替的な取扱い等の個別論点及び税務上の取扱いまで、ポイントを絞って網羅的に解説を行っています。また、第Ⅱ部第9章では収益認識会計基準に基づく完成工事高の計上について設例をもとに解説を行い、会計処理についてより具体的なイメージを持っていただける構成としています。

　本書の構成は大きく「第Ⅰ部　建設業会計の基礎知識」と「第Ⅱ部　勘定科目別の会計処理」に分かれています。

　第Ⅰ部では、建設業の会計を理解する上で必要な基礎知識について、建設業にかかる制度と開示、収益認識会計基準やJVをはじめとする会計処理と原価管理について解説しています。特に、特徴的な会計処理については、詳細な事例に基づく会計処理を明示し、読者の理解に役立つよう留意しました。

　第Ⅱ部では、建設業の計算書類で開示される各勘定科目について、勘定科目の概要をなるべく平易に説明しました。さらに、会計処理について豊富な事例とともに具体的な取扱いを示し、税務処理のポイントを解説しています。これらの勘定科目は、「建設業法施行規則別記様式第15号及び第16号の国土交通大臣の定める勘定科目の分類を定める件」を基本としつつ、実務で一般に用いら

れる勘定科目を網羅的に取り入れました。

　本書の基本的な執筆方針は次のとおりです。

1．建設業を営む中小企業を念頭に、会計上の原則論を示しつつ実務上の運用に留意した記載としました。
2．第Ⅱ部については、勘定科目ごとに勘定科目の概要、会計処理及び税務処理について要点をコンパクトにまとめました。
3．取引をイメージできる会計処理の事例を、できるだけ多く記載するようにしました。
4．会計処理の事例のうち消費税が課税されるものについては、その旨を明記しました。
5．関係法規、会計基準についても本文及び略号で記載するよう努め、読者が容易に規定を確認できるようにしました。

　経理担当者が本書をつねに手元に置いて、必要事項について辞書のように確認し、ご活用いただきたいと願っております。
　終わりに、本書の刊行にあたり清文社の編集部の方々には大変お世話になりました。厚く感謝申し上げます。

2023年9月

東陽監査法人

理事長　浅　川　昭　久

CONTENTS

第 I 部　建設業会計の基礎知識

第 1 章 ｜ 建設業会計の概要　　　2

第 1 節　建設業の会計制度　2

1. 建設業の特徴　2
2. 建設業にかかる会計制度　3

第 2 節　建設業法に基づく財務諸表の作成　7

1. 建設業許可申請書の添付書類　7
2. 毎事業年度経過後の届出　7
3. 経営事項審査申請書の添付書類　8
4. 財務諸表の様式　9

第 2 章 ｜ 入札契約制度と経営事項審査制度　24

第 1 節　入札契約制度　24

1. 入札制度の概要　24
2. 入札契約制度の基本的枠組み　25

第 2 節　総合評価方式による審査　27

1. 総合評価方式拡充の背景　27
2. 総合評価方式の適用範囲と評価項目　28

第 3 節　経営事項審査制度　29

1. 経営事項審査制度の概要　29
2. 経営事項審査にかかる手続き　30

第 3 章 ｜ 完成工事高及び完成工事原価の計上　33

第 1 節　収益認識会計基準の概要　33

1. 工事契約会計基準から
収益認識会計基準へ　33

2. 収益の認識に係る5つのステップ　34

3. その他の取扱い　41

第 2 節　収益認識基準による完成工事高の認識 ————————— 43

1. 進捗度に基づき一定の期間にわたり
認識する完成工事高　43

2. 原価回収基準（進捗度を合理的に
見積もることができない場合）　50

3. 契約の初期段階における
原価回収基準の取扱い　51

4. 期間がごく短い工事契約の場合
（工事契約に関する代替的な取扱い）　51

第 3 節　建設業に関連する収益認識の個別論点 ————————— 54

1. 契約の結合　54

2. 契約の変更　54

3. 複数の履行義務　55

4. 変動対価　55

5. コストオン契約　55

6. 保証サービス
（瑕疵担保責任・補修サービス）　56

7. 履行義務の充足に係る進捗度の
見積もり（インプット法）　56

第 4 節　税務上の取扱い ——————————————————————— 56

1. 法人税法における収益認識基準等　56

2. 部分完成基準の適用　60

3. 消費税の処理　61

第 4 章　工事原価の管理　　　　　　　　　　68

第 1 節　建設業の原価管理の特徴 ————————————————— 68

1. 建設業における個別原価計算　68

2. 工事原価の見積計上　70

第 2 節　工事原価の分類と集計 ————————————————— 71

1. 工事原価の分類　71

2. 工事原価の集計　73

第 3 節　実行予算と原価管理 ——————————————————— 76

1. 実行予算の意義と目的　76

2. 実行予算に基づく原価管理　79

第 **5** 章 ┃ JVの概要　　　　　　　　　　　　　　80

第 **1** 節　JVの意義 ──────────────────────────────80

1. JVの性格　80

2. JVのメリット・デメリット　80

第 **2** 節　JVの形態 ──────────────────────────────81

1. 施工方式による区分　81

3. 契約形態による区分　83

2. 活用目的による区分　82

第 **3** 節　JVの運営 ──────────────────────────────84

1. JV運営にかかる指針　84

2. JV協定書等の内容　85

第 **4** 節　JVにかかる会計処理 ──────────────────────87

1. JVの会計処理　87

3. サブ企業の会計処理　94

2. スポンサー企業の会計処理　88

4. JVの決算　95

第 **5** 節　JVの税務処理 ────────────────────────────96

1. 法人税の取扱い　96

2. 消費税の取扱い　97

第 **6** 章 ┃ 兼業事業の概要　　　　　　　　　　98

第 **1** 節　不動産販売業務 ──────────────────────────98

1. 不動産販売業務の区分　98

4. 販売業務にかかる原価計上　101

2. 不動産の取得時期　99

5. 開発業務にかかる原価計上　101

3. 不動産販売業務にかかる収益計上　100

第 **2** 節　不動産仲介業務 ─────────────────────────105

| 1. | 不動産仲介業務にかかる
収益計上　105 | 2. | 不動産仲介業務にかかる
原価計上　106 |

第 3 節　不動産賃貸・管理業務————————107

| 1. | 不動産賃貸業務にかかる実務　107 | 2. | 不動産管理業務にかかる実務　108 |

第 4 節　技術・役務の提供業務————————109

| 1. | 技術・役務の提供業務にかかる
収益計上　109 | 2. | 技術・役務の提供業務にかかる
原価計上　110 |

第 Ⅱ 部　勘定科目別の会計処理

第 1 章 ｜ 流動資産　　　　114

1.	現金預金　114	8.	材料貯蔵品　140
2.	受取手形　119	9.	短期貸付金　141
3.	電子記録債権　122	10.	前払費用　142
4.	完成工事未収入金　124	11.	未収入金　145
5.	有価証券　130	12.	その他流動資産　146
6.	未成工事支出金　132	13.	貸倒引当金　149
7.	販売用不動産・不動産事業支出金　137		

第 2 章 ｜ 有形固定資産　　　　155

1.	有形固定資産の概説　155	5.	土地　164
2.	建物・構築物　160	6.	リース資産　166
3.	機械・運搬具　161	7.	建設仮勘定　172
4.	工具器具・備品　163		

第 3 章 | 無形固定資産　174

1. 無形固定資産の概説　174
2. 特許権　175
3. 借地権　176
4. のれん　178
5. ソフトウェア　180
6. リース資産　183
7. その他の無形固定資産　183

第 4 章 | 投資その他の資産　186

1. 投資有価証券　186
2. 関係会社株式・会社関係出資金　193
3. 長期貸付金　195
4. 破産更生債権等　197
5. 長期前払費用　198
6. 繰延税金資産　200
7. 貸倒引当金　205
8. 投資損失引当金　207
9. その他投資　209

第 5 章 | 繰延資産　214

1. 繰延資産の概説　214
2. 創立費　216
3. 開業費　218
4. 株式交付費　220
5. 社債発行費等　222
6. 開発費　224

第 6 章 | 流動負債　227

1. 支払手形　227
2. 工事未払金　229
3. 短期借入金　231
4. リース債務　233
5. 未払金　235
6. 未払費用　236
7. 未払法人税等　238
8. 未成工事受入金　240
9. 預り金　243
10. 前受収益　244
11. 完成工事補償引当金　246
12. 工事損失引当金　248
13. その他の引当金（賞与引当金、修繕引当金）　251
14. その他流動負債　255

第 7 章 | 固定負債　257

1. 社債　257
2. 長期借入金　260
3. リース債務　262
4. 繰延税金負債及び再評価に係る
   繰延税金負債　262
5. 退職給付引当金　265
6. 資産除去債務　271
7. その他固定負債　273

第 8 章 | 純資産　275

1. 資本金　275
2. 新株式申込証拠金　279
3. 資本剰余金　280
4. 利益剰余金　283
5. 自己株式　286
6. 自己株式申込証拠金　289
7. その他有価証券評価差額金　291
8. 繰延ヘッジ損益　293
9. 土地再評価差額金　296
10. 新株予約権　297
11. 新株引受権　301

第 9 章 | 売上高及び売上原価　303

1. 完成工事高　303
2. 兼業事業売上高　311
3. 完成工事原価　315
4. 兼業事業売上原価　323

第 10 章 | 販売費及び一般管理費　326

1. 役員報酬　326
2. 従業員給与手当　329
3. 退職金　332
4. 法定福利費　335
5. 福利厚生費　337
6. 修繕維持費　338
7. 事務用品費　340
8. 通信交通費　342
9. 動力用水光熱費　344
10. 調査研究費　345
11. 広告宣伝費　347
12. 貸倒引当金繰入額　349
13. 貸倒損失　351
14. 交際費　354

15. 寄付金 356

16. 地代家賃 359

17. 減価償却費 360

18. 開発費償却 365

19. 租税公課 366

20. 保険料 369

21. 雑費 372

第 11 章 │ 営業外損益 374

1. 受取利息及び配当金（受取利息、有価証券利息、受取配当金） 374

2. その他営業外収益（有価証券売却益、雑収入） 378

3. 支払利息（支払利息、社債利息） 380

4. 貸倒引当金繰入額 382

5. 貸倒損失 383

6. その他営業外費用 384

第 12 章 │ 特別損益 387

1. 前期損益修正益 387

2. その他特別利益 389

3. 前期損益修正損 392

4. その他特別損失 393

第 13 章 │ 法人税等 398

1. 法人税、住民税及び事業税 398

2. 法人税等調整額 400

第 14 章 │ 完成工事原価報告書 402

1. 材料費 402

2. 労務費 403

3. 外注費 403

4. 経費 404

索引 405

［凡　例］

　本書では法令等の名称について、特に記載のある場合を除き、以下の略語を使用しています。

■法令等の略記

会社法……………………………会社法
会施規……………………………会社法施行規則
会計規……………………………会社計算規則
業法………………………………建設業法
業令………………………………建設業法施行令
業施規……………………………建設業法施行規則
勘定科目分類……………………建設業法施行規則別記様式第15号及び第16号の国土交通大臣の定める勘定科目の分類を定める件
金商法……………………………金融商品取引法
消法………………………………消費税法
消令………………………………消費税法施行令
消基通……………………………消費税法基本通達
所法………………………………所得税法
所令………………………………所得税法施行令
所基通……………………………所得税基本通達
措法………………………………租税特別措置法
措令………………………………租税特別措置法施行令
措通………………………………租税特別措置法関係通達
法法………………………………法人税法
法令………………………………法人税法施行令
法基通……………………………法人税基本通達
耐用年数令………………………減価償却資産の耐用年数等に関する省令
耐用年数通達……………………耐用年数の適用等に関する取扱通達

財規………………………………財務諸表等規則（財務諸表等の用語、様式及び作成方法に関する規則）
財規ガイド………………………財務諸表等規則ガイドライン（「財務諸表等の用語、様式及び作成方法に関する規則」の取扱いに関する留意事項について）
原則………………………………企業会計原則

原則注解……………………………企業会計原則注解
中小企業会計指針………………中小企業の会計に関する指針
中小企業会計要領………………中小企業の会計に関する基本要領

企業結合会計基準………………企業結合に関する会計基準
企業結合適用指針………………企業結合会計基準及び事業分離等会計基準に関する適用指針
金融商品会計基準………………金融商品に関する会計基準
金融商品実務指針………………金融商品会計に関する実務指針
時価算定会計基準………………時価の算定に関する会計基準
繰延資産会計処理………………繰延資産の会計処理に関する当面の取扱い
研究開発会計基準………………研究開発費等に係る会計基準
研究開発実務指針………………研究開発費及びソフトウェアの会計処理に関する実務指針
工事契約会計基準………………工事契約に関する会計基準
工事契約適用指針………………工事契約に関する会計基準の適用指針
自己株式会計基準………………自己株式及び準備金の額の減少等に関する会計基準
自己株式適用指針………………自己株式及び準備金の額の減少等に関する会計基準の適用指針
ストックオプション会計基準…ストック・オプション等に関する会計基準
税効果会計基準…………………税効果会計に係る会計基準
回収可能性適用指針……………繰延税金資産の回収可能性に関する適用指針
純資産会計基準…………………貸借対照表の純資産の部の表示に関する会計基準
純資産適用指針…………………貸借対照表の純資産の部の表示に関する会計基準等の適用指針
退職給付会計基準………………退職給付に関する会計基準
退職給付適用指針………………退職給付会計に関する会計基準の適用指針
複合金融商品会計処理…………払込資本を増加させる可能性のある部分を含む複合金融商品に関する会計処理
リース会計基準…………………リース取引に関する会計基準
リース適用指針…………………リース取引に関する会計基準の適用指針
収益認識会計基準………………収益認識に関する会計基準
収益認識適用指針………………収益認識に関する会計基準の適用指針
資産除去債務会計基準…………資産除去債務に関する会計基準
法人税等会計基準………………法人税、住民税及び事業税等に関する会計基準

■条文略記の例

会社計算規則第98条第 1 項第10号……会計規98①十

金融商品会計に関する実務指針第56項…金融商品実務指針56

■事例の記載について

・仕訳の金額単位は「千円」を前提としている。

・仕訳の勘定科目は第Ⅱ部各章の勘定科目を利用しているが、会計実務上はより細分化された勘定科目が妥当な場合がある。

・消費税等の会計処理は税抜方式を前提としている。

・消費税等の課税理由については、主として課税事業者側の観点から記載している。

※　本書の内容は、2023（令和 5 ）年 9 月 1 日現在の法令等によっています。

第 I 部

建設業会計の
基礎知識

第 **1** 章

建設業会計の概要

第 **1** 節　建設業の会計制度

1. 建設業の特徴

　建設業は、国土交通大臣または都道府県知事の許可を受けて土木・建築に関する工事の施工を請け負う事業です。

　その特徴として、次のような事項をあげることができます。

① 　建設業許可業者は47万社に及び、近年増加傾向にある。2023（令和5）年3月では全産業就業者数6,892万人の約7.0%、485万人が就業しており（総務省統計局「労働力調査（基本集計）」より）、国民経済の大きなウエイトを占める基幹産業である。

② 　大規模工事では元請であるゼネコン（総合建設業者：General Contractor）を筆頭に、施工の特性に応じて下請企業が重層化している。

③ 　建設業就業者のうち、従業員規模が30人未満の業者に雇用される者が大半であり、中小零細企業比率が非常に高い。

④ 　通常の工事は個別受注生産であり、施主からの注文に基づいて工事が行われる。そのため、大量生産・計画的な生産ができない。

⑤ 　工事の施工場所に人・材料・施工設備などの生産資源を集約して行われる。施工場所の多くは屋外となるので自然環境の影響を受ける。

⑥　大規模工事には広範な建設資材が必要となり、数十の職種に分かれた専門の労働者による多種多様な技術を結集して工事が行われる。

これらの特徴は、建設業の会計制度にも影響を与えています。

2. 建設業にかかる会計制度

　国内企業は、会社法、法人税法、さらに上場会社等については金融商品取引法の規制を受けます。これらにおおむね共通するのは、一般に公正妥当と認められる企業会計の基準に準拠する必要があるとされていることです。

　「一般に公正妥当と認められる企業会計の基準」とは、企業会計原則を中心に、各種会計基準や適用指針、さらに会計慣行まで含めた実務上の指針を指します。中でも企業会計原則は、実務の中に慣習として発達したものの中から一般に公正妥当と認められたところを要約したものであり、会計関連諸法令の制定改廃において尊重されるべきものとされています（原則「企業会計原則の設定について」）。

　建設業については、これらに加えて建設業法の規制があります。

[1]　会社法

　株式会社は、法務省令で定めるところにより、各事業年度にかかる計算書類及び事業報告ならびにこれらの附属明細書を作成しなければなりません。会社法における「計算書類」とは、貸借対照表、損益計算書、株主資本等変動計算書、個別注記表をいいます（会社法435②、会計規59）。

　計算書類及びその基礎となる会計帳簿の作成に関しては、一般に公正妥当と認められる企業会計の慣行に従う必要があります。会社計算規則には、いわゆる会計慣行のしん酌規定があり、その適用に関しては、一般に公正妥当と認められる企業会計の基準その他の企業会計の慣行をしん酌しなければならないとされています（会計規3）。

　取締役会設置会社では、監査を受けた計算書類及びその附属明細書について取締役会の承認を受けなければなりません（会社法436③）。さらに計算書類及

び事業報告は、定時株主総会において承認を受けるかあるいは報告を行う必要があります（会社法438、439）。

[2] 法人税法

　法人税法第1条は、「この法律は、法人税について、納税義務者、課税所得等の範囲、税額の計算の方法、申告、納付及び還付の手続並びにその納税義務の適正な履行を確保するため必要な事項を定めるものとする」と規定しています。この目的を達成するためには、法人税法に準拠した所得計算が必要であり、所得計算のためには適切な会計処理が必須となります。

　法人税の課税標準となる各事業年度の所得の金額は、「益金」の額から「損金」の額を控除した金額です。これらは一般に公正妥当と認められる会計処理の基準をベースとして計算されます（法法21、22①④）。すなわち、会計処理の結果が法人税法で求める所得計算に適合するように、必要に応じて会計上の利益に加算・減算して法人税法上の所得金額を求めます。

[3] 金融商品取引法

　金融商品取引法第1条は、「この法律は、企業内容等の開示の制度を整備するとともに、金融商品取引業を行う者に関し必要な事項を定め、金融商品取引所の適切な運営を確保すること等により、有価証券の発行及び金融商品等の取引等を公正にし、有価証券の流通を円滑にするほか、資本市場の機能の十全な発揮による金融商品等の公正な価格形成等を図り、もつて国民経済の健全な発展及び投資者の保護に資することを目的とする」と規定しています。

　この目的のため、金融商品取引法に規定する有価証券の発行会社は、有価証券届出書、有価証券報告書及び四半期報告書等を内閣総理大臣に提出しなければなりません（金商法5、24、24の4の7）。これらの開示資料には、連結財務諸表（連結貸借対照表、連結損益計算書、連結包括利益計算書、連結株主資本等変動計算書、連結キャッシュ・フロー計算書及び連結附属明細表）及び個別財務諸表（貸借対照表、損益計算書、株主資本等変動計算書、キャッシュ・フロー計算書及び

附属明細表）が含まれています。

　財務諸表の作成にあたっては、一般に公正妥当であると認められるところに従って内閣府令で定める用語、様式及び作成方法により作成しなければならないとされており（金商法193）、具体的には財務諸表等規則・連結財務諸表等規則・四半期財務諸表等規則をはじめ、企業会計原則、各種会計基準や適用指針等に従う必要があります。

［4］　建設業法

　建設業法第1条は、「この法律は、建設業を営む者の資質の向上、建設工事の請負契約の適正化等を図ることによって、建設工事の適正な施工を確保し、発注者を保護するとともに、建設業の健全な発達を促進し、もつて公共の福祉の増進に寄与することを目的とする」と規定しています。

　この目的を達成するために、建設業法は、①建設業許可制度の実施、②建設工事の請負契約の適正化、③下請負人の保護、④建設工事に関する紛争の解決、⑤建設業者等に対する必要な監督、等について定めています。

　財務諸表については、許可申請時、毎事業年度経過後の届出時及び経営状況分析申請時に、貸借対照表、損益計算書、株主資本等変動計算書、注記表及び附属明細表を国土交通大臣または都道府県知事に提出しなければなりません（業法6①・11②・27の24③、業施規4①八・10①一・19の4①二）。なお、会社法に規定する大会社であって金融商品取引法に規定する有価証券報告書の提出会社である場合には、連結財務諸表を提出することとなります（業施規19の4①一）。

　これらの財務諸表については、建設業法施行規則における別記様式としてその記載例及び記載要領が示されています。詳細は本章「第2節　建設業法に基づく財務諸表の作成」（7頁）を参照してください。

［5］　一般に公正妥当と認められる企業会計の慣行

　一般に公正妥当と認められる企業会計の慣行は、既述のとおり、いわゆる会

社法における会計慣行のしん酌規定に基づくものであり、その１つとして「一般に公正妥当と認められる企業会計の基準」（以下「会計基準」といいます）があります。

　上場企業や会社法上の大会社等は、この会計基準に包含される企業会計基準委員会等による各会計基準、実務指針、適用指針及び実務対応報告や、日本公認会計士協会による委員会報告に準拠します。

　会計基準においては、中小企業の特性を考慮した簡便的な方法が規定されている場合もありますが、今や国際財務報告基準（IFRS）を見据えた会計処理が中心となっています。その一方で、具体的な規定が会計基準で定められていない場合などもあり、一定の状況下では法人税法で定める処理が参照されています。

　そのため、株式会社等の大半を占める中小企業については、日本公認会計士協会、日本税理士連合会、日本商工会議所及び企業会計基準委員会が2005（平成17）年に定めた、「中小企業の会計に関する指針」（以下「中小企業会計指針」といいます）に準拠することも認められています。

　中小企業会計指針は、中小企業が計算書類の作成にあたり、拠ることが望ましい会計処理や注記等を示すものであり、①金融商品取引法の適用を受ける会社並びにその子会社及び関連会社、②会計監査人を設置する会社及びその子会社を除いて適用されることを想定しており、とりわけ会計参与設置会社が計算書類を作成する際に準拠すべきとされています。

　さらに、中小企業庁は、中小企業の実態に即した新たな会計処理のあり方を示すものとして、2012（平成24）年に「中小企業の会計に関する基本要領」（以下「中小企業会計要領」といいます）を公表しました。中小企業会計要領は、中小企業の資金調達や計算書類の利用の実態、税務会計の重要性や限定的な経理体制を前提に、中小企業会計指針と比べて簡便な会計処理をすることが適当と考えられる中小企業を想定して定められています。

　本書は、建設業を営む中小企業を念頭においていますが、特に「第Ⅱ部　勘

定科目別の会計処理」においては、会計基準による原則論を示しつつ、必要に応じて中小企業会計指針や中小企業会計要領に規定される中小企業向けの会計処理についても触れることとしていますので、ご留意ください。

第 2 節　建設業法に基づく財務諸表の作成

　建設業法では、以下の３つのケースにおいて財務諸表の作成及び提出が義務付けられています。

1.　建設業許可申請書の添付書類

　建設業を営むためには、建設業法に基づき、２以上の都道府県の区域内に営業所（本店または支店もしくは政令で定めるこれに準ずるもの）を設けて営業をしようとする場合にあっては国土交通大臣の、１の都道府県の区域内にのみ営業所を設けて営業をしようとする場合にあっては当該営業所の所在地を管轄する都道府県知事の許可を受けなければなりません（軽微な建設工事*のみを請け負うことを営業とする者を除く）（業法３①、業令１の２）。

　　*　①　建築工事一式については、工事１件の請負代金の額が1,500万円未満の工事または延べ面積が150m²未満の木造住宅工事
　　　　②　建築工事一式以外の建設工事については、工事１件の請負代金の額が500万円未満の工事

　したがって、建設業を営もうとする者は、建設業許可申請書の添付書類の一部として、株式会社である場合には直前１年の各事業年度の貸借対照表、損益計算書、株主資本等変動計算書、注記表、附属明細表を国土交通大臣または都道府県知事に提出しなければなりません（業法６①、業施規４①八）。

2.　毎事業年度経過後の届出

　建設業の許可を受けた建設業者は、毎事業年度終了のときにおける工事経歴

書、直前３年の各事業年度における工事施工金額を記載した書面、その他国土交通省令で定める書類を、毎事業年度経過後４カ月以内に国土交通大臣または都道府県知事に提出しなければなりません（業法６①一・二、11②）。

当該省令で定める書類には、小会社（資本金の額が１億円以下であり、かつ、最終事業年度にかかる貸借対照表の負債の部に計上した額の合計額が200億円未満の株式会社）の場合においては貸借対照表、損益計算書、株主資本等変動計算書、注記表及び事業報告書、小会社以外の株式会社の場合においてはこれらに加えて附属明細表が含まれます（業施規10①一）。

3.　経営事項審査申請書の添付書類

公共工事（公共性のある施設または工作物に関する建設工事で政令で定めるもの）を発注者から直接請け負おうとする建設業者は、建設工事の入札に参加する資格審査のために、国土交通大臣または都道府県知事に経営事項審査申請書を提出し、経営に関する客観的審査を受けなければなりません（業法27の23①）。

その際、経営状況分析の申請を登録経営状況分析機関に対して行いますが、その添付書類として、財務諸表が必要になります（業施規19の４①一・二）。

なお、経営事項審査制度の概要については、第Ⅰ部第２章「第３節　経営事項審査制度」（29頁）を参照してください。

図表Ⅰ－１－１　経営事項審査申請書の添付書類

	会社法第２条第６号に規定する大会社かつ金融商品取引法第24条第１項による有価証券報告書提出会社である場合	左記の会社以外の法人である場合
添付書類	直前３年の 　連結貸借対照表 　連結損益計算書 　連結株主資本等変動計算書 　連結キャッシュ・フロー計算書	直前３年の 　貸借対照表 　損益計算書 　株主資本等変動計算書 　注記表

4. 財務諸表の様式

　法人である建設業者が建設業法に基づいて、国土交通大臣または都道府県知事に提出する貸借対照表、損益計算書、株主資本等変動計算書、注記表及び附属明細表の記載方法については、建設業法施行規則別記様式第15号～第17号の3に示された様式による必要があります。

　また、それぞれの様式に記載されている勘定科目の内容については、国土交通省告示「建設業法施行規則別記様式第15号及び第16号の国土交通大臣の定める勘定科目の分類を定める件」において定められています。

[1]　様式第15号・貸借対照表

　貸借対照表は様式第15号に示されており、報告様式及び流動性配列法が採用されています。

　建設業特有の勘定科目として、完成工事未収入金、未成工事支出金、工事未払金及び未成工事受入金があげられます（**図表Ⅰ－1－2参照**）。

図表 I－1－2　貸借対照表の様式（記載要領は省略）

貸　借　対　照　表
令和　　年　　月　　日　現在

（会社名）＿＿＿＿＿＿＿＿＿＿＿

資　産　の　部

I　流　動　資　産　　　　　　　　　　　　　　　　　千円
　　　　現金預金　　　　　　　　　　　　　　　　　--------------------
　　　　受取手形　　　　　　　　　　　　　　　　　--------------------
　　　　完成工事未収入金　　　　　　　　　　　　　--------------------
　　　　有価証券　　　　　　　　　　　　　　　　　--------------------
　　　　未成工事支出金　　　　　　　　　　　　　　--------------------
　　　　材料貯蔵品　　　　　　　　　　　　　　　　--------------------
　　　　短期貸付金　　　　　　　　　　　　　　　　--------------------
　　　　前払費用　　　　　　　　　　　　　　　　　--------------------
　　　　その他　　　　　　　　　　　　　　　　　　--------------------
　　　　　　貸倒引当金　　　　　　　　　　△＿＿＿＿＿＿＿＿
　　　　　　流動資産合計　　　　　　　　　　　　　--------------------

II　固　定　資　産
　(1)　有形固定資産
　　　　建物・構築物　　　　　--------------------
　　　　　　減価償却累計額　△＿＿＿＿＿＿＿　--------------------
　　　　機械・運搬具　　　　　--------------------
　　　　　　減価償却累計額　△＿＿＿＿＿＿＿　--------------------
　　　　工具器具・備品　　　　--------------------
　　　　　　減価償却累計額　△＿＿＿＿＿＿＿　--------------------
　　　　土　地　　　　　　　　　　　　　　　　　　--------------------
　　　　リース資産　　　　　　--------------------
　　　　　　減価償却累計額　△＿＿＿＿＿＿＿　--------------------
　　　　建設仮勘定　　　　　　　　　　　　　　　　--------------------
　　　　その他　　　　　　　　--------------------
　　　　　　減価償却累計額　△＿＿＿＿＿＿＿　＿＿＿＿＿＿＿
　　　　　　有形固定資産合計　　　　　　　　　　　--------------------

　(2)　無形固定資産
　　　　特許権　　　　　　　　　　　　　　　　　　--------------------
　　　　借地権　　　　　　　　　　　　　　　　　　--------------------

　　　　のれん

　　　　リース資産

　　　　その他

　　　　　無形固定資産合計

　(3)　投資その他の資産

　　　　投資有価証券

　　　　関係会社株式・関係会社出資金

　　　　長期貸付金

　　　　破産更生債権等

　　　　長期前払費用

　　　　繰延税金資産

　　　　その他

　　　　　貸倒引当金　　　　　　　　△

　　　　　投資その他の資産合計

　　　　　　固定資産合計

Ⅲ　繰　延　資　産

　　　　創立費

　　　　開業費

　　　　株式交付費

　　　　社債発行費

　　　　開発費

　　　　　　繰延資産合計

　　　　　　資産合計

負　債　の　部

Ⅰ　流　動　負　債

　　　　支払手形

　　　　工事未払金

　　　　短期借入金

　　　　リース債務

　　　　未払金

　　　　未払費用

　　　　未払法人税等

　　　　未成工事受入金

　　　　預り金

　　　　前受収益

　　　　＿＿＿＿＿引当金

　　　　その他

　　　　　流動負債合計

Ⅱ　固　定　負　債
　　　　社債　　　　　　　　　　　　　　-------------------
　　　　長期借入金　　　　　　　　　　　-------------------
　　　　リース債務　　　　　　　　　　　-------------------
　　　　繰延税金負債　　　　　　　　　　-------------------
　　　------------引当金　　　　　　　　　-------------------
　　　　負ののれん　　　　　　　　　　　-------------------
　　　　その他　　　　　　　　　　　　　-------------------
　　　　　　固定負債合計　　　　　　　　
　　　　　　負債合計　　　　　　　　　　

純　資　産　の　部

Ⅰ　株　主　資　本
　　(1)　資本金　　　　　　　　　　　　-------------------
　　(2)　新株式申込証拠金　　　　　　　-------------------
　　(3)　資本剰余金
　　　　　資本準備金　　　　　　　　　　-------------------
　　　　　その他資本剰余金　　　　　　　
　　　　　　資本剰余金合計　　　　　　　-------------------
　　(4)　利益剰余金
　　　　　利益準備金　　　　　　　　　　-------------------
　　　　　その他利益剰余金
　　　　　　　　　準備金　　　　　　　　-------------------
　　　　　　　　　積立金　　　　　　　　
　　　　　繰越利益剰余金　　　　　　　　
　　　　　利益剰余金合計　　　　　　　　-------------------
　　(5)　自己株式　　　　　　　　△-------------------
　　(6)　自己株式申込証拠金　　　　　　
　　　　　　株主資本合計　　　　　　　　-------------------
Ⅱ　評価・換算差額等
　　(1)　その他有価証券評価差額金　　　-------------------
　　(2)　繰延ヘッジ損益　　　　　　　　-------------------
　　(3)　土地再評価差額金　　　　　　　
　　　　　　評価・換算差額等合計　　　　-------------------
Ⅲ　新　株　予　約　権　　　　　　　　　
　　　　　　純資産合計　　　　　　　　　
　　　　　　負債純資産合計

[2] 様式第16号・損益計算書

損益計算書は様式第16号に示されており、報告様式が採用されています。

建設業特有の勘定科目として、売上高及び売上原価の内訳である完成工事高及び完成工事原価があげられます。

また、建設業以外の事業をあわせて営む場合には、完成工事高及び完成工事原価と区別して兼業事業売上高及び兼業事業売上原価をそれぞれ記載します（図表Ⅰ－1－3参照）。

また、完成工事原価の内訳を報告するため、損益計算書の付表として完成工事原価報告書を作成します（図表Ⅰ－1－4参照）。完成工事原価報告書では、工事原価を材料費、労務費、外注費及び経費に区分します。

図表Ⅰ－1－3　損益計算書の様式（記載要領は省略）

損　益　計　算　書
自　令和　　年　　月　　日
至　令和　　年　　月　　日

（会社名）＿＿＿＿＿＿＿＿＿＿＿

Ⅰ　売　上　高　　　　　　　　　　　　　　　　　　　　千円
　　完成工事高　　　　　　　　　-------------------
　　兼業事業売上高　　　　　　　＿＿＿＿＿＿　　　　-------------------

Ⅱ　売　上　原　価
　　完成工事原価　　　　　　　　-------------------
　　兼業事業売上原価　　　　　　＿＿＿＿＿＿　　　　＿＿＿＿＿＿
　　　売上総利益（売上総損失）
　　　　完成工事総利益
　　　　（完成工事総損失）　　　-------------------
　　　　兼業事業総利益
　　　　（兼業事業総損失）　　　＿＿＿＿＿＿　　　　-------------------

Ⅲ　販売費及び一般管理費
　　役員報酬　　　　　　　　　　-------------------
　　従業員給料手当　　　　　　　-------------------
　　退職金　　　　　　　　　　　-------------------
　　法定福利費　　　　　　　　　-------------------
　　福利厚生費　　　　　　　　　-------------------
　　修繕維持費　　　　　　　　　-------------------
　　事務用品費　　　　　　　　　-------------------
　　通信交通費　　　　　　　　　-------------------
　　動力用水光熱費　　　　　　　-------------------
　　調査研究費　　　　　　　　　-------------------
　　広告宣伝費　　　　　　　　　-------------------
　　貸倒引当金繰入額　　　　　　-------------------
　　貸倒損失　　　　　　　　　　-------------------
　　交際費　　　　　　　　　　　-------------------
　　寄付金　　　　　　　　　　　-------------------

地代家賃 ------------------

減価償却費 ------------------

開発費償却 ------------------

租税公課 ------------------

保険料 ------------------

雑　費 _____ _____

　　営業利益（営業損失） ------------------

Ⅳ　営 業 外 収 益

受取利息及び配当金 ------------------

その他 _____ ------------------

Ⅴ　営 業 外 費 用

支払利息 ------------------

貸倒引当金繰入額 ------------------

貸倒損失 ------------------

その他 _____ _____

　　経常利益（経常損失） ------------------

Ⅵ　特 　別 　利 　益

前期損益修正益 ------------------

その他 _____ ------------------

Ⅶ　特 　別 　損 　失

前期損益修正損 ------------------

その他 _____ _____

税引前当期純利益
（税引前当期純損失） ------------------

法人税、住民税及び事業税 ------------------

法人税等調整額 _____ _____

当期純利益（当期純損失） ================

図表Ⅰ－1－4　完成工事原価報告書の様式

```
完 成 工 事 原 価 報 告 書
        自 令和　　年　　月　　日
        至 令和　　年　　月　　日

                    (会社名)＿＿＿＿＿＿＿＿＿＿＿

                                              千円

Ⅰ  材  料  費                        -------------------
Ⅱ  労  務  費                        -------------------
        (うち労務外注費 ＿＿＿＿＿＿)
Ⅲ  外  注  費                        -------------------
Ⅳ  経      費                        ＿＿＿＿＿＿＿
        (うち人件費 ＿＿＿＿＿＿)

            完成工事原価            ＿＿＿＿＿＿＿
```

[3]　様式第17号・株主資本等変動計算書

　株主資本等変動計算書は様式第17号に示されており、純資産の各項目を横に並べる様式が採用されています（図表Ⅰ－1－5参照）。

図表Ⅰ−5 株主資本等変動計算書の様式（記載要領は省略）

株主資本等変動計算書

自 令和　年　月　日
至 令和　年　月　日

（会社名）

（単位：千円）

	株主資本										評価・換算差額等				新株予約権	純資産合計
		資本剰余金			利益剰余金											
						その他利益剰余金										
	資本金	資本準備金	その他資本剰余金	資本剰余金合計	利益準備金	積立金	繰越利益剰余金	利益剰余金合計	自己株式	株主資本合計	その他有価証券評価差額金	繰延ヘッジ損益	土地再評価差額金	評価・換算差額等合計		
前期末残高																
当期変動額																
新株の発行																
剰余金の配当							△	△		△						△
当期純利益																
自己株式の処分									△							
株主資本以外の項目の当期変動額（純額）																△
当期変動額合計																
当期末残高																

第1章
建設業会計の概要

17

[4] 様式第17号の2・注記表

　注記表は様式第17号の2に示されており、重要な会計方針、貸借対照表関係、損益計算書関係及び株主資本等変動計算書関係などにかかる注記事項があげられています（**図表Ⅰ－1－6**参照）。

　建設業における特徴的な注記として、注2(4)の収益及び費用の計上基準において、完成工事高及び完成工事原価の認識基準、決算日における工事進捗度を見積もるために用いた方法その他の収益及び費用の計上基準について記載することが求められています。また、注7(6)では同一の工事契約に関する未成工事支出金と工事損失引当金を相殺せずに両建てで表示したときは、その旨及び当該未成工事支出金の金額のうち工事損失引当金に対応する金額を、未成工事支出金と工事損失引当金を相殺して表示したときは、その旨及び相殺表示した未成工事支出金の金額を記載することが求められています。

図表Ⅰ－1－6　注記表の様式（記載要領は省略）

注　　　記　　　表

自　令和　　年　　月　　日
至　令和　　年　　月　　日

（会社名）＿＿＿＿＿＿＿＿＿＿＿＿＿＿

注
　1　継続企業の前提に重要な疑義を生じさせるような事象又は状況
　2　重要な会計方針
　(1)　資産の評価基準及び評価方法
　(2)　固定資産の減価償却の方法
　(3)　引当金の計上基準
　(4)　収益及び費用の計上基準
　(5)　消費税及び地方消費税に相当する額の会計処理の方法
　(6)　その他貸借対照表、損益計算書、株主資本等変動計算書、注記表作成
　　　のための基本となる重要な事項
　3　会計方針の変更
　4　表示方法の変更

4－2　会計上の見積り
5　会計上の見積りの変更
6　誤謬の訂正
7　貸借対照表関係
　⑴　担保に供している資産及び担保付債務
　　①　担保に供している資産の内容及びその金額
　　②　担保に係る債務の金額
　⑵　保証債務、手形遡及債務、重要な係争事件に係る損害賠償義務等の内容及び金額
　⑶　関係会社に対する短期金銭債権及び長期金銭債権並びに短期金銭債務及び長期金銭債務
　⑷　取締役、監査役及び執行役との間の取引による取締役、監査役及び執行役に対する金銭債権及び金銭債務
　⑸　親会社株式の各表示区分別の金額
　⑹　工事損失引当金に対応する未成工事支出金の金額
8　損益計算書関係
　⑴　売上高のうち関係会社に対する部分
　⑵　売上原価のうち関係会社からの仕入高
　⑶　売上原価のうち工事損失引当金繰入額
　⑷　関係会社との営業取引以外の取引高
　⑸　研究開発費の総額（会計監査人を設置している会社に限る。）
9　株主資本等変動計算書関係
　⑴　事業年度末日における発行済株式の種類及び数
　⑵　事業年度末日における自己株式の種類及び数
　⑶　剰余金の配当
　⑷　事業年度末において発行している新株予約権の目的となる株式の種類及び数
10　税効果会計
11　リースにより使用する固定資産
12　金融商品関係
　⑴　金融商品の状況
　⑵　金融商品の時価等
13　賃貸等不動産関係
　⑴　賃貸等不動産の状況
　⑵　賃貸等不動産の時価
14　関連当事者との取引
　取引の内容

種類	会社等の名称又は氏名	議決権の所有（被所有）割合	関係内容	科目	期末残高（千円）

　　ただし、会計監査人を設置している会社は以下の様式により記載する。
　（1）　取引の内容

種類	会社等の名称又は氏名	議決権の所有（被所有）割合	関係内容	取引の内容	取引金額	科目	期末残高（千円）

　（2）　取引条件及び取引条件の決定方針
　（3）　取引条件の変更の内容及び変更が貸借対照表、損益計算書に与える影響の内容
15　一株当たり情報
　（1）　一株当たりの純資産額
　（2）　一株当たりの当期純利益又は当期純損失
16　重要な後発事象
17　連結配当規制適用の有無
17-2　収益認識関係
18　その他

[5] 様式第17号の3・附属明細表

附属明細表は様式第17号の3に示されており、完成工事未収入金の詳細、その他勘定明細を記載することとされています（図表Ⅰ－1－7参照）。

図表Ⅰ－1－7　附属明細表の様式（記載要領は省略）

附　属　明　細　表

令和　　　年　　　月　　　日現在

1　完成工事未収入金の詳細

相手先別内訳

相　手　先	金　　額
	千円
計	

滞留状況

発　生　時	完成工事未収入金
当期計上分	千円
前期以前計上分	
計	

2　短期貸付金明細表

相　手　先	金　　額
	千円
計	

3　長期貸付金明細表

相　手　先	金　　額
	千円
計	

4　関係会社貸付金明細表

関係会社名	期首残高	当期増加額	当期減少額	期末残高	摘　　要
	千円	千円	千円	千円	
計					－

第1章
建設業会計の概要

21

5　関係会社有価証券明細表

	銘柄	一株の金額	期首残高			当期増加額		当期減少額		期末残高			摘要
			株式数	取得価額	貸借対照表計上額	株式数	金額	株式数	金額	株式数	取得価額	貸借対照表計上額	
株式		千円		千円	千円		千円		千円		千円	千円	
	計												

	銘柄	期首残高		当期増加額	当期減少額	期末残高		摘要
		取得価額	貸借対照表計上額			取得価額	貸借対照表計上額	
社債		千円	千円	千円	千円	千円	千円	
	計							
その他の有価証券								
	計							

6　関係会社出資金明細表

関係会社名	期首残高	当期増加額	当期減少額	期末残高	摘　　要
	千円	千円	千円	千円	
計					－

7　短期借入金明細表

借　入　先	金　　額	返　済　期　日	摘　　要
	千·円		
計			―

8　長期借入金明細表

借　入　先	期首残高	当期増加額	当期減少額	期末残高	摘　要
	千·円	千·円	千·円	千·円	
計					―

9　関係会社借入金明細表

関係会社名	期首残高	当期増加額	当期減少額	期末残高	摘　要
	千·円	千·円	千·円	千·円	
計					―

10　保証債務明細表

相　手　先	金　　額
	千·円
計	

第 **2** 章

入札契約制度と
経営事項審査制度

　建設業の事業運営に関する制度的な特徴として、入札契約制度及び経営事項審査制度があります。

第 1 節　入札契約制度

1.　入札制度の概要

　国や地方公共団体などが発注する公共工事では、入札・契約制度が採用されており、契約は原則として一般競争入札によらなければならないとされています（会計法29の3①、地方自治法234②）。

　かつては指名競争入札によることが一般的でしたが、たび重なる不祥事を踏まえて、1994（平成6）年に一般競争入札方式が導入されました。さらに、2000（平成12）年には「公共工事の入札及び契約の適正化の促進に関する法律」、2005（平成17）年には「公共工事の品質確保の促進に関する法律」が制定され、入札契約の適正化が図られています。

　公共工事にかかる入札契約制度の目的は、コストの低減、品質の確保及び不正行為の防止等を踏まえて最も価値の高い調達を実現すること、また建設業の健全な発達をその政策目標としています。そのための対策として、公正な入札の実施、透明性の向上、監督検査の徹底及び不良不適格業者の排除等を行っています。

第Ⅰ部
建設業会計の基礎知識

24

公共調達における基本的な枠組みは、国においては「会計法」で、地方公共団体においては「地方自治法」で規定されており、競争入札、予定価格制度及び最低価格自動落札を原則としています。

2. 入札契約制度の基本的枠組み

[1] 競争入札

契約の性質等に応じ、一般競争入札、指名競争入札、随意契約によることとされています。会計法においては、一般競争入札が原則とされています（会計法29の3①）。

❶ 一般競争入札

一般競争入札とは、競争入札のうち入札情報を公告して参加申込を募り、希望者同士で競争に付して契約者を決める方式をいいます。

❷ 指名競争入札

指名競争入札とは、競争入札のうち特定の条件により発注者側が指名した者同士で競争に付して契約者を決める方式をいいます。

❸ 随意契約

随意契約とは、競争入札によらずに任意で決定した相手と契約することをいいます。

競争参加資格については、必要に応じ発注者が定めることができるとされています。

[2] 予定価格制度（上限拘束性）

予定価格の制限の範囲内で入札した者でなければ、契約の相手方とはできません。会計法においては、予定価格を秘匿して入札を行うこととされています。

[3] 最低価格自動落札

最低の価格で入札した者を、契約の相手方とすることとされています。落札

者となるべき価格の入札が複数あるときは、くじで落札者を決定することとされています。最低価格自動落札の例外として、次の3つの制度があります。

❶ 総合評価方式

契約の性質等に応じ、価格その他の条件が最も有利な者と契約することができます。なお、国にあっては、あらかじめ財務大臣と協議を行う必要があります（本章「第2節　総合評価方式による審査」（27頁）参照）。

❷ 低入札価格調査制度

契約の相手方となるべき者の入札価格が、一定水準以下の価格である場合には、適切な履行が可能かどうか調査を行い、調査の結果に応じ、最低価格入札者ではなく次順位者と契約することができます。

❸ 最低制限価格制度

地方公共団体においては、必要に応じ最低制限価格を設定することができます。

図表Ⅰ-2-1　公共工事における入札契約の流れ

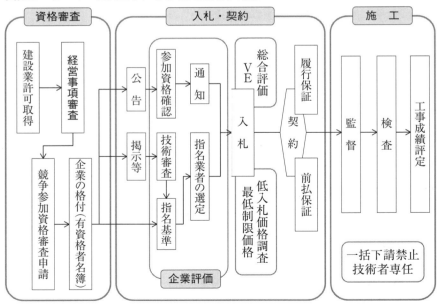

（参考：国土交通省ホームページ）

| 第 **2** 節 | 総合評価方式による審査 |

1. 総合評価方式拡充の背景

　入札契約制度における基本的な枠組みとして、最低価格自動落札があること、またその例外として総合評価方式があることは先に述べたとおりです。

　総合評価方式は、2005（平成17）年4月施行の「公共工事の品質確保の促進に関する法律」により、公共工事の品質確保のための主要な取組みとされました。同法において、公共工事の品質は、「経済性に配慮しつつ価格以外の多様な要素をも考慮し、価格及び品質が総合的に優れた内容の契約がなされることにより確保されなければならない」と規定されています。

　国の厳しい財政事情のもと公共投資が減少している中で、受注をめぐる価格競争が激化して著しい低価格による入札が急増するとともに、工事中の事故や手抜き工事の発生、下請業者や労働者へのしわ寄せ等による公共工事の品質低下に関する懸念が顕著となっていたことから、公共工事の品質確保を図るために、競争参加者の技術的能力の審査を適切に行うとともに、品質の向上にかかる技術提案を求めるよう努め、価格に加えて技術提案の優劣を総合的に評価することにより最も評価の高い者を落札者とする「総合評価方式」を導入したものです。

　総合評価方式の適用により、公共工事の施工に必要な技術的能力を有する建設業者が施工することとなり、工事品質の確保や向上が図られます。その結果、工事目的物の性能の向上、長寿命化・維持修繕費の縮減・施工不良の未然防止等による総合的なコストの縮減、交通渋滞対策・環境対策、事業効果の早期発現等が効率的かつ適切に図られることが見込まれます。また、民間企業が技術的競争を行うことによりモチベーションの向上が図られ、技術と経営に優れた健全な建設業者が育成されるほか、価格以外の多様な要素が考慮された競争が行われることで、談合が行われにくい環境が整備されることも期待されています。

2. 総合評価方式の適用範囲と評価項目

[1] 適用範囲

国土交通省による「工事に関する入札に係る総合評価落札方式の標準ガイドライン」では、次の3つのタイプの工事を総合評価方式の対象としています。

① 入札者の提示する性能、機能、技術等によって、工事価格に、工事に関連して生ずる補償費等の支出額及び収入の減額相当額ならびに維持更新費を含めたライフサイクルコストを加えた総合的なコストに相当程度の差異が生ずる工事

② 入札者の提示する性能、機能、技術等によって、工事価格の差異に比して、工事目的物の初期性能の持続性、強度、安定性などの性能・機能に相当程度の差異が生ずる工事

③ 環境の維持、交通の確保、特別な安全対策、省資源対策またはリサイクル対策を必要とする工事であって、入札者の提示する性能、機能、技術等によって、工事価格の差異に比して対策の達成度に相当程度の差異が生ずる工事

[2] 評価項目

また、評価項目設定の指針となる事項の例示として、次の事項があげられています。

図表 I − 2 − 2　評価項目設定の指針となる事項の例示

①	総合的なコストに関する事項	
	ライフサイクルコスト	維持管理費・更新費も含めたライフサイクルコスト
	その他	補償費等の支出額等
②	工事目的物の性能、機能に関する事項	
	性能・機能	初期性能の持続性、強度、耐久性、安定性、美観、供用性等の性能、機能

③　社会的要請に関する事項

環境の維持	騒音、振動、粉塵、悪臭、水質汚濁、地盤沈下、土壌汚染などへの配慮、景観の維持
交通の確保	交通への影響（規制車線数、規制時間、交通ネットワークの確保、災害復旧等）
特別な安全対策	特別な安全対策を必要とする工事について安全対策の良否
省資源対策またはリサイクル対策	省資源対策、リサイクルの良否などへの対応

第3節　経営事項審査制度

1. 経営事項審査制度の概要

　公共工事を発注者から直接請け負おうとする建設業者は、次の2つの事項について経営事項審査を受けなければなりません（業法27の23①②）。

①　経営状況

②　経営規模、技術的能力その他の客観的事項

　公共工事の発注者は、競争入札への参加希望者である建設業者について欠格要件、客観的事項及び主観的事項からなる資格審査を行っています。欠格要件に該当しないと認められた建設業者については、客観的事項及び主観的事項について審査結果を数値化し、順位付け・格付けを行っています。このうち、適格性、施工能力や経営状況等を分析する客観的事項を経営事項審査といいます。

　経営事項審査のうち、経営状況の分析は国土交通大臣の登録を受けた者（登録経営状況分析機関）が行います（業法27の24①）。一方、経営規模等の評価は国土交通大臣または都道府県知事が行います。なお、審査の基準日は申請日の直前の営業年度の終了の日（直前の決算日）、新設の場合は会社が成立した日または開業した日になります。

2. 経営事項審査にかかる手続き

経営事項審査にかかる申請書類は、次のとおりです。

① 経営規模等評価申請書

経営規模等評価再審査申立書

総合評定値請求書

② 工事種類別完成工事高

工事種類別元請完成工事高

③ 技術職員名簿

④ その他の審査項目（社会性等）

⑤ 経営状況分析結果通知書

⑥ （必要に応じて）工事経歴書

なお、経営状況分析申請の添付書類として建設業者の財務諸表が必要な旨は、すでに述べたとおりです（第Ⅰ部第1章第2節「3. 経営事項審査申請書の添付書類」（8頁）参照）。

経営事項審査にかかる申請の流れを図に示すと、**図表Ⅰ－2－3**のようになります（参考：建設業情報管理センター（CIIC）ホームページ）。

経営状況分析申請によって付されるY評点、経営規模等評価申請によって付されるX評点、Z評点及びW評点にかかる審査項目と、それぞれの評点のウェイトは**図表Ⅰ－2－4**のとおりです。また、以上の評点から算出されるP評点が総合評定値になります。

なお、これらのうちX評点とY評点の数値、Z評点とW評点の一部の数値は会計データに基づいて算出されます。

図表Ⅰ-2-3　経営事項審査申請の流れ

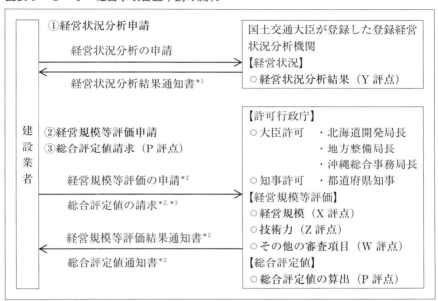

* 1　経営規模等評価の申請と総合評定値の請求を同時に行う場合は、あらかじめ経営状況分析を受け、この結果通知書を取得する必要があります。
* 2　経営規模等評価の申請と総合評定値の請求は同時に同一の様式で行うことができ、その場合同一の様式により通知されます。
* 3　総合評定値を請求する場合は、経営状況分析結果通知書（原本）の提出が必要です。

図表Ⅰ−2−4　客観的項目の審査項目

項目区分		審査項目	ウエイト
経営規模	X1	工事種類別年間平均完成工事高	0.25
	X2	自己資本額 利払前税引前償却前利益（EBITDA）	0.15
経営状況	Y	純支払利息比率 負債回転期間 売上高経常利益率 総資本売上総利益率 自己資本対固定資産比率 自己資本比率 営業キャッシュ・フロー（絶対額） 利益剰余金（絶対額）	0.20
技術力	Z	工事種類別技術職員数 工事種類別元請完成工事高	0.25
その他の審査項目 （社会性等）	W	労働福祉の状況 建設業の営業年数 防災活動への貢献の状況 法令遵守の状況 建設業の経理に関する状況 研究開発の状況 建設機械の保有状況 国際標準化機構（ISO）が定めた規格による登録の状況 若年の技術者及び技能労働者の育成及び確保の状況	0.15
総合評定	P	$0.25X1 + 0.15X2 + 0.2Y + 0.25Z + 0.15W$	

（注）X1、X2、Yの一部、Zについては2年平均値で算定する。

第 **3** 章

完成工事高及び
完成工事原価の計上

　建設業における収益計上は、2007（平成19）年12月に「工事契約に関する会計基準」及び「工事契約に関する会計基準の適用指針」が公表されて、2009（平成21）年4月1日以降開始事業年度より当該基準等に従ってきました。

　しかし、2018（平成30）年3月に収益認識に関する包括的な会計基準である「収益認識に関する会計基準」及び「収益認識に関する会計基準の適用指針」が公表され、2021（令和3）年4月1日以後開始する事業年度の期首から強制適用されることとなりました。

　その結果、工事契約も収益認識会計基準等に従うこととなり、10年以上適用されてきた「工事契約に関する会計基準」とその適用指針は廃止されました（収益認識会計基準90）。

第 **1** 節　収益認識会計基準の概要

1. 工事契約会計基準から収益認識会計基準へ

　2007（平成19）年12月に公表された「工事契約に関する会計基準」及び「工事契約に関する会計基準の適用指針」により工事契約の具体的な指針が定められ、2009（平成21）年4月1日以降開始事業年度より、工事契約に関しては、工事の進行途上においてもその進捗部分について成果の確実性が認められる場合には工事進行基準を適用し、この要件を満たさない場合には工事完成基準を

適用してきました。

しかし、国際会計基準審議会（IASB）が国際財務報告基準（IFRS）第15号「顧客との契約から生じる収益」を2014（平成26）年5月に公表したことにより、世界各国のIFRS適用企業では2018（平成30）年1月1日以後開始する事業年度からの強制適用が始まりました。

そこで、日本の企業会計基準委員会（ASBJ）も、IFRSへの共通化を進める観点から、収益認識に関する包括的な会計基準を定めました。2018（平成30）年3月30日に「収益認識に関する会計基準」（以下「収益認識会計基準」といいます）及び「収益認識に関する会計基準の適用指針」（以下「収益認識適用指針」といいます）が公表され、2021（令和3）年4月1日以後開始する事業年度の期首から強制適用されています。

収益認識会計基準では、収益を認識するための5つのステップがあり、一定期間にわたり充足される履行義務は、進捗度を合理的に見積もり収益認識します。

収益に関する会計処理及び開示は、収益認識会計基準が企業会計原則に優先して適用されます（収益認識会計基準1）。工事契約についても、収益認識の包括的な基準である収益認識会計基準が適用されることになりました。これにより、わが国において10年以上適用されてきた「工事契約に関する会計基準」とその適用指針は廃止されました（収益認識会計基準90）。

なお、会計基準は原則的にすべての企業に適用されるべきものですが、実務上の負担等も考慮すると、金融商品取引法の規制を受ける上場企業グループや会社法上の会計監査人設置会社以外の企業に関しては任意適用と解されています。また、会計基準の制定に対応して法人税法等も改正されていますが、中小企業（監査対象法人以外）については、引き続き企業会計原則に則った会計処理も可能とされています。さらに、建設業法施行規則も2018（平成30）年3月31日の改正により、収益認識に関する会計基準に対応しています。

2. 収益の認識に係る5つのステップ

収益認識会計基準では、基本となる原則として、「約束した財又はサービス

の顧客への移転を当該財又はサービスと交換に企業が権利を得ると見込む対価の額で描写するように、収益を認識する」とし、そのための5つのステップを示しています（収益認識会計基準16、17）。

　　・ステップ1：顧客との契約を識別する
　　・ステップ2：契約における履行義務を識別する
　　・ステップ3：取引価格を算定する
　　・ステップ4：契約における履行義務に取引価格を配分する
　　・ステップ5：履行義務を充足した時にまたは充足するにつれて収益を認識
　　　　　　　　する

　これにより、ステップ1及び2で収益を認識する単位を把握し、ステップ3及び4で収益をいくらで認識するかを決定し、ステップ5で収益を認識するタイミングを検討した結果、会計上の収益を計上することとなります。

[1]　契約の識別（ステップ1）

　契約とは、「法的な強制力のある権利及び義務を生じさせる複数の当事者間における取り決め」と定義されており、収益認識に際して識別する契約の要件として次の項目があげられています（収益認識会計基準5、19）。

---

①　当事者が、書面、口頭、取引慣行等により契約を承認し、それぞれの義務の履行を約束していること
②　移転される財又はサービスに関する各当事者の権利を識別できること
③　移転される財又はサービスの支払条件を識別できること
④　契約に経済的実質があること（すなわち、契約の結果として、企業の将来キャッシュ・フローのリスク、時期または金額が変動すると見込まれること）
⑤　顧客に移転する財又はサービスと交換に企業が権利を得ることとなる対価を回収する可能性が高いこと

　契約は書面によるものだけではなく、口頭や取引慣行等によるものも含まれます。なお、契約を識別する前に顧客から対価を受け取った場合には、次のい

ずれかに該当するまでは負債を認識し、収益を認識できません（収益認識会計基準25、26）。

① 財又はサービスを顧客に移転する残りの義務がなく、約束した対価のほとんどすべてを受け取っており、顧客への返金は不要であること
② 契約が解約されており、顧客から受け取った対価の返金は不要であること

また、同一の顧客と同時またはほぼ同時に締結した複数の契約について、次のいずれかの要件を満たす場合には、それらの契約を結合して単一の契約とみなして処理を行います（収益認識会計基準27）。

① 当該複数の契約が同一の商業的目的を有するものとして交渉されたこと
② 1つの契約において支払われる対価の額が、他の契約の価格または履行により影響を受けること
③ 当該複数の契約において約束した財又はサービスが、単一の履行義務として識別されること

さらに、契約変更について、次の要件をいずれも満たす場合には、当該契約変更を独立した契約として処理を行います（収益認識会計基準30）。

① 別個の財又はサービスの追加により、契約の範囲が拡大されること
② 変更される契約の価格が、追加的に約束した財又はサービスに対する独立販売価格に特定の契約の状況に基づく適切な調整を加えた金額分だけ増額されること

これらの要件を満たさず、独立した契約として処理されない場合には、次のいずれかの方法により処理します（収益認識会計基準31）。

① 未だ移転していない財又はサービスが契約変更日以前に移転した財又はサー

第Ⅰ部
建設業会計の基礎知識

ビスと別個のものである場合には、契約変更を既存の契約を解約して新しい契約を締結したものと仮定して処理する

② 未だ移転していない財又はサービスが契約変更日以前に移転した財又はサービスと別個のものではなく、契約変更日において部分的に充足されている単一の履行義務の一部を構成する場合には、契約変更を既存の契約の一部であると仮定して処理する

③ 未だ移転していない財又はサービスが①と②の両方を含む場合には、契約変更が変更後の契約における未充足の履行義務に与える影響を、それぞれ①または②の方法に基づき処理する

[2] 履行義務の識別（ステップ2）

履行義務とは、「顧客との契約において、次のいずれかを顧客に移転する約束」と定義されており、顧客との契約において約束した財又はサービスを評価し、それぞれについて履行義務として識別します（収益認識会計基準7、32）。

① 別個の財又はサービス（あるいは別個の財又はサービスの束）
② 一連の別個の財又はサービス（特性が実質的に同じであり、顧客への移転のパターンが同じである複数の財又はサービス）

別個の履行義務となるためには、次の要件を両方満たす必要があります（収益認識会計基準34）。

① 当該財又はサービスから単独で顧客が便益を享受することができること、あるいは、当該財又はサービスと顧客が容易に利用できる他の資源を組み合わせて顧客が便益を享受することができること（すなわち、当該財又はサービスが別個のものとなる可能性があること）

② 当該財又はサービスを顧客に移転する約束が、契約に含まれる他の約束と区分して識別できること（すなわち、当該財又はサービスを顧客に移転する約束が契約の観点において別個のものとなること）

このように、企業は、顧客との契約の中に複数の財又はサービスが含まれている場合には、それがいくつの履行義務として識別されるかを検討しなくてはなりません。

なお、取引慣行や公表した方針等により含意されている約束が含まれる可能性もあり、留意が必要です。

[3] 取引価格の算定(ステップ3)

取引価格とは、「財又はサービスの顧客への移転と交換に企業が権利を得ると見込む対価の額（ただし、第三者のために回収する額を除く。）」と定義されており、その算定にあたっては次のすべての影響を考慮する必要があります(収益認識会計基準8、48)。

---

① 変動対価…対価の額を見積もる
② 契約における重要な金融要素…金利相当分の影響を調整する
③ 現金以外の対価…対価を時価により影響する
④ 顧客に支払われる対価…取引価格を見積もり減額する

特に契約に値引やリベート等が含まれる変動対価（顧客と約束した対価のうち変動する可能性のある部分）に関しては、財又はサービスの顧客への移転と交換に企業が権利を得ることとなる対価の額を見積もる必要があります。

その見積もりにあたっては、発生し得ると考えられる対価の額における最も可能性の高い単一の金額（最頻値）による方法または発生し得ると考えられる対価の額を確率で加重平均した金額（期待値）による方法のいずれかのうち、企業が権利を得ることとなる対価の額をより適切に予測できる方法を得ることとなる対価の額を用いることとされています（収益認識会計基準50、51）。

[4] 取引価格の配分(ステップ4)

契約に複数の履行義務がある場合、識別したそれぞれの履行義務に対して、

算定した取引価格を配分する必要があります。配分に際しては、履行義務の基礎となる別個の財又はサービスについて独立販売価格を算定し、その比率に基づいて行います（収益認識会計基準66、68）。

　ここで独立販売価格とは、「財又はサービスを独立して企業が顧客に販売する場合の価格」をいいます。独立販売価格を直接観察できない場合には、市場の状況、企業固有の要因、顧客に関する情報等、合理的に入手できるすべての情報を考慮し、観察可能な入力数値を最大限利用して、独立販売価格を見積もらなければなりません（収益認識会計基準 9 、69）。

　また、財又はサービスの独立販売価格の合計額が契約の取引価格を超える場合には、契約における財又はサービスの束について顧客に値引きを行っているものとして、原則としてすべての履行義務に対して比例的に配分する必要があります（収益認識会計基準70）。

[5]　履行義務の充足及び収益認識（ステップ 5 ）

　収益の認識は、約束した財又はサービスを顧客に移転することにより履行義務を充足した時にまたは充足するにつれて行われます。顧客への移転は、顧客が資産（財又はサービス）に対する支配を獲得した時または獲得するにつれて行われます（収益認識会計基準35）。

　なお、資産に対する支配とは、「当該資産の使用を指図し、当該資産からの残りの便益のほとんどすべてを享受する能力（他の企業が資産の使用を指図して資産から便益を享受することを妨げる能力を含む）」をいいます（収益認識会計基準37）。

　このような履行義務の充足は、一定の期間にわたり充足されるものと、一時点で充足されるものに分かれます。次の３つの要件のいずれかを満たす場合には、資産（財又はサービス）に対する支配を顧客に一定の期間にわたり移転することにより、一定の期間にわたり履行義務を充足し収益を認識します。いずれも満たさない場合には、一時点で充足される履行義務として収益を認識します（収益認識会計基準38、39）。

① 企業が顧客との契約における義務を履行するにつれて、顧客が便益を享受すること

② 企業が顧客との契約における義務を履行することにより、資産が生じるまたは資産の価値が増加し、当該資産が生じるまたは当該資産の価値が増加するにつれて、顧客が当該資産を支配すること

③ 次の要件のいずれも満たすこと

  a. 企業が顧客との契約における義務を履行することにより、別の用途に転用することができない資産が生じること

  b. 企業が顧客との契約における義務の履行を完了した部分について、対価を収受する強制力のある権利を有していること

　一定の期間にわたり充足される履行義務については、履行義務の充足に係る進捗度を見積もり、当該進捗度に基づき収益を一定の期間にわたり認識することになります（収益認識会計基準41）。

　進捗度を合理的に見積もることができないものの、履行義務を充足する際に発生する費用を回収することが見込まれる場合には、履行義務の充足に係る進捗度を合理的に見積もることができる時まで、原価回収基準（履行義務を充足する際に発生する費用のうち、回収することが見込まれる費用の金額で収益を認識する方法）により処理します（収益認識会計基準15、45）。

　また、一時点で充足される履行義務については、資産に対する支配を顧客に移転した時点の決定に関して考慮すべき指標として、次の5つがあげられています（収益認識会計基準40）。

---

① 企業が顧客に提供した資産に関する対価を収受する現在の権利を有していること

② 顧客が資産に対する法的所有権を有していること

③ 企業が資産の物理的占有を移転したこと

④ 顧客が資産の所有にともなう重大なリスクを負い、経済価値を享受していること

⑤　顧客が資産を検収したこと

3.　その他の取扱い

　上記のような収益の認識に係る5つのステップに加えて、収益認識適用指針では、特定の状況または取引における取扱い、工事契約等から損失が見込まれる場合の取扱い、重要性等に関する代替的な取扱いが定められています。

　これらの中から、建設業に関連する取扱いについて確認します。

[1]　本人と代理人の区分

　顧客への財又はサービスの提供に他の当事者が関与している場合においては、顧客との約束が当該財又はサービスを企業が自ら提供する履行義務であるか（本人に該当）、他の当事者によって提供されるように企業が手配する履行義務であるか（代理人に該当）判断しなければなりません。企業が本人に該当する場合には、見込まれる対価の総額を収益として認識します。一方、企業が代理人に該当する場合には、見込まれる報酬又は手数料の金額を収益として認識します（収益認識適用指針39、40）。

　本人と代理人の区分の判定は、顧客に約束した特定の財又はサービスのそれぞれについて行うため、契約の識別単位と一致するとは限りません。その判定の手順は次のとおりです（収益認識適用指針41、42）。

① 　顧客に提供する財又はサービスを識別すること
② 　財又はサービスのそれぞれが顧客に提供される前に、当該財又はサービスを企業が支配しているかどうかを判断すること

　特に、財又はサービスが顧客に提供される前に企業が当該財又はサービスを支配している場合は本人に該当し、支配していない場合は代理人に該当します（収益認識適用指針43）。

「支配」については前述の2.「［5］履行義務の充足及び収益認識（ステップ5）」(39頁)において触れたとおりですが、支配しているか否かの判定において考慮すべき指標として次の3つがあげられています(収益認識適用指針47)。

> ① 企業が約束の履行に関して主たる責任を有しているか
> ② 企業が在庫リスクを有しているか
> ③ 企業が財又はサービスの価格の設定において裁量権を有しているか

しかしながら、これらは契約による特定の財又はサービスによっては関連度合が異なるので留意が必要です。

[2] 工事契約等から損失が見込まれる場合

工事契約について、工事原価総額等が工事収益総額を超過する可能性が高く、かつ、その金額を合理的に見積もることができる場合には、その超過すると見込まれる額（工事損失）のうち、当該工事契約に関してすでに計上された損益の額を控除した残額を、工事損失が見込まれた期の損失として処理し、工事損失引当金を計上します（収益認識適用指針90、162）。

このように、工事損失引当金の計上に関しては収益認識適用指針に明記されたものの、工事契約会計基準から実務上の変更はありません。

[3] 期間がごく短い工事契約に係る履行義務の充足

工事契約について、契約における取引開始日から完全に履行義務を充足すると見込まれる時点までの期間がごく短い場合には、一定の期間にわたり収益を認識せず、完全に履行義務を充足した時点で収益を認識することができます。

工期がごく短い契約は、通常は金額的な重要性が乏しいと想定され、完全に履行義務を充足した時点で収益を認識しても財務諸表間の比較可能性を大きく損なうものではないと考えられるためです（収益認識適用指針95、168）。

[4] 工事契約の収益認識の単位

工事契約については、契約の結合に関して代替的な取扱いが認められています。

工事契約について、当事者間で合意された実質的な取引の単位を反映するように複数の契約（異なる顧客と締結した複数の契約や異なる時点に締結した複数の契約を含む）を結合した際の収益認識の時期及び金額と、収益認識会計基準の原則どおりの収益認識の時期及び金額との差異に重要性が乏しいと認められる場合には、当該複数の契約を結合し、単一の履行義務として識別することができます（収益認識適用指針102）。

第2節 収益認識基準による完成工事高の認識

1. 進捗度に基づき一定の期間にわたり認識する完成工事高

前節でみてきたように、収益認識会計基準では履行義務が充足されるタイミングで収益を認識します。一定の期間にわたり充足される履行義務の場合は進捗度に基づき一定の期間にわたり収益を認識し、一定の期間にわたり充足されるものではない場合には一時点で収益を認識します（収益認識会計基準38、39、41）。

工事契約に関しては、例えば、施主の土地の上に建物を建設する場合、通常、工事の進捗とともにできあがっていく建物（＝履行から生じる仕掛品）を施主が支配するので、一定の期間にわたり充足される履行義務の要件を満たします（収益認識会計基準136）。よって、一定の期間（工期）にわたり履行義務の充足（工事の進捗）に応じて収益（完成工事高）認識します。完成工事高は、決算日における工事の進捗度を合理的に見積もって算出します。

進捗度に基づき一定の期間にわたり収益を認識する会計処理は、工事の進捗度に応じて完成工事高と完成工事原価を認識するため、適正な期間損益計算の見地からは合理的と考えられます。

進捗度の見積もりにはインプット法とアウトプット法があり、その方法を決定するにあたっては、財又はサービスの性質を考慮します（収益認識適用指針15）。工事の進捗度を発生コストに基づくインプット法で算出する場合は、決算日までに実施した工事に関して発生した工事原価が工事原価総額に占める割合をもって決算日における工事の進捗度を算出します（原価比例法）。

工事の進捗度を合理的に見積もるためには、工事収益総額、工事原価総額及び工事進捗度について工事ごとに的確な管理が必要になります。また、適正な工事進捗度の見積もりに際しては、出来高相当分の見積計上、出来高に相当しない部分の請求は除外するなど、事務手続が必要になります。

[1] 進捗度の合理的な見積もり

一定の期間にわたり完成工事高を認識する場合、工事の進捗度を合理的に見積もり、当該進捗度に基づき完成工事高を認識します（収益認識会計基準41、44）。進捗度の見積もりにはインプット法とアウトプット法があり、その方法を決定するにあたっては、財又はサービスの性質を考慮します（収益認識適用指針15）。

インプット法は、履行義務の充足に使用されたインプットが契約における取引開始日から履行義務を完全に充足するまでに予想されるインプット合計に占める割合に基づき、収益を認識するものです（収益認識適用指針20）。

ただし、進捗度に応じて完成工事高を認識できるのは、工事の進捗度を合理的に見積ることができる場合のみであり（収益認識会計基準44）、進捗度を適切に見積るための信頼性のある情報が不足している場合、進捗度を合理的に見積もることができません（収益認識会計基準139）。

工事の進捗度を発生コストに基づくインプット法で算出する場合、進捗度を合理的に見積もるためには、次の3つの項目についての見積もりが必要となります。その具体的な内容は、それぞれ次のとおりです。契約や履行義務の識別、工事収益総額及び実行予算の見直しにあたって必要となる協議の結果に関する情報を、見積担当部署が適時かつ網羅的に収集することが必要です。

❶ 工事収益総額

　工事契約においては、当初の契約金額は、通常、契約書等により確定しています。

　しかし、建設業においては、契約の追加が合意されたにもかかわらず、対価についての変更が必ずしも契約書等によって適時に確定しないことがあります。また、スライド条項等による事後的な値引きまたは値増しや、契約条件に基づくペナルティー及びインセンティブ等により、契約金額が増額または減額されることがあります。

　このような変動対価の額が適切に見積もられない場合は、事後的に収益が不適切に増減する可能性があります（建設業及び受注制作のソフトウェア業における収益の認識に関する監査に係る実務ガイダンス50、51）。

❷ 工事原価総額

　工事原価総額の見積りは、一般的には実行予算に基づいて行われます。工事原価総額を合理的に見積もるためには、工事の事前の見積もりと実績を対比することにより、適時・適切に工事原価総額の見積もりの見直しが行われることが必要です（建設業及び受注制作のソフトウェア業における収益の認識に関する監査に係る実務ガイダンス64）。

　一般的に工事契約は、その進行途上における当初想定していない事情の変化により契約の変更が行われるため、識別された履行義務の進捗に応じ工事原価総額の見積もりの修正を適時・適切に行うために、契約変更の情報収集体制を整えることが必要になります（建設業及び受注制作のソフトウェア業における収益の認識に関する監査に係る実務ガイダンス66）。

❸ 決算日における工事の進捗度

　決算日における工事の進捗度を発生コストに基づくインプット法で算出する場合、決算日までに実施した工事に関して発生した工事原価が予想される工事原価総額に占める割合をもって決算日における工事進捗度を算出します（原価比例法）。

　発生コストに基づくインプット法を採用し原価比例法で進捗度を算出する場

合、工事原価総額を合理的に見積もれていれば、工事の進捗度も合理的に見積もることができます。

　進捗度の算出については、「[3] 進捗度に基づき一定の期間にわたり完成工事高を認識する場合の計算」（47頁）を参照してください。

　また、工事の進捗度を合理的に見積もれない場合でも、発生する費用を回収することが見込まれる場合には、工事にかかる進捗度を合理的に見積もることができる時まで、工事収益について原価回収基準により処理することが必要になります（収益認識会計基準45）（本節「2．原価回収基準（進捗度を合理的に見積もることができない場合）」（50頁）参照）。

[2] 進捗度に基づき一定の期間にわたり完成工事高を認識する場合のポイント

　進捗度に基づき一定の期間にわたり認識する収益は、施主に対して目的物を引き渡したことを証明するものに依拠するものではありません。

　発生コストに基づくインプット法のひとつである原価比例法を採用した場合、工事の進捗度の算定基礎となる工事原価の発生額を証明する資料が重要となります。検収が終了したものはもちろん、工事出来高に基づく見積計上部分を考慮するとともに、次年度以後にかかる分については控除する必要があります。すなわち、工事原価発生額を、履行義務全体との対比において工事進捗度を合理的に示すように把握しなければなりません。

　例えば、外部製作業者に製造依頼する特注品等で、いまだ物理的に据え付けられていない機器（製作中のものも含む）についても、検収が終わっているものについては、工事進捗度の算定上工事原価に含めることが妥当とされます。これらの機器は、製作業者が自己の棚卸品として保有するものではなく、工事物件の仕様書に合致するように製造または改造した当該工事物件にかかる特注品等であり、工事の履行義務が果たされているものと認められるためです。

　したがって、建設業者は、原価比例法による工事進捗度の見積もりを適切に行うため、社内に次の3つの情報を把握できる体制を整備しなければなりません。

① 外注費等の支払いにあたっての適切な出来高査定
② 請求書締切日から決算日までの出来高及び支払留保金等の調整
③ 前渡金にかかわる管理

なお、進捗度に基づき一定の期間にわたり収益を認識する工事の会計処理を適正に実施するにあたって、以下①～④のような管理手法に留意する必要があります。

① 工事ごとに進捗度に基づき一定の期間にわたり収益を認識する工事に該当するかを判定するため、すべての勘定科目について工事ごとに管理する
② 勘定科目について、進捗度に基づき一定の期間にわたり収益を認識する工事にかかるものを明確にするため、補助科目等を設定する
③ 見積計上にあたっては、恣意性が介入するおそれが大きいため、会社内部で明確なルールを策定する
④ 工事原価の内訳等については、実行予算との比較ができるように、費目ごとに集計・管理する

[3] 進捗度に基づき一定の期間にわたり完成工事高を認識する場合の計算

履行義務の充足にかかる進捗度の適切な見積りの方法には、アウトプット法とインプット法があり、その方法を決定するにあたっては、財又はサービスの性質を考慮することが必要です（収益認識適用指針15）。

工事の進捗度を発生コストに基づくインプット法で算出する場合は、決算日までに実施した工事に関して発生した工事原価が工事原価総額に占める割合をもって決算日における工事進捗度を算出します（原価比例法）。

工事契約の内容によっては、原価比例法以外にも、より合理的に工事進捗度を把握することが可能な見積方法があり得ると考えられます（直接作業時間比率や施工面積比率など）。このような場合、原価比例法に代えて当該見積方法を用いることができますが、一般的ではありません。

図表Ⅰ－3－1　決算日における工事進捗度の見積もり

決算日における工事進捗度	$=$	$\dfrac{\text{決算日までの当該義務の遂行部分}}{\text{工事契約における施工者の履行義務の全体}}$
決算日における工事進捗度 （具体的方法としての原価比例法）	$=$	$\dfrac{\text{決算日までの発生工事原価}}{\text{施工者の義務を果たすための支出総額}}$

　工事収益総額、工事原価総額または決算日における工事進捗度の見積もりが変更された場合には、その見積もりの変更が行われた事業年度で影響額を損益として処理します。

【事例Ⅰ－3－1】進捗度に基づき一定の期間にわたり収益を認識する工事の計算例

・X1年12月に大規模マンション工事を受注した。

・工期はX1年5月1日～X4年3月31日である。

・工事価格は3,000,000千円、工事総原価は2,700,000千円と見積もられた。

・取下げ条件は、着工時20％、X2年9月中間払い40％、竣工1カ月後残金払いである。

・X2年12月に工事価格の増額300,000千円を合意した。それにともなう原価の増額は270,000千円が見込まれている。

・会社の決算日は3月31日、工事進捗度の算定は原価比例法（発生コストに基づくインプット法）によっている。

・X2年3月末時点の総発生原価は810,000千円（うち期末未払い180,000千円）、X3年3月末時点の総発生原価は1,782,000千円（うち期末未払い222,000千円）、完成時の期末工事未払金は288,000千円であった。

・簡略化のため消費税は考慮しない。

① 着工時

　未成工事受入金＝工事価格3,000,000千円×20％＝600,000千円

　（借方）現　金　預　金　　600,000　（貸方）未成工事受入金　　600,000

第Ⅰ部
建設業会計の基礎知識

② Ｘ２年３月末まで

（借方）未成工事支出金　810,000　　（貸方）現　金　預　金　630,000
　　　　　　　　　　　　　　　　　　　　工　事　未　払　金　180,000

③ Ｘ２年３月期決算

工事進捗度＝既発生工事原価810,000千円÷工事原価総額2,700,000千円＝30％

完成工事高＝工事価格3,000,000千円×工事進捗度30％＝900,000千円

（借方）完成工事未収入金　300,000　　（貸方）完　成　工　事　高　900,000
　　　　未成工事受入金　600,000

（借方）完　成　工　事　原　価　810,000　　（貸方）未成工事支出金　810,000

④ Ｘ２年９月中間払い

未成工事受入金＝工事価格3,000,000千円×40％＝1,200,000千円

（借方）現　金　預　金　1,200,000　　（貸方）未成工事受入金　900,000
　　　　　　　　　　　　　　　　　　　　完成工事未収入金　300,000

⑤ Ｘ２年12月工事価格増額

（仕訳なし）

⑥ Ｘ３年３月末まで

当期発生原価＝既発生原価1,782,000千円－前期発生原価810,000千円
　　　　　　＝972,000千円

（借方）未成工事支出金　972,000　　（貸方）現　金　預　金　750,000
　　　　　　　　　　　　　　　　　　　　工　事　未　払　金　222,000

⑦ Ｘ３年３月期決算

工事進捗度＝既発生工事原価1,782,000千円÷工事原価総額（2,700,000千円＋
　　　　　　270,000千円）＝60％

完成工事高＝工事価格（3,000,000千円＋300,000千円）×工事進捗度60％
　　　　　　＝1,980,000千円

1,980,000千円－前期完成工事高900,000千円＝1,080,000千円

（借方）完成工事未収入金　180,000　　（貸方）完　成　工　事　高　1,080,000
　　　　未成工事受入金　900,000

（借方）完　成　工　事　原　価　972,000　　（貸方）未成工事支出金　972,000

⑧　X4年3月末まで

当期発生原価＝工事総原価（2,700,000千円＋270,000千円）－過年度発生原価

1,782,000千円＝1,188,000千円

（借方）未成工事支出金　1,188,000　（貸方）現　金　預　金　900,000

工　事　未　払　金　288,000

⑨　X4年3月完成引渡し時

完成工事高＝工事価格（3,000,000千円＋300,000千円）－過年度完成工事高

（900,000千円＋1,080,000千円）＝1,320,000千円

（借方）完成工事未収入金　1,320,000　（貸方）完　成　工　事　高　1,320,000

（借方）完　成　工　事　原　価　1,188,000　（貸方）未成工事支出金　1,188,000

なお、完成工事未収入金残高は、180,000千円＋1,320,000千円＝1,500,000千

円になります。これは「工事価格－工事代金既受領額」に等しくなります。

2.　原価回収基準（進捗度を合理的に見積もることができない場合）

　収益認識会計基準では、一定の期間にわたり充足される履行義務は進捗度に基づき収益を認識することが原則ですが、進捗度を合理的に見積もれない場合は、例外として原価回収基準を設けています。原価回収基準とは、履行義務を充足する際に発生する費用のうち、回収することが見込まれる費用の金額で収益を認識する方法です（収益認識会計基準15）。

　工事契約では、工事の進捗度を合理的に見積もることができないが、当該工事の施工に際して発生する費用を回収することが見込まれる場合には、工事にかかる進捗度を合理的に見積もることができる時まで、工事収益について原価回収基準により処理します（収益認識会計基準45）。

　逆に、各決算日における工事の進捗度の見直しにより、進捗度を合理的に見積もることができていた工事について、事後的に進捗度を合理的に見積もることができなくなった場合、当該工事の施工に際して発生する費用を回収することが見込まれるときには、その時点から原価回収基準により処理することになります（収益認識会計基準154）。

図表Ⅰ-3-2　進捗度の見積もりと原価回収基準の適用

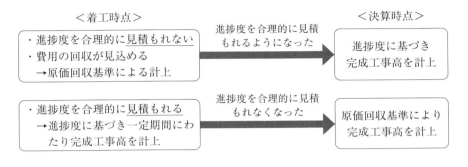

　原則として過去の会計処理に影響を及ぼさないこととされているため、過去に計上した完成工事高・完成工事原価はそのままとなります。

3. 契約の初期段階における原価回収基準の取扱い

　契約の初期段階において、進捗度を合理的に見積もることができない場合は、初期段階に収益を認識せず、進捗度を合理的に見積もることができる時から、収益を認識することができます（収益認識適用指針99）。

4. 期間がごく短い工事契約の場合（工事契約に関する代替的な取扱い）

　前節でみたように、工事契約について、契約における取引開始日から完全に履行義務を充足すると見込まれる時点までの期間がごく短い場合には、一定の期間にわたり収益を認識せず、完全に履行義務を充足した時点で収益を認識することができます。

　工期がごく短いものは、通常、金額的な重要性が乏しいと想定され、完全に履行義務を充足した時点で収益を認識しても財務諸表間の比較可能性を大きく損なうものではないと考えられるためです（収益認識適用指針95、168）。

　この場合は、工事の完成引渡しが完了した時点で完成工事高及び完成工事原価を認識するので、決算期ごとに工事進捗度を見積もる必要がなく、決算手続等は比較的容易となります。

[1] 完成時期の判定

　完成引渡しが完了した時点で収益を認識する工事の場合、工事の完成・引渡しまでに発生した工事原価は、「未成工事支出金」等の適切な科目をもって貸借対照表に計上します。

　工事契約において、完成引渡しが完了した時点とは、一般的に引渡しが完了した日として認識されている工事受領書、鍵の引渡し等の完了時点になると考えられます。

　なお、税務上の取扱いについては、本章第4節「1. 法人税法における収益認識基準等」(56頁) を参照してください。

[2] 完成工事高の確定

　完成引渡しが完了した時点で認識する完成工事高は、上述の完成引渡しが完了した時点で、工事価格を工事収益として計上することとなります。

　ただし、建設業においては、正式な請負契約を締結しない状態で工事を開始し、完成時点においても請負金額が未確定の場合があります。このような場合、請負金額が確定した時点で工事収益を計上するとなると、完成引渡しの時期と収益計上の時期にズレが生じることとなります。会計上は、当該工事の収益を認識すべき時期に金額を適切に見積もり、当該見積額をもって完成工事高を計上する必要があります。このように、見積もりに際しては、発注者と大枠で確定している金額をベースとし、同種・同様の過去の工事実績に基づいて、見積額を決定する必要があります（図表I－3－3参照）。

　また、設計変更や資材高騰等にともなう請負金額の増加部分に関しても、会計上、収益認識すべき時期に金額を適切に見積もり、当該見積額をもって収益認識する必要があります。

図表Ⅰ－3－3　請負金額未確定の場合の取扱い

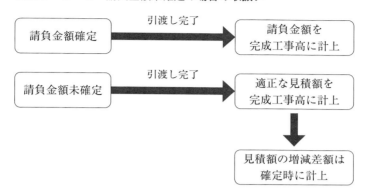

[3] 完成工事原価の確定

　完成引渡しが完了した時点で収益を認識する場合の完成工事原価は、工事が完成し、目的物の引渡しが完了した時点で未成工事支出金を完成工事原価に振り替えます。

　完成引渡した工事で、当該決算期において工事原価が未確定のときは、費用収益対応の原則の観点から、完成引渡した日を含む事業年度末日の状況により当該金額を適正に見積計上する必要があります。

　この場合、当該未確定費用が完成工事原価となるべき費用であるか否かは、契約内容、費用の性質等を勘案して合理的に判断する必要があります。

　なお、金額確定時に発生する見積額との差額は、確定した日を含む事業年度の完成工事原価に含めて記載します（法基通2－2－1）。

　見積額との差額は、経常的に発生するものと考えられますが、当該差額の発生原因について分析を行い、見積り誤りに基因するものか否か、見積り方法について見直す必要がないか検討する必要があります。分析の結果、差異が合理的なものであると判断された場合には確定した期の完成工事原価に含めて処理します（図表Ⅰ－3－4参照）。

　なお、工事原価の見積計上については恣意性が入るおそれがあるため、計上する内容、方法等について明確な基準を設定する必要があります。

図表Ⅰ－3－4　工事原価見積計上の差額処理

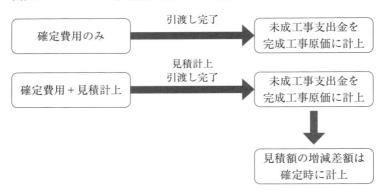

第3節　建設業に関連する収益認識の個別論点

　この節では、建設業において論点となる項目について、ポイントを絞って解説します。

1. 契約の結合

　工事契約に関しては、収益認識の単位について前述の代替的な取扱い（複数の契約を結合し、単一の履行義務として識別する）が定められています（本章第1節3.「［4］工事契約の収益認識の単位」(43頁)）。収益認識会計基準に定める原則的処理との差異に重要性が乏しいと認められるか検討する必要があります。

2. 契約の変更

　契約の変更内容が、原契約の設計変更や工期変更等ではなく追加工事の発注とみなされる場合には、独立した契約として処理します。
　変更により工事の範囲が拡大し、かつ、設計変更部分のみを単独工事として契約する場合は、契約変更を独立した契約として処理します。また、施工が未

了の工事部分が、施工済みの工事とは別個の単独工事となる場合は、既存の契約を解約し、新しい契約を締結したものと仮定して処理します。

契約の対価が固定対価と条件付割増金から成る場合において、累積的な影響に基づき収益を修正する契約変更の例が収益認識適用指針［設例4］にあげられています。

3. 複数の履行義務

設計、施工やアフターメンテナンスをまとめた契約や、解体と新築工事をまとめた契約など、1つの契約の中に複数の約束がある場合には、それぞれを別個の履行義務として認識しなければならない可能性があります。

逆に、契約に設計、基礎工事、調達、建設、設備の据付け等が含まれるような場合で、全般的な管理責任を負っている場合は、統合サービスを提供する単一の履行義務として識別することになります（収益認識適用指針［設例5-1］）。

なお、重要性の乏しい約束は履行義務か否か評価しないことができます（収益認識適用指針93）。

4. 変動対価

工事契約では、追加の契約が合意されたにもかかわらず、対価についての変更が必ずしも契約書等によって適時に確定しないことがあります。また、スライド条項等による事後的な値引きまたは値増しや、契約条件に基づくペナルティー及びインセンティブ等（例えば、竣工時期や性能評価の結果により対価が変動する条件）により、収益認識の金額が変わる可能性があります（収益認識適用指針［設例10］）。

5. コストオン契約

発注者との約束の性質を検討し、本人に該当するか、代理人に該当するかの判定が必要になります（本章第1節3.「［1］本人と代理人の区分」（41頁））。

顧客から指定された協力業者を手配するようなコストオン契約を締結してい

る場合には、建設会社が代理人となるケースに該当し、純額で収益を認識しなければならない可能性があります。

6. 保証サービス（瑕疵担保責任・補修サービス）

工事にかかる瑕疵担保責任について、合意された仕様や機能に対する保証は完成工事補償引当金で処理します。一方で、顧客に対する追加となる保証サービスは、履行義務として識別し、工事価格を施工部分と保証サービス部分に配分する必要があります。

7. 履行義務の充足に係る進捗度の見積もり（インプット法）

インプット法に基づいて工事の進捗度を見積もる場合に、工事契約の初期段階で先行して多額の工事材料等の調達が行われると進捗度が過大となるため、調達原価と同額で収益を認識することが適切となる可能性があります（収益認識適用指針22（2）、[設例9]）。

第4節 税務上の取扱い

1. 法人税法における収益認識基準等

[1] 収益認識基準への対応

収益認識会計基準及び収益認識適用指針の公表にあわせて、税務上の取扱いも2018（平成30）年度税制改正により対応が図られました。

税務上も、収益認識会計基準に規定する「履行義務」の概念を新しく取り込み、2018（平成30）年4月1日以後に終了する事業年度から適用されています。

この税制改正により、法人税法第22条の2が創設され、収益の計上時期や計上額について明確化されました。また、法人税法施行令第18条の2の創設により、値引や割戻しによる事後的な変動について修正の経理をした場合等の取扱

いについて規定されました。その他の事項及び詳細な取扱いについては、法人税基本通達の改正により対応しています。

なお、中小企業については、引き続き従前の企業会計原則等に則った会計処理も認められることから、従前の取扱いによることも可能とされています（国税庁「『収益認識基準』への対応について～法人税関係～」の「整備方針」平成30年5月）。

❶ 収益計上の時期

収益を計上する時期は、原則として、目的物の引渡しまたは役務の提供の日（引渡し等の日）の属する事業年度となります。「引渡し等の日」とは、出荷日、船積み日、着荷日、検収日及び使用収益開始日等を指しています（法法22の2①、法基通2－1－2）。

また、一般に公正妥当と認められる会計処理の基準に従って、引渡し等の日に近接する日（近接する日）の属する事業年度の確定決算で収益処理することも認められます。「近接する日」とは、委託販売に係る売上計算書到達日及び検針日等を指しています。

さらに、収益の額を近接する日の属する事業年度において申告調整することも認められます（法法22の2②③、法基通2－1－3・2－1－4）。この近接する日における収益計上は、収益認識適用指針第98項に規定する出荷基準等の取扱いに関する代替的な取扱いに対応するものです。

履行義務が一定の期間にわたり充足されるものに係る収益の計上は、履行義務が充足されていくそれぞれの事業年度の益金の額に進捗度に応じて算入されます（法基通2－1－21の2、2－1－21の5、2－1－21の7）。

❷ 収益の額

収益の額については、販売もしくは譲渡をした資産の引渡しの時における価額又はその提供をした役務につき通常得べき対価の額に相当する金額とされました。なお、貸倒れや買戻しの可能性がある場合も、その可能性がないものとして算定される価額であることに注意が必要です（法法22の2④⑤）。

「通常得べき対価の額に相当する金額」とは、原則として資産の販売等につ

き第三者間で取引されたとした場合に通常付される価額（いわゆる時価）をいいます（法基通2－1－1の10）。

　また、引渡し等の日の属する事業年度後の事業年度に、値引きや割戻し等の理由により当初の収益計上額について修正経理を行った場合には、修正額を益金または損金に算入します（申告調整のみの場合も含む）。

　さらに、引渡し等の日の属する事業年度後の事業年度に生じた事情により、当初の収益計上額の修正経理をした場合も、当該修正額が認められます。そのためには、算定基準の相手方への明示や継続適用、書類保存等の要件を満たすことが必要です（法令18の2①～③、法基通2－1－1の11）。

❸ その他

　収益認識会計基準等における原価回収基準の適用に関しては、特に法人税法上の対応はとられていません。したがって、原価回収基準により会計上の収益認識を行った場合には、申告調整にて税務対応をする必要があります。

　また、収益認識会計基準等において、返品調整引当金の計上及び延払基準に基づく収益認識は認められなくなり、税務上も返品調整引当金及び長期割賦販売に係る規定が廃止されています。

[2]　工事進行基準

　法人税法上は、次の①～③に該当する「長期大規模工事」については、工事進行基準を適用するものとされています。これは強制適用となります。

　①　その着手の日から当該工事にかかる契約において定められている目的物の引渡しの期日までの期間が1年以上であること（法法64①）

　②　当該工事の請負の対価の額が10億円以上であること（法令129①）

　③　当該工事にかかる契約において、その請負の対価の額の2分の1以上が当該工事の目的物の引渡しの期日から1年を経過する日後に支払われることが定められていないものであること（法令129②）

　また、「長期大規模工事」以外の工事については、工事進行基準の適用は任意とされていますが、工事進行基準を適用する場合には、着工事業年度からそ

の目的物の引渡しの日の属する事業年度の前事業年度までの各事業年度の確定した決算において工事進行基準の方法により経理する必要があります。もし、工事の着工事業年度後に工事進行基準を適用しなかった場合には、翌事業年度以後の事業年度においては工事進行基準を適用できません（法法64②）。

[3] 工事完成基準

　請負については、別に定めるものを除き、その引渡し等の日が法人税法第22条の2第1項（収益の額）に規定する役務の提供の日に該当し、その収益の額は、原則として引渡し等の日の属する事業年度の益金の額に算入します。

　ただし、当該請負に係る履行義務が一定の期間にわたり充足されるものである場合において、履行義務が充足されていくそれぞれの日の属する事業年度において益金の額に算入することも認められます（法基通2－1－21の7）。これは前者がいわゆる工事完成基準を定め、後者がいわゆる工事進行基準を認めるものとなります。

　また、請負契約の内容が建設工事等を目的とする場合には、その建設工事等の引渡しの日がいつであるかについては、建設工事等の種類及び性質、契約の内容等に応じその引渡しの日として合理的であると認められる日のうち、法人が継続して収益計上を行うこととしている日によるものとされ、次の①～④のような例示がなされています（法基通2－1－21の7・2－1－21の8、消基通9－1－6）。

　①　作業の結了した日
　②　相手方の受入場所へ搬入した日
　③　相手方が検収を完了した日
　④　相手方において使用収益ができることとなった日

　なお、完成・引渡しの事実関係を証明するため、工事契約書、工程表、工事完了報告書、完成届出書、工事引渡書、工事検査通知書、検収報告書、請求書等の書類を整備しておく必要があります。

[4] 完成工事原価

　法人税法においては、所得の計算上、損金に算入するべき金額として、「当該事業年度の収益に係る売上原価、完成工事原価その他これらに準ずる原価の額」とされています（法法22③一）。

　しかし、上述の損金に算入するべき費用の額の全部または一部が当該事業年度終了の日までに確定していない場合には、同日の現況によりその金額を適正に見積もるものとされています（法基通2－2－1）。

　この場合、その確定していない費用が売上原価等となるべき費用かどうかは、契約内容、費用の性質等を勘案して合理的に判断する必要があります。たとえ工事に関連して発生する費用であっても、単なる事後費用の性格を有するものは含まれないこととなります。

2. 部分完成基準の適用

[1] 部分完成基準の概要

　部分完成基準とは、次の①または②のいずれかの要件を満たした場合に、建設工事等の全部が完成していなくとも、その事業年度において引き渡した建設工事等の量または完成した部分に区分した単位ごとにその収益の額を計上する方法です（法基通2－1－1の4、消基通9－1－8）。

① 　1つの契約で同種の建設工事等を多量に請け負ったような場合で、その引渡量に従い工事代金を収入する旨の特約または慣習がある場合

　　［具体例］多数戸からなる建売住宅を請け負った場合に、1戸を引き渡す都度に工事代金を収入する旨の特約がある場合

② 　1個の建設工事等であっても、その建設工事等の一部が完成し、その完成した部分を引き渡した都度その割合に応じて工事代金を収入する旨の特約または慣習がある場合

　　［具体例］1,000mの護岸工事を請け負い、そのうち100mごとに完成した都度引渡しを行い、その都度工事代金を収入する特約がある場合

[2] 部分完成基準の留意点

❶ 税務上は強制適用

部分完成基準は工事完成基準の一形態であり、上記の部分完成基準の適用要件はこの場合の「単価」を定めたものといえます。したがって、法人税及び消費税については強制適用されるものであり、会社が部分完成基準を選択適用できるものではありません。

❷ 部分完成基準に該当するか否か

請負工事契約を締結した時点で、あらかじめ請負物件の引渡条件と工事代金の支払条件とを検討して、部分完成基準に該当する工事か否かを検討しておく必要があります。

❸ 工事原価の把握

部分完成基準により工事収益の計上を行う場合には、工事収益に対応する工事原価を把握する必要があります。決算時に工事原価を確定しやすいように工事番号の設定を引渡工事部分に対応させたり、工事実行予算の作成にあたって引渡工事部分ごとに工事原価の集計ができるように作成する等の配慮が必要です。

3. 消費税の処理

[1] 消費税の課税対象

消費税（ここでは消費税及び地方消費税をいいます）は、事業者が国内で行った課税資産の譲渡、資産の貸付及び役務の提供を課税対象とする間接税です（消法4）。建設業者の行う取引については、工事の元請・下請による受注、資材の購入や外注費の支払いなど、多くの取引について課税されることとなります。

消費税の納税義務者は、①国内において課税対象となる取引を行った事業者、②課税貨物を保税地域から引き取る者です（消法5）。製造及び流通等の各段階の事業者を納税義務者としますが、最終的な負担は消費者となります。

消費税の課税対象は、次の4つの要件を満たすものとなります（消法2①八、4①）。

① 資産の譲渡、資産の貸付及び役務の提供であること

② 国内において行う取引であること

③ 事業者が事業として行う取引であること

④ 対価を得て行う取引であること

　また、消費に負担を求める消費税の性格から課税対象とすることがなじまないものや、社会政策的に課税することが適当でないものは非課税とされています（消法6、別表第一）。

図表Ⅰ－3－5　消費税の非課税取引

---

① 課税対象になじまないもの

・土地の譲渡、貸付など

・社債、株式等の譲渡、支払手段の譲渡など

・利子、保証料、保険料など

・郵便切手、印紙などの譲渡

・商品券、プリペイドカードなどの譲渡

・住民票、戸籍抄本等の行政手数料など

・国際郵便為替、外国為替など

② 社会政策的配慮から課税することが適当でないもの

・社会保険医療など

・介護保険による居住サービス等

・社会福祉事業など

・お産費用など

・埋葬料、火葬料

・身体障害者用物品の譲渡、貸付けなど

・学校の授業料、入学検定料、入学金、施設設備費など

・検定済み教科書等の譲渡

・住宅の貸付け

　なお、資産の譲渡等や輸入取引に該当しない取引は、不課税取引として区別されています。具体的には、国外取引（免税）、対価を得て行うことにあたら

ない寄付や単なる贈与、税金、人件費、出資に対する配当などが該当します。

[2] 消費税の税額計算の概要

消費税の納付税額の計算は、原則として次のとおりです。

> 消費税の納付税額＝課税売上にかかる消費税額－課税仕入れ等にかかる消費税額

課税仕入れ等にかかる消費税額については、課税売上割合に応じて控除できる金額が異なります。課税売上割合とは、次の算式により計算した割合をいいます。

$$課税売上割合 ＝ \frac{課税期間中の課税売上高（税抜）}{課税期間中の総売上高（税抜）}$$

❶ 課税売上割合が95％以上で、かつ課税売上高が5億円以下の場合

課税仕入れ等にかかる消費税額は全額控除できます。

❷ 課税売上割合が95％未満または課税売上高が5億円超の場合

課税仕入れ等にかかる消費税額のうち、課税売上に対応する部分のみが控除されます。この控除の対象とされる控除対象仕入税額は、個別対応方式または一括比例配分方式のいずれかにより計算します。

　① 　個別対応方式（消法30②一）

　　課税期間中の課税仕入れ等にかかる消費税額を次の3種類に区分し、次の算式により控除対象仕入税額を計算します。

　　ア．課税売上にのみ対応するもの

　　イ．非課税売上にのみ対応するもの

　　ウ．課税売上と非課税売上の両方に共通するもの

> 控除対象仕入税額＝ア＋ウ×課税売上割合

　② 　一括比例配分方式（消法30②二）

　　課税仕入れ等にかかる消費税額の区分をせずに、次の算式により控除対象

仕入税額を計算します。ただし、一括比例配分方式を採用した事業者は、2年間は個別対応方式により計算することができません（消法30⑤）。

> 控除対象仕入税額＝課税仕入れ等にかかる消費税額×課税売上割合

なお、課税仕入れを行った場合に、その課税仕入れを行った日を含む課税期間において、仕入れにかかる消費税額を控除することとなり、当該課税期間の課税資産の譲渡等に対応するものに限定されません。

また、仕入れにかかる消費税額の控除は、実際に課税仕入れ等を行った日を含む課税期間に行うこととされており、任意の課税期間を選択して控除することはできません。

❸ 簡易課税制度

簡易課税制度とは、課税期間の前々事業年度の課税売上高が5千万円以下である事業者が、所轄の税務署長に対し、簡易課税制度の適用を受ける旨の届出書を事前に提出した場合は、課税売上にかかる税額（対価の返還等にかかる税額を控除した金額）に一定の「みなし仕入率」を乗じた金額相当額を課税仕入れ等にかかる税額とみなすことができる制度です（消法37、消令57）。

建設業は第3種事業に区分されており、みなし仕入率は70％になります（消令57）。

したがって、実際の課税仕入れ等にかかる消費税額を計算する必要はなく、課税売上高から納付する消費税額を算出することができるため、計算事務が容易となります。

ただし、簡易課税制度を選択適用すると2年間は変更できないこと、設備投資などで課税仕入れにかかる消費税が多い場合でも還付請求はできないことに留意が必要です。

> 簡易課税制度により納付する税額
> ＝課税売上にかかる消費税額－（課税売上にかかる消費税額×みなし仕入率）

❹ 仕入税額控除の要件と適格請求書等保存方式（インボイス制度）の開始

消費税の納付税額の計算過程では、控除する課税仕入等にかかる税額を算出します。この仕入税額控除の適用を受けるためには、要件を満たす帳簿や請求書等の保存が必要です（消法30）。

2019（令和元）年10月1日に始まった軽減税率制度により8％と10％の税率に対応した消費税を計算しなければならなくなり、「区分請求書等保存方式」による帳簿及び区分記載請求書等の保存が仕入税額控除の要件とされました（平成28年改正法律第15号附則34②）。

複数税率に対応した正確な消費税計算や益税是正のため、消費税法が改正され、2023（令和5）年10月1日からは仕入税額控除の方式として「適格請求書等保存方式」（いわゆる「インボイス制度」）が導入されます（新消法30、57の2、57の4）。

適格請求書（インボイス）を発行できるのは、「適格請求書発行事業者」に限られるため、適格請求書発行事業者以外の者（消費者、免税事業者又は登録を受けていない課税事業者）からの課税仕入れについては、仕入税額控除を行うことができなくなります（新消法30⑦）。

インボイスとは、売り手が買い手に正確な適用税率や消費税額等を伝えるために作成されるもので、一定の事項が記載された書類（請求書、納品書、領収書、レシート等）です（新消法57の4①）。

出来高検収書に関しては、建設工事を請け負った事業者（元請業者）が下請業者の行った工事等の出来高について検収を行い、それに基づき請負金額を支払っているときは、当該出来高検収書について下請業者に記載事項の確認を受けた上で保存することにより、仕入税額控除の適用を受けることができます（消基通11－6－6（新消基通11－6－7））。インボイス制度が開始されても変更はありませんが、出来高検収書について、適格請求書等保存方式における仕入明細書等の記載事項を満たす必要があります。

仕入税額控除の適用を受けるためには、外注業者や下請業者等が適格請求書発行事業者であるかどうかを確認し、記載要件を満たしたインボイスの保存等

が必要になることに留意が必要です。

　なお、インボイス制度の開始から一定期間は、適格請求書発行事業者以外の者からの課税仕入れであっても、仕入税額相当額の一定割合を仕入税額とみなして控除できる経過措置が設けられています（平成28年改正法附則52、53）。

[3]　建設業にかかる消費税の取扱い

　建設業において消費税の取扱いに関して留意が必要な場合は、以下❶〜❿のような取引です。

❶　請負契約による資産の譲渡等の時期

　請負契約による資産の譲渡等の時期は、本節「１．法人税法における収益認識基準等　［３］工事完成基準」(59頁) における益金の算入時期と同様です。

❷　建設工事等の引渡しの日の判定

　建設工事等の引渡しの日については、本節「１．法人税法における収益認識基準等　［３］工事完成基準」(59頁) における引渡しの日と同様です。

❸　値増金にかかる資産の譲渡等の時期

　事業者が請け負った建設工事等にかかる工事代金について、資材の値上り等に応じて一定の値増金を収受することが契約において定められている場合、当該値増金は原則としてその建設工事等の引渡しの日の属する課税期間の課税標準額に算入しますが、相手方との協議によりその収受すべき金額が確定する値増金については、収受すべき金額が確定した日の属する課税期間の課税標準額に算入します（消基通９－１－７）。

❹　工事進行基準

　事業者が長期大規模工事の請負にかかる契約に基づき、資産の譲渡等を行う場合において、法人税法第64条に定める工事進行基準を適用している場合、消費税についても同様に取り扱うことができます（消法17）。

　なお、上記の場合でも資産の譲渡等の時期をその引渡しがあった日によることも差し支えないとされています（消基通９－４－１）。

❺ 部分完成基準による資産の譲渡等時期の特例

部分完成基準による資産の譲渡等時期については、本節「2. 部分完成基準の適用」(60頁) における益金認識の算入時期と同様です。

❻ 資材の購入

資材の購入については、資材を受領した時点で、課税仕入れを認識します。

❼ 下請業者の提供する役務が目的物の引渡しを要する請負契約の場合

物の引渡しを要する請負契約においては、当該目的物の引渡しが完了した時点で課税仕入れを認識します (消基通9-1-5)。

したがって、物の引渡しを受けていない出来高相当分の支払いについては、引渡しを受けるまで課税仕入れとして認識しません。

❽ 建設機器等の賃貸借による使用料

資産の賃貸借契約に基づいて支払いを受ける使用料等の額 (前受け部分を除く) については、当該契約または慣習によりその支払いを受けるべき日となります (消基通9-1-20)。

❾ 費途不明の交際費等

事業者が当該課税期間の課税仕入れ等の税額の控除にかかる帳簿及び請求書等を保存しない場合 (災害等により保存できなかった場合に該当する場合を除く) には、その保存がない課税仕入れ等の税額について消費税法第30条第1項 (仕入れにかかる消費税額の控除) の規定を適用することができません。

例えば、課税仕入れに関する記録がない場合のほか、事業者が交際費、機密費等の名義をもって支出した金額でその費途が明らかでないものについても同項の規定の適用を受けることができないとされています (消基通11-2-23)。

❿ JV工事の取扱い

JV工事については、共同事業者としてその持分割合または利益の分配割合に応じて課税売上及び課税仕入れの額を認識します (消基通1-3-1)。

第 **4** 章

工事原価の管理

　工事原価の管理は、建設業において最も重要な業務です。建設業においては、請負契約を締結した時点で請負金額と工期が確定するため、工事利益の創出のためには、工事を効率的に施工して工事原価をいかに抑えるかが重要なポイントとなります。

第 **1** 節　建設業の原価管理の特徴

1.　建設業における個別原価計算

　個別原価計算は、種類を異にする製品を個別的に生産する生産形態に適用する製品別計算の方法です。

　個別原価計算では、特定の製造指図書について個別的に直接費及び間接費を集計し、製品原価は、これを当該指図書に含まれる製品の生産完了時に算定します(原価計算基準31)。これは、個々に異なる請負契約に基づいて事業を行う、建設業に適合した原価計算方法です。

　個別工事原価計算のおおまかな計算プロセスは、次の①〜④のようになります。

①　受注した工事について、設計図書及び工事施工計画書に基づき実行予算書を作成します。

②　直接費については、発生原価を工事別に区分して集計し、原価要素別に

第Ⅰ部
建設業会計の基礎知識

材料費、労務費、外注費及び経費に分類します。間接費用については、発生部門別に集計し、補助部門費として一定の配賦基準により工事別に配賦します。
③ 工事別に工事原価台帳を設けて、発生した工事原価を記録・集計します。
④ 工事原価台帳に集計された工事原価は、工事が完成するまでは未成工事支出金として計上されます。工事の完成時に完成工事原価に振り替えられ、原価が確定します。

なお、進捗度に基づき一定の期間にわたり収益を認識する工事による場合は、工事進捗度に応じた出来高相当部分について、毎決算期末に未成工事支出金を当該決算期の完成工事原価に振り替えます。

一方、完成引渡しが完了した時点で収益に認識する工事による場合は、完成・引渡しが完了した時点で未成工事支出金から完成工事原価に振り替えます（図表Ⅰ－4－1参照）。

図表Ⅰ－4－1　完成工事原価への振替

＜進捗度に基づき一定の期間にわたり収益を認識する工事＞

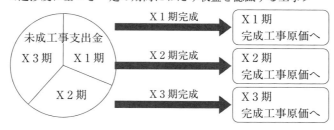

＜完成引渡しが完了した時点で収益に認識する工事＞

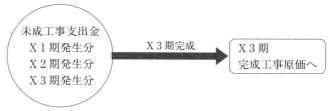

2.　工事原価の見積計上

[1]　工事原価が未確定の場合の取扱い

　第Ⅰ部第3章第2節4.「[3]完成工事原価の確定」(53頁)で述べましたが、完成引渡した工事で、当該決算期において工事原価の全部または一部が未確定のときは、費用収益対応の原則の観点から、完成引渡した日を含む事業年度末日の状況により、未確定部分の金額を適正に見積計上します。

　この場合、当該未確定費用が完成工事原価となるべき費用であるか否かは、契約内容、費用の性質等を勘案して合理的に判断する必要があります。

　また、金額確定時に発生する見積額との差額は、確定した日を含む事業年度の完成工事原価に含めて記載します(法基通2-2-1)。

　見積額との差額は、経常的に発生するものと考えられますが、当該差額の発生原因について分析を行い、見積り誤りに基因するものか否か、見積り方法について見直す必要がないか検討する必要があります。分析の結果、差異が合理的なものであると判断された場合には確定した期の完成工事原価に含めて処理します。

[2]　見積計上の事例

　工事原価の見積計上については恣意性が介入するおそれがあるため、計上する内容、方法等について明確な自社の処理基準を定めておく必要があります。

　以下は、見積計上が必要となるような事例です。

❶ 仮設材料の撤去費用

　工事の完成引渡し完了後、現場に残された仮設材料の撤去費用については、その工事の工事原価として処理する必要があります。

　仮設材料の撤去費用には、運搬費や人件費等が含まれ、同一種類の工事における過去の実績や実行予算策定時に客観的に見積もった数値等が妥当と考えられます。

❷ 工事残務整理費用

工事の完成引渡し後、現場での残務整理費用については、当該工事の工事原価として処理する必要があります。

残務整理費用には、人件費、借用地の原状回復費用等が含まれます。これらについては、同一規模の工事における過去の実績や、下請業者からの見積もり等に基づいて計上することが必要となります。

❸ 単価未決定によるもの

資材の購入単価や、外注工事の施工単価の未決定、これらの契約のための交渉が長引いたこと等により工事の完成までに契約の締結が間に合わず、本来は完成工事原価となるべきものの一部が未確定となっているような場合があります。

このようなときは、同一規模の工事における過去の実績や物価情報等を参考にして、未確定の工事原価について適正に見積計上することが必要となります。

❹ 一部作業の未了によるもの

軽微な付帯工事等について、一部未施工であるものの、本体工事等主要な部分の完成引渡し時点で実質的に完成引渡しをしたものとして完成工事高を計上している場合、当該未施工の工事にかかる工事原価を見積計上する必要があります。

このような場合にも、過去の実績や下請業者からの見積り等を用います。

第 2 節　工事原価の分類と集計

1. 工事原価の分類

建設業においては、原則として工事契約ごとに工事単位を設定し、工事番号を付与します。工事原価は、工事番号ごとに集計します。

工事原価については、完成工事原価報告書において、要素別原価把握が求められており、材料費、労務費、外注費、経費の4要素をそれぞれ明示する必要

がありますので、未成工事支出金で計上する際には費目の管理等留意が必要です（第Ⅱ部「第14章　完成工事原価報告書」（402頁）参照）。

　なお、原価管理上は、上記の4要素だけではなく工種別または工程別にも分類・集計する必要があります。

　工種とは、工事の種類のことをいいますが、その例としては、以下のようなものがあります。

図表Ⅰ－4－2　工種の例示

① 建築工事

区　分		内　容　等
仮設工事費	共通仮設工事費	仮建物、借地、電気給排水、整理清掃、近隣保護、安全管理など
	直接仮設工事費	遣方・養生、墨出し、足場、機械工具など
直接工事費	建築直接工事費	杭・地業工事、土工事、山留工事、型枠工事、コンクリート工事、鉄筋工事、鉄骨工事、タイル工事、石工事、金属工事、木工事、建具工事、左官工事、内装工事、解体工事、雑工事など
	設備直接工事費	電灯電力工事、給排水衛生工事、空気換気工事、輸送設備工事、プラント工事など
現　場　経　費		従業員給料手当、動力用水光熱費、法定福利費、損害保険料、事務用消耗品費、通信費、租税公課、交際費、雑費、出張費などの経費負担額など

② 土木工事

区　分	内　容　等
間 接 工 事 費	準備管理費、仮建物費、安全衛生管理費、機電設備費、環境公害対策費など
直 接 工 事 費	土工事費、トンネル掘削工事費、山留工事費、基礎工事費、鉄筋工事費、型枠工事費、足場工事費、支保工事費、コンクリート工事費、覆工事費、セグメント工事費、注入工事費、管渠工事費、擁壁工事費、法面工事費、舗装工事費、造園工事費、プラント設備工事費など
現 場 経 費	建築工事に同じ

72

第Ⅰ部
建設業会計の基礎知識

2. 工事原価の集計

　発生した工事原価は、工事単位で付された工事番号別に工事原価台帳に記録集計します。そして、材料費、労務費、外注費及び経費への分類集計ができるような様式が必要です。

　一般に、現場作業所や出張所から回付された請求書、検収書、領収書、材料入出庫伝票や工事振替票等によって、支店経理で工事番号、発生年月日、要素別分類、工種及び金額等を把握して会計伝票が起票されます。さらに、会計伝票に基づいて工事原価台帳が作成され、工事原価台帳は未成工事支出金の補助簿としての機能を果たすことになります（**図表Ⅰ－4－3参照**）。

図表 I － 4 － 3　個別工事原価台帳の例

○○年○○月度

個 別 工 事 原 価 台 帳

・工事名称　　　　　　　　　　・請負金額
・工事№　　　　　　　　　　　・実行予算
・工期

月	日	摘要	伝票№	材料費	労務費	外注費	経費	合計
		○○月分計						
		○○月末累計						

　事業年度中の各月次においては、工事原価台帳の記録を工事番号別に要約・集計した明細表である未成工事明細書が作成されます。

　一般的な未成工事明細書には、工事区分別かつ工事番号別に、工事名、請負金額、施工出来高、工事進捗度、各原価要素別累計額と工事原価合計、工事損益及び工事代金受入額などが記載され、さらに各項目別の合計額が記載されます。未成工事明細書の工事原価合計額は、元帳の未成工事支出金勘定の残高と

図表Ⅰ－4－4　未成工事明細書の例

未　成　工　事　明　細　書

　　　　年　　月　　工事区分

工事番号	工事名工期	請負金額	出来高	進捗率 %	材料費	労務費	外注費	経費	工事原価合計	工事損益	未成工事受入金

一致します（図表Ⅰ－4－4参照）。

　決算期末においては、工事原価台帳の締切を行うと同時に、すべての工事を完成工事と未成工事とに区分しなければなりません。その結果、完成工事明細書と未成工事明細書が作成されます。

　なお、進捗度に基づき一定の期間にわたり収益を認識する場合には、進捗度に基づき一定の期間にわたり収益を認識する工事の完成工事高及び完成工事原価計上額も明示できるようにしておく必要があります。

　建設業者の帳簿システムによりますが、おおむね以下①と②のようなイメージになります。

①　完成工事明細書

　完成引渡しが完了した時点で収益を認識する工事及び進捗度に基づき一定の期間にわたり収益を認識する工事について、当事業年度に計上する完成工事高及び完成工事原価、債権債務を表示します（図表Ⅰ－4－5参照）。

②　未成工事明細書

　未成工事について、未成工事支出金の明細及び債権債務を表示します。

図表 I－4－5　完成工事明細書の例

完 成 工 事 明 細 書

　　　　年　　　月　　工事区分

工事番号	工事名工　期	請負金額	材料費	労務費	外注費	経費	工事原価合　計	工事損益	完成工事未収入金	未成工事受入金

　これらの明細書に基づいて、元帳の未成工事支出金勘定より完成工事原価の合計額を完成工事原価勘定へ振り替える処理を行うとともに、未成工事支出金勘定の締切を行います。さらに、完成工事明細書により、完成工事原価報告書を作成します。その際には、原価差額や工事共通費について調整を行わなければなりません。

第3節　実行予算と原価管理

1.　実行予算の意義と目的

　実行予算とは、建設業者の施工管理上の計画を計数化したものです。建設現場の施工管理は、主なものとして品質管理、工程管理、原価管理などに細分化

され、これらのバランスを調整しながら施工計画を立案・実施・管理していくことを意味しています。

実行予算の主な目的として、①実績比較及び原価低減などの原価管理、②目標利益の設定及び利益管理、③施工管理責任の明確化等があげられます。

[1] 実績比較及び原価低減などの原価管理

実務上、積算に基づく見積原価は工事契約受注のための営業行為と位置付けられるため、見積原価の策定には工事現場作業所、工事管理部門が必ずしも加わっていません。それに対し、実行予算上の予定原価は、工事現場作業所等もその策定に参加した実現可能なものでなくてはならず、施工管理に責任をもつ者が了解していなくてはなりません。

また、工事が施工されると実際原価が発生しますが、実行予算における予定原価を目標に実際原価発生額をコントロールしていきます。その際、実際発生原価と実行予算の予定原価との比較により差異を把握するとともに理由を分析し、予算達成のための方策を検討しなければなりません。

[2] 目標利益の設定及び利益管理

個々の請負工事にかかる実行予算は、会社全体の利益計画に直結します。すなわち、実行予算は建設業の利益計画の基礎となります。

また、工事現場作業所は、実行予算上の工事粗利益の達成を目標として施工を進めていきます。工事の進捗とともに工事環境、購買条件、施工方法等が変化し、請負金の増額交渉が必要になることもありますが、増額交渉の基礎資料としても実行予算は重要です。

さらに、合理的な実行予算で赤字が見込まれる場合には、会計上は工事損失引当金を計上しなければならず、その根拠資料になります。

[3] 施工管理責任の明確化

工事現場作業所の作業所長は、実行予算の立案・承認に深くかかわる結果、

工事原価の管理責任及び利益責任を負います。

工事を施工するためには、必要な資材や人員・事務処理組織・所要資金量などを十分に検討して担当責任者を決めますが、実行予算は工事の施工について各工種・工程等の区分が明確に分かれており、各区分の担当責任者の管理責任を明確にする機能を有しています。その上で工事現場作業所の作業所長は、各担当責任者の責任を総括する全体的な管理責任及び利益責任を負っています(図表Ⅰ－4－6参照)。

図表Ⅰ－4－6　工事実行予算書の例

工　事　実　行　予　算　書

〇〇年〇〇月〇〇日作成

工事番号		工事区分	
工事名称			
工事代金		消費税額	

工期		～	

項　目		金額	構成比
工事価格			%
直接工事費	材料費		
	労務費		
	外注費		
	経　費		
共通仮設費			
現場経費			
共通経費			
工事原価合計			
工事利益			

工事概要	建物用途　… 敷地面積　… 建築面積　… 延床面積　… 構　　造　… 階　　数　…

主要工種	工種	数　量	主要建設機械	名　称	数　量
主要材料	品名	数　量	主要外注工事	工　種	協力会社名

工事代金取下条件	前払	
	部分払	
	完成払	
	合計	

本社	支店	作業所	
社長	支店長	作業所長	作成者

2. 実行予算に基づく原価管理

　先にあげた実行予算の意義と目的の中でも、工事現場作業所として最も重要と考えられるのは、工事発注者の要望を満たしつつ施工の品質を維持しながら、いかに原価発生をコントロールして必要な利益を確保するかにあると考えられます。

　このような原価管理を有効に行うためのプロセスとして、一般には次の①〜⑧のような手順が踏まれます。これらを繰り返しながら原価管理は行われます。

図表Ⅰ－4－7　原価管理の流れ

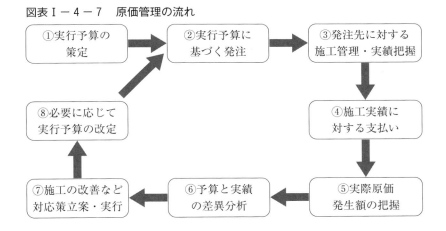

　建設業においては、受注から完成までの期間が1年を超えることもあります。そのような場合に、工事完成後に実際原価発生額と実行予算の比較検討を実施しても、結果として予算の範囲内に収まったか否かの確認に留まってしまいます。

　そのため、実行予算を月次、週次、さらには日次ベースで管理できるように日々の作業実績をブレークダウンすることが有用と考えられます。

第 **5** 章

JV の概要

第 1 節 JV の意義

1. JV の性格

JV（Joint Venture）とは、工事を請け負うにあたり、複数の建設業者が共同連帯して工事を施工し完成させることを目的として形成するもので、共同企業体ともいわれています。

JV は、有機的な組織体をなしているもののそれ自体は独立の法人格を有するものではなく、いわゆる「法人格なき社団」に該当し、「民法上の組合」の一種であるともいわれます。実務上は、第三者との法律行為について JV の権利主体性は広く認められており、JV が単独で JV 代表者（スポンサー企業）名義または JV のみの名義によって各種契約等を締結しています。

2. JV のメリット・デメリット

[1] JV のメリット

JV は一般に大規模工事の受注・施工に際して組成されますが、そのメリットとして、主に以下①～④の事項をあげることができます。

① 信用力・融資力の増大

大規模工事の施工には、多額の運転資金を長期間必要としますが、JV を

組むことにより構成員相互の資金負担の軽減と信用補完が可能になります。

② 危険負担の分散

　JV を組むことにより、大規模工事にともなう工事損失の危険負担額を構成員間で分散することができます。

③ 技術力の強化・拡充、経験の増大

　工事経験の少ない建設業者であっても、専門会社と JV を組むことにより構成員の強みを生かすことができ、技術の強化及び経験の増大になります。

④ 工事施工の確実性

　JV 各構成員の協力と連帯責任により、単独の建設業者との契約に比べて工事の施工の確実性が確保できます。

[2] JV のデメリット

　JV を組成して工事を請け負うデメリットとして、主に以下①〜③の事項をあげることができます。

① 工事規模に比較して構成員数が多すぎたり、各構成員間の技術力・施工能力の格差が大きすぎて、共同施工が非効率になることがあります。

② 事務処理上の手続き等が煩雑で非効率になることがあります。

③ 施工能力のない業者の受注に利用されることがあります。

　なお、ペーパー JV といって工事にかかる資金の動きはありますが共同施工は行われない JV があるといわれています。

第 2 節　JV の形態

1. 施工方式による区分

[1] 共同施工方式（甲型）

　各構成員があらかじめ定めた出資割合に応じて資金、人員、機械等を拠出し

て工事を共同施工する方式です。したがって、各構成員は工事全体について連帯責任を負い、損益の分配についても、各構成員の出資割合に応じたものとなります。

[2]　分担施工方式（乙型）

　共同企業体として請け負った工事を、工事場所別等に分担して施工する方式です。各構成員が分担した工事について責任をもって施工しますが、最終的には工事全体について連帯責任を負います。

　損益の分配については、各構成員が自社の分担工事ごとに計算するため、JV全体での計算は行いません。

図表 I － 5 － 1　　JV の施工方式による区分

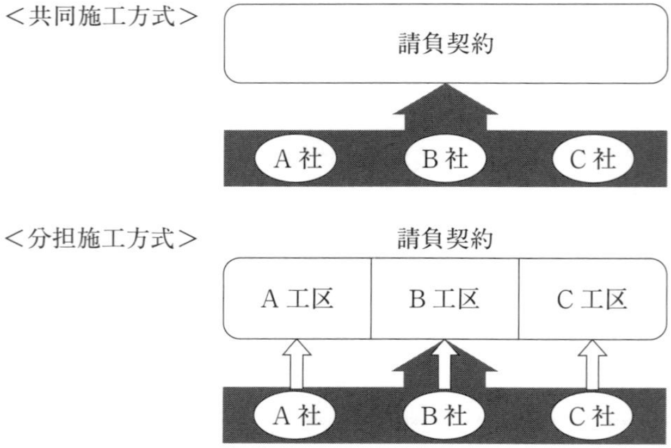

2.　活用目的による区分

[1]　特定建設工事共同企業体（特定 JV）

　大規模かつ技術難度の高い工事の施工に際して、技術力等を結集することにより工事の安定的施工を確保する場合等、工事の規模・性格等に照らし共同企業体による施工が必要と認められる場合に、工事ごとに結成する共同企業体で

す。

[2]　経常建設共同企業体（経常 JV）

　中小・中堅建設業者が継続的な協業関係を確保することにより、その経営力・施工力を強化する目的で結成する共同企業体です。

　単体企業と同様、発注機関の入札参加資格審査申請時（原則年度当初）に経常 JV として結成し、一定期間、有資格業者として登録されます。

[3]　地域維持型建設共同企業体（地域維持型 JV）

　地域の維持管理に不可欠な事業につき、継続的な協業関係を確保することにより、その実施体制の安定確保を図る目的で結成する共同企業体です。発注機関の入札参加資格申請時または随時に地域維持型 JV として結成し、一定期間、有資格業者として登録されます。

　なお、地域維持型 JV は単体企業との同時登録及び経常・特定 JV との同時結成・登録が認められています。

3.　契約形態による区分

[1]　記名施工方式（表 JV）

　通常の JV 形態であり、発注者に対して JV の構成員が請負契約書に明示されており、JV 本来の形態です。

[2]　匿名施工方式（裏 JV）

　JV の存在が発注者に対して明示されず、スポンサー企業以外の構成員や、一部の構成員が請負契約書に明示されない形態です。

| 第 3 節 | JV の運営 |

1. JV 運営にかかる指針

JV の運営に関する指針として、主に次の①～④が国土交通省より公表されています。

① 共同企業体標準協定書

特定建設工事共同企業体協定書（甲型、乙型）、経常建設共同企業体（甲型、乙型）及び地域維持型建設共同企業体協定書（甲型、乙型）

② 共同企業体運用準則

発注機関が共同企業体の運用に関する基準を策定する場合に準拠すべき対象工事、構成員等に関する具体的基準

③ 共同企業体運営指針

共同企業体の施工体制、管理体制、責任体制その他基本的な運営のあり方を示し、共同企業体の各種規則等の決定にあたって準拠すべき基準

④ 共同企業体運営モデル規則

共同企業体運営指針の趣旨をより具現化し、共同企業体の規則等において定めるべき事項を具体的に示すモデル規則

なお、「共同企業体運用準則」では、準拠すべき一般準則として以下①～③の項目が定められています。

① 共同企業体活用の目的に応じ、対象とすべき工事について、特定建設工事共同企業体、地域維持型建設共同企業体及び復旧・復興建設工事共同企業体にあってはその基準を明確に定めるものとし、経常建設共同企業体にあっては技術者を適正に配置し得る規模を確保するものとする。

② 共同企業体は、活用の目的、対象工事に応じた適格企業のみにより結成するものとし、その構成員数、組合せ、資格、結成方法等を明示するもの

とする。

③　共同施工を確保し、共同企業体の効果的活用を図るため、対象工事を適切に選定する。特定建設工事共同企業体、経常建設共同企業体及び復旧・復興建設工事共同企業体については、構成員は少数とし、格差の小さい組合せとするとともに、出資比率の最小限度基準を設けるものとする。

また、「共同企業体運営モデル規則」では、少なくとも整備すべき規則等として、次の8つがあげられていますので留意が必要です。

---

①　運営委員会規則…共同企業体の最高意思決定機関としての位置づけとその機能
②　施工委員会規則…工事の施工に関する事項の協議決定機関としての位置づけ
　　　　　　　　　とその機能
③　経理取扱規則…経理処理、費用負担、会計報告等
④　工事事務所規則…工事事務所における指揮命令系統及び責任体制
⑤　就業規則…工事事務所における職員の就業条件等
⑥　人事取扱規則…管理者の要件、派遣職員の交代等
⑦　購買管理規則…取引業者及び契約内容の決定手続等
⑧　共同企業体解散後の瑕疵担保責任に関する覚書
　　　…解散後の瑕疵に係る構成員間の費用の分担、請求手続等

2.　JV協定書等の内容

共同企業体協定書、すなわちJV協定書の記載内容については標準協定書が定められています。JV協定書とは、JV構成員間でJV工事運営のために必要な基本事項を文書として取りまとめたものです。

基本的な項目としては、JV構成員名、出資割合、代表者の名称等であり、各構成員と協議しながら代表者が作成します。

JV協定書はJV工事の基本的事項の取決めであり、工事の施工にあたり必要に応じてJV協定書細則、JV運営委員会規則、JV経理取扱規則等が作成されます。

[1] JV協定書の主要な項目（特定建設工事共同企業体）

①	目的	⑬	利益金の配当の割合
②	名称	⑭	欠損金の負担の割合
③	事務所の所在地	⑮	権利義務の譲渡の制限
④	成立の時期及び解散の時期	⑯	工事途中における構成員の脱退に対する措置
⑤	構成員の住所及び名称		
⑥	代表者の名称	⑰	構成員の除名
⑦	代表者の権限	⑱	工事途中における構成員の破産または解散に対する処置
⑧	構成員の出資の割合		
⑨	運営委員会	⑲	代表者の変更
⑩	構成員の責任	⑳	解散後の瑕疵担保責任
⑪	取引金融機関	㉑	協定書に定めのない事項
⑫	決算		

[2] JV運営委員会

　運営委員会は、JVの運営に関する基本的かつ重要な事項を協議決定する最高意思決定機関になります。運営委員会においては、構成員全員が十分に協議した上で、工事の完成に向けての公正妥当な意思決定が行われる必要があります。

　運営委員会規則を設け、委員会の構成、開催及び運営、付議事項などを定めます。なお、委員長は一般的に代表会社から選任されます。

　運営委員会規則の主要な項目は、次のとおりです。

①	総則	⑦	開催及び招集
②	目的	⑧	議決等
③	権限	⑨	専門委員会
④	構成	⑩	規則
⑤	委員長	⑪	事務局
⑥	付議事項	⑫	運営委員会名簿

[3] JV 経理取扱規則

経理取扱規則においては、経費処理、費用負担、会計報告などに関する取決めを行います。

「共同企業体運営指針」では、経理取扱規則において少なくとも以下の事項を定めるものとされています。

---

① 経理処理担当構成員
② 経理部署の所在場所
③ 会計期間
④ 会計記録の保存期間
⑤ 勘定科目及び帳票書類に関する事項
⑥ 決算及び監査に関する事項
⑦ 資金の出資方法及び時期に関する事項
⑧ 前払金等の取扱いに関する事項
⑨ 下請代金等の支払に関する事項
⑩ 工事代金の請求に関する事項
⑪ 取引金融機関に関する事項
⑫ 会計報告に関する事項
⑬ 原価算入費用及び各構成員が負担すべき費用に関する事項

第 4 節　JV にかかる会計処理

1. JV の会計処理

JV の会計処理方法には、JV を独立の単位として扱う「独立会計方式」と、JV を独立の会計単位として扱わない「取込み方式」があります。

一般的には、独立会計方式によると事務処理が煩雑になること、また JV の会計記録をスポンサー企業の会計帳簿に取り込む方式のほうが記録の正確性を保てると考えられるため、取込み方式が主流となっているようです。

JVで採用する会計処理については、前節に記載のとおり、あらかじめJV構成員企業の間で合意の上、JV経理取扱規則においてこれを定める必要があります。

なお、JVの会計処理はスポンサー企業（代表会社）とサブ企業（その他の構成員企業）の会計処理に分けることができますが、各構成員が出資割合に応じて完成工事高や工事原価の発生を記録することが原則となります。ただし、スポンサー企業の場合は、サブ企業への出資の請求や工事代金の取下げ配分など、資金取引にかかる処理が必要となります。

2. スポンサー企業の会計処理

スポンサー企業は、JVを代表して発注者との交渉にあたるほか、発注者に対して請負代金の請求を行い、また支払いを受けたときは構成員各社に配分します。また、スポンサー企業はJVとしての工事原価を集計し、その支払資金の調達のため構成員企業に出資を請求するとともに、月次会計報告にかかる諸表を作成のうえ構成員企業に配布します。

これらJVとしての会計処理に責任を持つと同時に、自社分の工事原価を出資割合に基づいて集計し、未成工事支出金として計上することとなります。

[1] 会計処理の方式

JVにおいては、スポンサー企業が全体の取りまとめを行い、JV経理取扱規則に従って経理処理等を行います。

スポンサー企業とサブ企業の間の資金取引の処理方法として、以下①～③の３つの方法があります（**図表Ⅰ－5－2参照**）。

① 分配方式

発注者からの請負代金の支払いに応じてサブ企業への取下げ分配を行い、下請業者等への工事代金や資材の購入等、原価の支払いが生じた場合にサブ企業に出資請求を行う方法です。

② プール方式

図表Ⅰ-5-2　JVの資金取引の処理方法
① 分配方式

② プール方式

③ 資金充当（不足出資）方式

　発注者から請負代金の支払いがあってもサブ企業に取下げ分配を行わず、また、工事に必要な原価の支払いは出資請求を行わずにスポンサー企業が立替払いをします。工事終了後に分配すべき金額と出資で受け入れるべき金額を相殺し、サブ企業の利益相当額について支払う方法です。
③ 資金充当（不足出資）方式
　サブ企業への取下げ分配は実施しませんが、スポンサー企業が管理するJV名義の資金口座に不足が生じるおそれがある場合等に、サブ企業への出資請求を行う方法です。

【事例Ⅰ－5－1】 プール方式による会計仕訳

・工事価格1,200,000千円のマンション工事をA社（スポンサー出資比率50%）、
　B社（サブ同30%）、C社（サブ同20%）の3社JVにて受注した。
・JVにおける工事総原価1,050,000千円。
・工期はX1年4月1日～X3年3月31日。
・工事前受金として着工時に200,000千円が入金となった。
・X2年3月末時点の総発生原価は420,000千円（うち期末未払い60,000千円）、
　X3年3月末時点の総発生原価は1,050,000千円（うち期末未払い40,000千円）
　である。X2年5月末に出来高払として500,000千円、X3年4月に残金500,000
　千円が入金となった。
・会社の決算日は3月31日、進捗度に基づき一定の期間にわたり収益を認識する
　工事で、履行義務の充足にかかる進捗度は、発生した原価を基礎としたインプッ
　トに基づき見積もる。
・簡略化のため消費税は考慮しない。
・C社の仕訳については、B社の仕訳と出資比率に応じた金額が異なるのみであ
　るため、当事例では省略する。

① 着工時

工事前受金＝200,000千円

A社 未成工事受入金＝前受金200,000千円×出資比率50%＝100,000千円

（借方）現 金 預 金　200,000　（貸方）未成工事受入金　100,000
　　　　　　　　　　　　　　　　　　　　預 り 金　100,000

B社 未成工事受入金＝前受金200,000千円×出資比率30%＝60,000千円

（借方）未 収 入 金　60,000　（貸方）未成工事受入金　60,000

② X2年3月末まで

A社 未成工事支出金＝総発生原価420,000千円×出資比率50%＝210,000千円

（借方）未成工事支出金　210,000　（貸方）現 金 預 金　360,000
　　　　未 収 入 金　210,000　　　　　　工 事 未 払 金　60,000

B社 未成工事支出金＝総発生原価420,000千円×出資比率30%＝126,000千円

（借方）未成工事支出金　126,000　（貸方）未 払 金　126,000

③ X2年3月期決算

工事進捗度＝既発生工事原価420,000千円÷工事総原価1,050,000千円

          ＝40%

A社 完成工事高＝工事価格1,200,000千円×工事進捗度40%×出資比率50%

          ＝240,000千円

（借方）完成工事未収入金　140,000　（貸方）完 成 工 事 高　240,000
      未成工事受入金　100,000

（借方）完 成 工 事 原 価　210,000　（貸方）未成工事支出金　210,000

＜債権債務の相殺＞

（借方）預　　　り　　　金　100,000　（貸方）未 収 入 金　100,000

B社 完成工事高＝工事価格1,200,000千円×工事進捗度40%×出資比率30%

          ＝144,000千円

（借方）完成工事未収入金　　84,000　（貸方）完 成 工 事 高　144,000
      未成工事受入金　　60,000

（借方）完 成 工 事 原 価　126,000　（貸方）未成工事支出金　126,000

＜債権債務の相殺＞

（借方）未　　払　　金　60,000　（貸方）未　収　入　金　60,000

④ X2年5月末入金時

工事前受金＝500,000千円

A社 未成工事受入金＝前受金500,000千円×出資比率50%

        －完成工事未収入金140,000千円＝110,000千円

（借方）現　金　預　金　500,000　（貸方）完成工事未収入金　140,000
             未成工事受入金　110,000
             預　　　り　　　金　250,000

B社 未成工事受入金＝前受金500,000千円×出資比率30%

        －完成工事未収入金84,000千円＝66,000千円

（借方）未　収　入　金　150,000　（貸方）完成工事未収入金　　84,000
             未成工事受入金　　66,000

⑤ **X3年3月末まで**

当期発生原価＝既発生原価1,050,000千円－前期発生原価420,000千円

$$=630,000千円$$

A社 未成工事支出金＝当期発生原価630,000千円×出資比率50%

$$=315,000千円$$

(借方) 未成工事支出金	315,000	(貸方) 現　金　預　金	590,000
未　収　入　金	315,000	工　事　未　払　金	40,000

B社 未成工事支出金＝当期発生原価630,000千円×出資比率30%＝189,000千円

(借方) 未成工事支出金	189,000	(貸方) 未　　払　　金	189,000

⑥ **X3年3月期決算**

A社 完成工事高＝工事価格1,200,000千円×出資比率50%

$$－前期完成工事高240,000千円＝360,000千円$$

(借方) 完成工事未収入金	250,000	(貸方) 完　成　工　事　高	360,000
未　成　工　事　受　入　金	110,000		

(借方) 完　成　工　事　原　価	315,000	(貸方) 未成工事支出金	315,000

＜債権債務の相殺＞

(借方) 預　　　り　　　金	250,000	(貸方) 未　　収　　入　　金	250,000

B社 完成工事高＝工事価格1,200,000千円×出資比率30%

$$－前期完成工事高144,000千円＝216,000千円$$

(借方) 完成工事未収入金	150,000	(貸方) 完　成　工　事　高	216,000
未　成　工　事　受　入　金	66,000		

(借方) 完　成　工　事　原　価	189,000	(貸方) 未成工事支出金	189,000

＜債権債務の相殺＞

(借方) 未　　払　　金	150,000	(貸方) 未　　収　　入　　金	150,000

⑦ **最終入金時（X3年4月）**

最終入金＝500,000千円

A社 預り金＝入金額500,000千円×出資比率50%＝250,000千円

(借方) 現　金　預　金	500,000	(貸方) 完成工事未収入金	250,000
		預　　　り　　　金	250,000

サブ企業との精算＝工事利益（1,200,000千円－1,050,000千円）×出資比率50％

　　　　　　　　　＝75,000千円

（借方）預　　　　り　　　金　250,000　（貸方）未　収　入　金　175,000

　　　　　　　　　　　　　　　　　　　　　　　現　金　預　金　　75,000

　B社　未収入金＝入金額500,000千円×出資比率30％＝150,000千円

（借方）未　収　入　金　150,000　（貸方）完成工事未収入金　150,000

　スポンサー企業との精算＝工事利益（1,200,000千円－1,050,000千円）

　　　　　　　　　　　　　　×出資比率30％＝45,000千円

（借方）未　　払　　金　105,000　（貸方）未　収　入　金　150,000

　　　　現　金　預　金　　45,000

［2］　JV 特有の会計処理

❶ 協定原価と単独原価

　協定原価とは、JV 運営委員会において承認された JV の実行予算に基づいて計上されるものであり、単独原価とは JV の実行予算外の原価で各構成員企業において負担すべき費用です。

　これらについては、JV として不要な原価の発生を防止するために、協定原価の範囲を事前に取り決め、協定原価算入基準として JV 運営委員会規則で JV 運営委員会の承認を得る必要があります。

　なお、単独原価の具体例としては次の①～③があげられます。

　①　工事社員等の赴任・帰任旅費、賞与、退職金及び慶弔見舞金

　②　構成員企業における管理部門経費及び社内金利

　③　その他 JV 運営委員会で定めたもの

❷ スポンサーメリット

　本来、工事における資材の購入や下請業者の選定等については、JV 運営委員会を通じて実施されるべきですが、実務上はスポンサー企業において実施されることが多いようです。

　ここで、スポンサー企業においては、資材の購入等に際して自社の取引先等

を選定する等により、❶の協定原価に定められた額よりも低い価額で発注することがあります。このような場合、非スポンサー企業には明示されずJV原価としては協定原価のままですが、協定原価との差額についてはスポンサー企業の原価負担部分のマイナスとして処理します。これが「スポンサーメリット」と呼ばれており、業界特有の慣行です。

スポンサー企業の会計上は、工事原価のマイナスとして処理しますが、税務上は受領した期の益金となります。したがって、期末の未成工事支出金にスポンサーメリットがマイナスとして反映されていれば、当該マイナス部分について税務調整（加算処理）が必要となります。

❸ 人件費差額

JVにおいては、各構成員企業から工事社員等の派遣を受けます。これらの職員にかかる人件費については、JVの実行予算では協定給与として年齢別等に金額が定められています。

この協定給与は通常、各構成員企業において派遣している職員の実際の給与等より高く設定されています。

したがって、各構成員企業においては、協定給与負担部分と実際の給与等との差額が発生し、当該差額は工事原価のマイナスとして処理します。人件費差額については、スポンサー企業だけでなくサブ企業においても発生することとなります。

3.　サブ企業の会計処理

サブ企業においては、スポンサー企業より請負代金を受領した場合は未成工事受入金として計上します。また、スポンサー企業に出資金の支払いを行うとともにスポンサー企業より配布された帳票等に基づき、自社の工事持分についての工事原価を未成工事支出金に計上します。さらに、JVに派遣している工事社員の人件費をJVに請求しなければなりません。

4. JV の決算

　JV の会計期間は JV 成立の日から解散の日までであり、JV 工事の決算の特徴は、工事の完成引渡しにより JV の所有しているすべての資産・負債の整理と損益の分配を行うことにあります。

　JV の決算手続は、JV 協定書や JV 経理取扱規則に準拠して行うほか、次の 6 つの項目に沿って行われます。

① 未精算勘定の整理

　未精算勘定について所定の勘定科目への整理・振替を行います。

② 税務計算上の必要資料の整理

　JV にかかる法人税等の納税義務は各構成員企業にあるため、税務申告にあたって必要となる資料の整理が必要です。したがってスポンサー企業は、特に交際費や寄付金等についてその内容を正確に各構成員企業に報告する必要があります。

③ 残余財産の処分

　仮設資材や工事用機械等 JV で使用していた資産は、JV 運営委員会の承認のもと適切に処分しなければなりません。

④ 未発生原価の見積もり

　現場事務所の撤去や残務整理費用など、解散までに発生が見込まれる費用は、正確に見積計上する必要があります。

⑤ 決算書案の作成と対象書類等の監査

　貸借対照表、損益計算書、工事原価報告書、資金収支表及びそれらの附属明細書を作成し、各構成員企業から選出された監査委員の監査を受ける必要があります。

⑥ 決算書案の承認

　決算書案は、監査委員の監査を受けたあと、JV 運営委員会の承認を受けなければなりません。承認を受けた決算書類は各構成員企業で保管し、決算処理済みの帳簿や証憑書類はスポンサー企業が保管します。

第 **5** 節	JV の税務処理

1. 法人税の取扱い

[1] JV 工事損益の処理

JV は民法上の組合に該当するとされ、JV の権利義務は各構成員に帰属し、組合事業の損益は、組合を構成する各組合員の当該事業年度の損益として認識します（法基通14−1−1）。

任意組合から分配を受ける利益等の額の計算については、次の①〜③のいずれかの方法により、継続してその利益の額または損失の額を計算します（法基通14−1−2）。

① 当該組合事業の収入金額、支出金額、資産、負債等を、その分配割合に応じて各組合員のこれらの金額として計算する方法

② 当該組合事業の収入金額、その収入金額にかかる原価の額及び費用の額ならびに損失の額を、その分配割合に応じて各組合員のこれらの金額として計算する方法

　この方法による場合には、各組合員は、当該組合事業の取引等について、受取配当等の益金不算入、所得税額の控除等の規定の適用はありますが、引当金の繰入れ、準備金の積立て等の規定の適用はありません。

③ 当該組合事業について計算される利益の額または損失の額を、その分配割合に応じて各組合員に分配または負担させることとする方法

　この方法による場合には、各組合員は、当該組合事業の取引等について、受取配当等の益金不算入、所得税額の控除、引当金の繰入れ、準備金の積立て等の規定の適用はありません。

[2] スポンサーメリットの処理

スポンサーメリットについては、本章第4節2．［2］「❷ スポンサーメリッ

ト」（93頁）で触れましたが、会計上で工事原価のマイナスとして処理したスポンサーメリットは、税務上は受領した期の益金に計上しなければなりません。

　したがって、期末の未成工事支出金にスポンサーメリットがマイナスとして反映されている場合、当該マイナス部分について税務調整（加算処理）が必要となります。

[3]　交際費及び寄附金

　JV工事で発生する交際費や寄附金は、出資割合に対応する金額を各構成員企業の税務申告において損金算入限度額の算定に含めなければなりません。

　そのため各構成員企業は、決算報告書あるいは毎月の原価計算報告書で、交際費や寄附金の内訳を把握しておかなければなりません。

2.　消費税の取扱い

　JV工事における構成員は、共同事業者の関係にあるため、その持分割合または利益の分配割合に応じて課税売上及び課税仕入れの額を認識します（消基通1－3－1）。

　共同事業において各構成員が行ったこととされる資産の譲渡等については、原則として、当該共同事業として資産の譲渡等を行ったときに各構成員が資産の譲渡等を行ったこととなります。ただし、各構成員が、当該資産の譲渡等の時期を、当該共同事業の計算期間（1年以内のものに限る）の終了する日の属する自己の課税期間において行ったものとして取り扱っている場合には、これを認めるとされています（消基通9－1－28）。

　なお、建設工業経営研究会　建設業上場会社経理研究会より、「JV工事等における消費税の取扱いについて」が1989（平成元）年3月8日に公表されており、実務上の参考とすることができます（参考：建設工業経営研究会編集・発行『建設業会計提要』）（消基通9－1－28）。

第6章

兼業事業の概要

　兼業事業とは、建設業者が建設事業以外の事業をあわせて営む場合における当該事業をいいます。

　建設業者の行う兼業事業には、主に不動産販売業務、不動産仲介業務、不動産賃貸・管理業務及び技術役務の提供業務があげられます。これらは建設事業に付随して生じる事業です。

第1節 不動産販売業務

1. 不動産販売業務の区分

　不動産販売業務は、大きく販売業務と開発業務に分けることができます。

[1] 販売業務

　販売業務とは、土地建物を仕入れて販売する業務をいいます（建物の仕入れには、外注により建設する場合を含みます）。

　販売業務には、土地の取得から販売までのプロセスにおいて、次の①〜③のような販売物件の状態があげられます。

　　①　素地での売却

　　②　造成後の売却

　　③　建物を建設後の売却

さらに、販売形態により次のように分けられます。

① 一括販売

② 区分販売

  a. 宅地や工業団地の分譲販売

  b. 戸建販売

  c. マンションや事務所等区分所有による分譲販売

[2] 開発業務

開発業務とは、土地を仕入れて造成し、またはさらに建物を建てて販売する業務をいいます。開発業務は、物件の付加価値を高めるとともに施工実績になります。

開発業務の特徴として、次のような点があげられます。

① 販売に先行して多額の資金が必要となる

② 造成や開発の場合は長期間を要する

③ 不動産の価格変動の影響を受けやすく不安定な事業である

これらの特徴から、開発事業は兼業事業としては比較的リスクが高い事業と考えられています。

2. 不動産の取得時期

購入による土地の取得時期は、原則として土地の引渡しを受けた日になります。それは通常の場合、土地の占有権あるいは土地の使用収益ができることとなるためです。

土地の取得時期が問題となるのは、いわゆる土地重課制度（現在は適用停止措置期間中）において対象となる土地の基準日が取得日を基準としていることによります。以下に、税務上の取扱いを示します。

取得日は、引渡し日の特約がある場合を除いて、売買代金の30％以上を支払った日（その日が売買契約締結の日前の場合はその締結日）以降引渡しの日までの一定の日を法人が取得日として定めるときは、その日を取得日とすることも認

められます（措通63（1）－4）。

　特約のある場合とは、単に代金の完済日に所有権の移転引渡しを行う等の条件をいうのではなく、借家人の立退きを完了したときや農地の転用許可を得た日等その具体的な特約日を指します（措通63（1）－5）。

　また支払手形による支払いであっても、支払期日に現に支払っており、かつ期間が120日以内であれば認められます（措通63（1）－4）。

3. 不動産販売業務にかかる収益計上

　不動産販売業務にかかる収益認識は引渡し基準に基づきます。しかしながら、不動産に関しては収益の計上時期の不確定要因が多いため、引渡し時期が必ずしも明確でない場合があるので留意が必要です。

　法人税法上の取扱いでは、不動産の販売にかかる引渡し時期は、一般に使用収益あるいは占有権の移転によって生じます。契約上は多くの場合代金の完済時に引渡しを行い、かつ、所有権の移転登記が行われるのが慣例になっています（法基通2－1－2）。

[1]　不動産会社等に一括して販売する場合

　販売用不動産のような棚卸資産に属する不動産の販売収益の計上は、引渡しのあった日の属する事業年度において行います。土地の場合は、一般に引渡し日が定められています。

　法人税法上は棚卸資産に属する不動産が土地及び土地の上に存する権利であり、その引渡しの日がいつであるか明らかでないときは、次のいずれか早い日にその引渡しがあったものとして収益に計上することができます（法基通2－1－2）。

　　①　代金のおおむね50％以上を収受するに至った日

　　②　所有権の移転登記を申請した日またはそれらに必要な書類を相手方に交付した日

[2] 自社が分譲して販売する場合

分譲ごとに顧客が資産に対する支配を獲得する引渡しの都度、収益を計上します。

なお、不動産販売において留意すべき事項として、現在は適用停止措置期間中ですが、法人の土地重課制度があります。

これは、法人が所有している土地等を譲渡した場合には、通常の法人税とは別にその土地等にかかる譲渡益について、一般長期譲渡（所有期間5年超）には5％、短期譲渡（所有期間5年以下）には10％の税率で追加課税が行われるものです（措法62の3、63）。

4. 販売業務にかかる原価計上

販売業務にかかる原価は、購入の対価（購入のための付随費用を含む）の額と、資産を消費しまたは販売の用に供するために直接要した費用の額の合計額となります。

購入の付随費用としては、仲介手数料、立退き料や補修費用等がありますが、それらが取得原価の3％以内の場合には取得原価に算入しないことが法人税法上認められています。実務上も、そのように処理するケースが多いようです（法基通5-1-1）。

また、不動産取得税、地価税（適用停止中）、固定資産税及び都市計画税、特別土地保有税、登録免許税その他登記または登録のために要する費用の額、借入金の利子の額は、土地建物の取得原価に算入しないことができます（法基通5-1-1の2）。

5. 開発業務にかかる原価計上

[1] 原価の集計

開発業務にかかる原価には、開発にかかる投資額に加えて販売業務にかかる原価が算入されます。

開発物件単位で次のような費用項目で集計すると、土地建物の区分原価の配

分や不動産に対する税法上の取扱いに対応するのに有用と考えられます。その上で、開発物件単位での個別原価計算を実施します。

図表Ⅰ－6－1　開発業務にかかる原価

費　目	内　容	具　体　例
土地取得費	土地代	土地所有者・土地借地権者への取得代金
	仲介手数料	不動産業者に支払った手数料
	租税公課	不動産取得税、登録免許税、特別土地保有税、固定資産税
	公共負担金	公共団体に対する負担金
	その他の取得費	既存建物の購入・解体費用、立退き料、補償金、登記費、調査測量
土木工事費	造成工事費	整地、道路、排水、上下水道、電気ガス工事等の造成工事にかかる費用
	付帯工事費	公園、教育施設等公共施設工事
建築工事費	建築工事費	建物本体の躯体工事、建物附属設備工事
	外構工事費	構内、舗装、駐車場、構内排水等工事
	設計料	設計料、施工管理費等
現場経費		開発業務に直接要する人件費、その他の経費（モデルルーム等の販売経費）
その他の費用	補償費	日照権、電波障害等にともなう支出
	支払利息	長期・開発目的の場合は直接要した借入金に対する支払利息

　なお、表中にあるように、開発事業にかかる支払利子の原価算入が認められる場合があります（日本公認会計士協会「不動産開発事業を行う場合の支払利子の監査上の取扱いについて」）。
　具体的な要件は、次の①〜⑦のとおりです。
　①　所要資金が特別の借入金によって調達されていること

102
第Ⅰ部
建設業会計の基礎知識

② 適用される利率は一般に妥当なものであること

③ 原価算入の終期は開発の完了までとすること

④ 正常な開発期間の支払利子であること

⑤ 開発の着手から完了までに相当の長期間を要するもので、かつ、その金額の重要なものであること

⑥ 財務諸表に原価算入の処理について具体的に注記すること

⑦ 継続性を条件とし、みだりに処理方法を変更しないこと

　また、法人税法上は、借入金の利子の額を建設中の固定資産にかかる建設仮勘定に含めたときは、当該利子の額は固定資産の取得原価に算入されたことになります（法基通7－3－1の2（注））。

[2] 原価の配分

　原価の集計単位は、原則として団地、1棟ごとなどの物件単位で集計されますが、総合開発によるニュータウン、工業団地の建設や別荘地の開発等大規模になる場合は、工区別に区分して計算します。

　このような大規模開発は、工事の進行中に完成した工区より順次販売し、早期に資金の回収を図ることが一般的です。そのため、開発計画に基づいて適正な原価配分を考慮して決定するとともに、進捗度に基づき一定の期間にわたり収益を認識する工事と同様に見積原価は期末ごとに算定し直すことが必要となります。

　また、用地の造成による分譲あるいはマンション等の区分所有による分譲については、販売単位別の原価配分が必要となります。

❶ 造成団地や工業団地の分譲の場合

$$\text{1区画当たりの売上原価} = \frac{\text{土地等の取得価額}}{\text{（造成工事を含む）}} \times \frac{\text{各区画の面積}}{\text{販売可能総面積}}$$

　複数の事業年度にわたって分譲する場合には、分譲完了直前までの事業年度と分譲完了事業年度に分けた計算が必要となります（法基通2－2－2）。

❷ 区分所有による分譲の場合（主としてマンション等）

$$1戸当たりの売上原価 \ = \ 土地等の総原価 \ \times \ \frac{各戸の専有床面積}{総専有床面積}$$

これらは、費用収益対応の原則に基づいて、分譲予定価額による按分のほうが面積比より合理的な場合があります（法基通2-2-2）。

[3] 販売経費の繰延べ

販売経費は、通常は期間費用として発生時に処理します。しかしながら、不動産販売に際しては以下❶～❺のような特殊な費用が発生するため、その支出の効果を考慮すると費用収益対応の原則により繰り延べるほうが合理的なものがあります。

❶ モデルルームの費用

マンション販売の場合、投下資金が多額になるため、その早期回収のためにモデルルームを作り物件完成に先だって販売を行うのが一般的です。

モデルルームは、他の物件に転用したり売却することはほとんど見込まれませんので、その費用は特定の物件に紐付きと考えることができます。したがって、モデルルーム関連費用は売上原価と同様に収益に対応させて費用化することが認められます。

❷ モデルハウスの費用

1戸建ての場合はモデルハウスを分譲地内や展示場等に建築し、数年にわたって展示することが多く、また解体売却するケースもあります。これにかかる支出額は固定資産に計上し、減価償却により費用配分を行います。

❸ 広告宣伝費

特定の販売物件について発生するものであり、金額的にも多額となるため繰延べ処理されることがあります。

❹ 販売活動にともなう人件費等

マンションや戸建住宅の販売活動開始からその終了（物件引渡し）まで長期にわたるため、その間の人件費等についても繰延べ経理する例もあるようです

が、期間費用として計上することが望ましいと考えます。

❺ **販売後の補修費**

住宅・宅地の販売後、一定期間中に販売物件について補修を行う場合があります。販売契約による売上の瑕疵担保責任として、通常は宅地建物取引業法（第40条）によって購入者を保護しており、最低2年と規定しています（工事を外注していれば、外注先の建設会社が負担することになります）。

当該補修費用は発生した期の売上原価に計上するのが一般的な処理です。

なお、期間損益を適正にするため、過去の実績等に基づいて完成工事補償引当金等を計上するのが望ましい会計処理と思われます（税務上は加算が必要です）。

この点については第Ⅱ部第6章「11. 完成工事補償引当金」（246頁）をご参照ください。

第 2 節　不動産仲介業務

不動産仲介とは、「宅地もしくは建物の売買もしくは交換または宅地もしくは建物の売買、交換もしくは貸借の代理もしくは媒介をする行為」をいい、国または都道府県の免許を得てこれを業として営む者が宅地建物取引業者とされています（宅地建物取引業法2二・三）。

したがって、不動産仲介業務とは、宅地建物取引業者が不動産の売買、賃借、交換の代理もしくは仲介を行う業務をいいます。

1. 不動産仲介業務にかかる収益計上

不動産仲介業務により受ける報酬の額は、その履行義務が一定の期間にわたり充足されるものに該当する場合を除き、原則としてその売買等にかかる契約の効力が発生した日の属する事業年度において収益に計上します。

なお、継続適用を条件として、契約にかかる取引の完了した日（同日前に実

際に収受した金額があるときは、当該金額については収受した日）において収益計上を行っている場合には、役務の提供の日に近接する日に該当するものとして認められます（法基通2－1－21の9）。したがって、これらの仲介のあっせんは、請負契約と同様に役務の提供を完了し、その役務に関する報酬請求権が確定した時点で収益に計上することになります。

継続適用を条件とする取引完了日での収益計上は、所有権の移転ないし引渡し前に、諸々の事情により変更あるいは値引きが行われる場合があること、条件付譲渡では仲介業務にもその条件が付帯する場合があることなどを考慮したものと考えられます。例えば、農地についてその転用の許可がなければ所有権の移転ができないこと、借家権がある物件については借家人の立退きを条件とする場合があります。

実務上は、不動産仲介業務においても値引きや特約等の不確定要素が多いため、契約における業務の完了時に収益計上するのが一般的です。当事者間の売買契約時に仲介手数料の半分程度を受領し、所有権の移転時に残金を請求するような契約が多いと思われます。

収益の計上額については、仲介にかかる契約で定められた金額となりますが、契約の中に諸々の条項がある場合には慎重な検討が必要です。仲介のあっせんの過程における旅費交通費や広告宣伝費が実費精算となっている場合は、仲介あっせんの手数料となりません。

なお、仲介物件が土地の場合であっても、仲介手数料は消費税法上の課税取引に該当しますので留意が必要です。

2. 不動産仲介業務にかかる原価計上

不動産仲介業務にかかる原価は、仲介物件ごとに業務に必要とした直接費（支払仲介手数料、広告宣伝費、案内交通費）を原価に計上します。

なお、人件費は販売費として期間費用に計上する場合が多いと思われます。

| 第 **3** 節 | 不動産賃貸・管理業務 |

不動産賃貸・管理業務とは、自社所有のビルなどを賃貸し、あるいは他の者の有する物件の賃貸の管理を行うことをいいます。

不動産賃貸・管理業務は、不動産販売業務や不動産仲介業務に比べて一般的に利益率は低いものの、安定的な収入を得ることができます。

1. 不動産賃貸業務にかかる実務

[1] 不動産賃貸業務にかかる収益計上

不動産賃貸業務の収益は、賃料収入、共益費収入及び保証金・敷金の償却費収入の3つからなります。

賃料収入及び共益費収入については、不動産賃貸借契約に基づき対象期間分を発生ベースで計上します。一般的な不動産賃貸借契約では、賃料については前受けの状態（翌月分賃料を月末までに受け取る、など）になるものと思われます。逆に共益費については、水道光熱費や清掃費などの実費補充という性格をもつため、その支払請求は翌月初めに行われるのが一般的と思われます。なお、共益費が定額であるような契約の場合は、賃料と同様に前受けとなることがあります。

一方、保証金・敷金の償却費収入について、法人税法上は、資産の賃貸借契約等に基づいて保証金、敷金等として受け入れた金額であっても、そのうち期間の経過その他当該賃貸借契約等の終了前における一定の事由の発生により返還しないこととなる部分の金額は、その返還しないこととなった日の属する事業年度の益金の額に算入することとされています（法基通2－1－41）。

「返還しないこととなった日」は、契約内容により決まりますので、どの時点で返還義務がなくなるかに留意が必要です。なお、会計上は、保証金・敷金の償却部分を賃貸借期間にわたって収益計上するのが合理的な処理となります。

第**6**章
兼業事業の概要

また、礼金については、契約または慣習により、その支払いを受ける日の属する事業年度の益金の額に算入します（法基通 2 - 1 - 29）。

[2] 不動産賃貸業務にかかる原価計上

不動産賃貸業務の原価は、賃貸の対象としている物件にかかる直接原価を計上します。

具体的には、人件費、租税公課、水道光熱費、維持管理費や減価償却費等になります。これらを発生主義で賃料等に対応させて認識します。

2. 不動産管理業務にかかる実務

[1] 不動産管理業務にかかる収益計上

不動産管理業務は、法律上は委任（民法643～656）にあたるため、管理の対象期間の終了したときに報酬が授受されるのが通常と思われます（民法648）。

しかしながら、実際には前受けとなるものも見受けられます。重要な管理業務として賃料の回収がありますが、管理報酬が回収賃料の一定割合で決まっている場合などは、賃料が前受けであれば管理報酬も前受けとなるためです。

逆に賃料の回収が滞っているために、管理報酬も受領できないことがあります。賃借人に支払能力がないため賃料の回収ができないという場合は別として、賃料回収にリンクした管理報酬の受領状況にかかわらず、不動産管理収入自体は管理対象期間の終了したときに収益を計上しなければなりません。したがって、この場合は未収計上を行います。

[2] 不動産管理業務にかかる原価計上

不動産管理業務の範囲は、具体的には個々の契約によって定められますが、建物の管理業務において小規模の修繕工事の負担は管理会社が行います。大規模のものは所有者の負担となっているケースが多いと思われます。また、工事の大小のボーダーラインが具体的に示されている場合でも、現実に修繕工事が行われたときには、この区分について管理会社と所有者の間で協議する必要が

出てくることがあります。

　不動産管理業務の原価は、このような場合を除いてはほとんど発生しないと考えられますので、販売費及び一般管理費として処理することが一般的と思われます。もし金額的な重要性が認められる場合には、不動産管理業務にかかる原価として区分処理します。

第4節　技術・役務の提供業務

　技術・役務の提供業務には、建設工事に関連する業務で、調査、企画、設計、施工管理及びコンサルタント業務等があります。

　法人税基本通達では、「設計、作業の指揮監督、技術指導その他の技術役務の提供」とされており（法基通2－1－1の5、2－1－21の10）、これらは請負契約として人的役務の提供や施工管理を行います。

1.　技術・役務の提供業務にかかる収益計上

　技術・役務の提供業務は請負契約になりますので、原則として役務の全部の提供を完了したときに収益を計上します。

　しかしながら、技術・役務の提供契約において、次の①と②のように役務の提供が部分的に完了の都度、報酬の額の確定と支払いを受ける事実がある場合には、建設工事（部分完成基準）と同様に部分確定の都度収益を計上します（法基通2－1－1の5）。

① 　報酬の額が現地に派遣する技術者等の数及び滞在期間の日数等により算定され、かつ、一定の期間ごとにその金額を確定させて支払いを受けることになっている場合

② 　例えば、基本設計にかかる報酬の額と部分設計にかかる報酬の額が作業の段階ごとに区分され、かつそれぞれの段階の作業が完了する都度、その金額を確定させて支払いを受けることになっている場合

ただし、部分確定の場合でも、例外として次の①と②のいずれかの場合には、完了する日とその支払いを受ける日とのいずれか早い時期まで収益の計上を見合わせることができます（法基通2－1－21の10）。

①　確定した金額のうちその役務の全部の提供が完了するまで支払いを受けることができない場合

②　1年を超える相当の期間が経過するまで支払いを受けることができないとされている部分の金額

　これは、法人税法上は部分確定基準による取扱いを強制するのは実情にそぐわないので、例外的に計上を見合わせる規定です。

2. 技術・役務の提供業務にかかる原価計上

　技術・役務の提供業務にかかる原価は、契約ごとに原則として個別原価計算により集計を行い、売上計上時に原価を計上します。特に調査企画、提案、設計までの一括コンサルタント契約等は、直接原価のほかに共通原価の配賦まで工事原価の集計と同様に実施する必要があります。

　しかしながら、調査、企画設計等は工事部門以外の部門に属しており、一般管理費の要素が大きいため配賦は容易ではありません。このような業務が少額のときは一般に人的役務の提供要素が大きく、派遣する技術者や設計する担当者の直接人件費（社会保険料等を含む）と直接支出した交通費等を計上するのが実務的と考えられます。

　このように、費用収益対応の原則を厳密に適用することの困難さから、法人税法上は、継続して技術役務の提供のために要する費用を支出時に損金とすることが認められます。

　損金の対象は、次の①と②のとおりです（法基通2－2－9）。

①　固定費（作業量の増減にかかわらず変化しない費用）の性質を有する費用

　　具体的には、賃借料、有形固定資産の減価償却費、固定資産税、固定給、社会保険料、退職給付引当金や賞与引当金等の人件費が考えられます。

②　変動費（作業量に応じて増減する費用）の性質を有する費用のうち一般管

理費に属するもので、その額が多額でないもの及び相手方から収受する支
度金、着手金等に対応するもの

具体的には、旅費交通費、消耗品費及び人件費のうち残業手当等が含まれ
ます。

なお、「多額でないもの」とは、金額の絶対額の大小だけではなく、収益
に対する重要性の判断基準も含まれているものと考えられ、相対的な判断を
考慮すべきと思われます。

また、相手方から収受する支度金、着手金等にともなう支出は、収益に計
上する金額に対応しますので、すべて原価となります。

第 **II** 部

勘定科目別の
会計処理

第 **1** 章

流動資産

1. 現金預金

[1] 勘定科目の概要

　現金とは、貨幣及びそれらの代替物をいいます。現金として処理するものには、現金、小切手、送金小切手、送金為替手形、郵便為替証書、振替貯金払出証書などがあります。なお、先日付小切手は現金には含めず、受取手形として計上します。

　預金とは、銀行等の金融機関との預金契約に基づいて預け入れてある資金をいいます。具体的には、金融機関に対する預金、郵便貯金、郵便振替貯金、金銭信託等で決算期後1年以内に現金化できると認められたものを処理します。ただし、当初の履行期が1年を超え、または超えると認められたものは、投資その他の資産に記載することができます（勘定科目分類）。

　なお、法令や会計基準等において、現金預金の会計・税務処理について、建設業に固有の処理は定められていません。

　実務上、支店や営業所、工事現場作業所には「小口現金」あるいは「現場資金」として比較的少額の現金のみを有しておくことが望ましいです。多額の現金保有は、紛失・盗難等のリスクがあるためです。支店や営業所・作業所の規模にもよりますが、通常それぞれの責任者の決裁権限金額を参考に決定すると考えられます。

　小口現金・現場資金の保有・補充方法には次の2通りがありますが、管理の

しやすさから、定額資金前渡法によるのが一般的と思われます。

① 定額資金前渡法（インプレスト・システム）

　あらかじめ一定額を出納担当者に渡しておいて日常の支払いを行い、月末等に使った金額を補充する方法です。使用した金額のみを補充するため、保有すべき小口現金・現場資金の「一定額」を定める必要があります。

② 随時補給法

　小口現金・現場資金の保有額を定めずに、資金がなくなるつど必要な金額を補充する方法です。

[2] 会計処理

　現場経費のうち、少額の支払いは工事現場作業所の現場資金から支払います。現場資金から支出される主な経費は次の①〜⑤のとおりです。

① 交通費

② 消耗品費

③ 交際費

④ アルバイト日当

⑤ 雑費

　作業所では日々の出納を現場資金出納簿に記帳し、証憑書類（請求書・領収書等）と関連性を持たせるようにしておきます（**図表Ⅱ－1－1参照**）。現場資金残高については毎日実査のうえ金種表を作成し、現場資金出納簿と照合します。万一、現場資金残高と帳簿残高に差異が発生した場合には、その原因を究明し、支店に報告し承認を受けて雑損・雑益処理をする必要があります。

図表Ⅱ－1－1　現場資金出納簿の例

現場資金出納簿

作業所名　　○○不動産△△ビル新築工事　　　　　　　　　X1年　7月度

日付	勘定科目	証憑No.	摘要	入金	出金	残高
			前月繰越			32,000
7月1日			資金補充	168,000		200,000
7月2日	事務用品費	1	コピー用紙		4,500	195,500
7月5日	租税公課	2	収入印紙		12,000	183,500
7月10日	旅費交通費	3	タクシー代		2,400	181,100
			7月累計			

　工事現場作業所長は、定期的に現場資金出納簿に基づいて現場資金報告書を作成し、支店に報告します。その際には、現場資金出納簿及び証憑書類もあわせて提出します。

【事例Ⅱ－1－1】事務消耗品の購入

　事務用品店で書類ファイルを100千円（消費税別）購入した。

（借方）事 務 用 品 費　　　　100　（貸方）現 金 預 金　　　　110
　　　　仮 払 消 費 税 等　　　 10

［消費税］事務消耗品の購入は資産の譲渡にあたるため、課税取引となります。

【事例Ⅱ－1－2】仮払金の精算

　施工管理担当者より、出張仮払金精算書（出張旅費150千円（消費税別））を残金とともに返却を受けた。

（借方）現　金　預　金	18	（貸方）仮　　払　　金	183
通　信　交　通　費	150		
仮　払　消　費　税　等	15		

［消費税］交通機関の利用は役務の提供にあたるため、課税取引となります。

　預金の管理上、決算時には銀行等から残高証明書を入手することが一般的です。その場合、帳簿残高と銀行の残高証明書金額に差異が生じることがあります。例えば、会社の振出小切手が未取付である場合、銀行に預け入れた小切手が未取立てである場合、預金の時間外預入れの場合などに生じます。

　このような場合、銀行勘定調整表を作成して差異の原因を明確にしておく必要があります（**図表Ⅱ－1－2**参照）。

　また、銀行との間で当座預金について当座借越契約を結んでいる場合には、資金繰りに応じて借越ができます。このような当座借越が生じた場合には、会社の帳簿上は短期借入金として処理します。

【事例Ⅱ－1－3】当座借越の発生

　①　賞与資金の手当てのため、当座預金50,000千円を借り越した（利率3％）。
　（借方）現　金　預　金　　50,000　（貸方）短　期　借　入　金　　50,000
　②　そのまま決算を迎えたので、3カ月間の未払利息を計上する。
　（借方）支　払　利　息　　　　375　（貸方）未　　払　　利　　息　　　　375
　未払利息＝50,000千円×3％×3カ月÷12カ月＝375千円

［3］　税務処理

　預金にかかる受取利息の計上時期については、利息の計算期間の経過に応じ、税務申告の対象事業年度にかかる金額を益金の額に算入することが原則です。しかしながら、実務上は継続処理を前提として、利息の入金のあったときに収益計上することが一般的です（法基通2－1－24）。

図表Ⅱ−1−2　銀行勘定調整表の例

銀行残高調整表

事業年度	X1年4月1日 X2年3月31日	法人名	A建設株式会社

○○○銀行		新宿支店		預金区分	当座		口座番号	XXXXXXXX XX

区分	日 付	記号番号	取 引 先	摘　要	金　　額	備　　考
元　帳　残　高　（　A　）					円 75,264,000	決算修正前 会社帳簿残高
加算	X2.3.31	22563	X工業株式会社	振込入金の通知が未達	1,050,000	会社修正項目
	X2.3.29	22235	外注先X社	支払先が未取付	220,000	
			加　算　計	（　B　）	1,270,000	
減算	X2.3.29	22222	大黒屋文房具店	領収書未入手のため仕訳漏れ	210,000	会社修正項目
			減　算　計	（　C　）	210,000	
調　整　後　残　高　「（A）＋（B）−（C）」					76,324,000	
銀　行　残　高					76,324,000	

第Ⅱ部
勘定科目別の会計処理

また、長期の外貨預金の預入時に生じた為替予約差額については、その契約の締結の日から予約の決済の日までの期間按分により益金または損金の額に算入します（法令122の9）。

2.　受取手形

[1]　勘定科目の概要

　受取手形とは、営業取引に基づいて発生した手形債権をいいます（勘定科目分類）。

　建設業においては、工事請負に直接結びついている請負工事代金等は受取手形として認識します。通常の取引に基づく手形債権には1年基準が適用されないため、その期日の長短にかかわりなくすべて受取手形勘定で認識します。ただし、このうち破産債権、再生債権、更生債権その他これらに準ずる債権で、決算日後1年以内に弁済を受けられないことが明らかなものは、投資その他の資産に記載します（勘定科目分類）。

　また、主たる営業活動以外に受け入れたものは営業外受取手形（流動資産または投資その他の資産）として認識します。資金調達目的の金融手形は貸付金として処理されます（財規19）。

　なお、受取手形の会計・税務処理に関して、建設業に固有の処理は定められていませんが、工事代金の回収にあたって受取手形を受領することが多くありますので、資金繰り管理、与信管理の観点からは重要と思われます。

[2]　会計処理

　受取手形の受領、取立て、裏書や割引の記録を記載し、期日管理を行うため、一般に受取手形記入帳を作成します。

図表Ⅱ－1－3　受取手形記入帳の例

受取手形記入帳

平成×年		摘　要	金　額	手形種類	手形番号	支払人	振出人又は裏書人	振出日			支払日			支払場所	顛末		
月	日							年	月	日	年	月	日		月	日	摘要
7	5	完成工事	7,000,000	約手	21	C社	C社	×	7	5	×	8	20	A銀行本店	7	20	割引
7	10	前受金受領	5,000,000	約手	101	X社	F社	×	6	15	×	7	15	B銀行大阪支店	7	15	取立済
7	14	完成工事	2,000,000	為手	205	Y社	G社	×	7	14	×	8	10	A銀行本店	7	18	譲渡
7	25	売上債権回収	6,000,000	為手	51	H社	当社	×	7	25	×	9	25	同　上			

【事例Ⅱ－1－4】手形による工事代金受領

工事代金の支払いとして、約束手形210,000千円を施主より受領した。

（借方）受　取　手　形　　210,000　（貸方）完成工事未収入金　　210,000

手形が不渡りとなった場合には、償還請求費用や延滞利息等の不渡りにともなう諸費用を合算して、不渡手形（その他流動資産）または破産更生債権等に振り替えます。

【事例Ⅱ－1－5】手形の不渡り

取立依頼に出していた約束手形200,000千円が、振出人の資金不足で不渡りとなった。償還請求費用として2千円を支払った。

（借方）不　渡　手　形　　200,002　（貸方）受　取　手　形　　200,000
　　　　　　　　　　　　　　　　　　　　　現　金　預　金　　　　　　2

手形を割引または裏書譲渡した場合には、次の2通りの処理方法があります。
①　評価勘定法：割引手形勘定または裏書手形勘定を利用する方法
　受取手形勘定から割引・裏書手形勘定を控除した残額が債権残高と一致し

ます。

②　対照勘定法：手形割引（裏書）義務見返及び手形割引（裏書）義務を利
　　　　　　　用する方法

　受取手形勘定の残高が債権残高と一致し、「手形割引（裏書）義務見返」
及び「手形割引（裏書）義務」の両勘定が備忘記録となって割引・裏書残高
を表示します。

　なお、「金融商品会計に関する実務指針」では、手形の割引や裏書を行った
ときに受取手形を減額するとともに、それによって生じた二次的責任である保
証債務を時価評価して認識することとされていますが（金融商品実務指針34、
136）、中小企業の実務ではあまり行われていないようです。

【事例Ⅱ－1－6】手形の割引（評価勘定法）

①　約束手形100,000千円を銀行で割り引き、割引料を除く残額が当座預金に入
　金された。

　（借方）現　金　預　金　　98,500　（貸方）割　引　手　形　　100,000
　　　　　手　形　売　却　損　　1,500
②　割り引いた手形が期日に決済された。
　（借方）割　引　手　形　100,000　（貸方）受　取　手　形　100,000

【事例Ⅱ－1－7】手形の裏書（対照勘定法）

①　工事未払金50,000千円の支払いのうち、30,000千円については手形を裏書し
　た。

　（借方）工　事　未　払　金　　50,000　（貸方）受　取　手　形　　30,000
　　　　　手形裏書義務見返　　30,000　　　　　　現　金　預　金　　20,000
　　　　　　　　　　　　　　　　　　　　　　　手　形　裏　書　義　務　　30,000
②　裏書した手形が期日に決済された。

> （借方）手 形 裏 書 義 務　　30,000　（貸方）手形裏書義務見返　　30,000

　手形期日が期末日であり、かつ期末日が休日の場合の処理には、次の2通り
の方法があります。
　①　手形期日に決済されたものとして処理する方法
　②　手形交換日に決済の処理をする方法

[3]　税務処理

　法人が有する金銭債権について取得した受取手形で、当該金銭債権にかかる
債務者が振出し・引き受けたものを裏書譲渡または割引した場合には、貸倒引
当金の設定対象となる金銭債権に含みます（法基通11－2－4）。
　消費税については、完成工事未収入金の回収として受取手形を入手した場合、
または割引・裏書を行った場合には、支払手段の譲渡として非課税取引になり
ます（消法6①・別表第1第2号、消基通6－2－3）。

3.　電子記録債権

[1]　勘定科目の概要

　電子記録債権とは、その発生または譲渡について、電子記録（磁気ディスク
等をもって電子債権記録機関が作成する記録原簿への記録事項の記録）を要件とす
る金銭債権をいいます（企業会計基準委員会「電子記録債権に係る会計処理及び表
示についての実務上の取扱い」）。
　電子記録債権は、「電子記録債権法」の公布・施行により活用が始まりまし
たが、その取引の安全を確保し事業者の資金調達の円滑化等を図る観点から、
従来の指名債権や手形債権とは異なる新しい債権の類型として制度化されたも
のです。電子債権記録機関としては、一般社団法人全国銀行協会の子会社であ
る株式会社全銀電子債権ネットワーク（通称：でんさいネット）がサービスを
提供しています。
　電子記録債権の特徴として、発生や譲渡については手形の作成・交付・裏書

のように発生記録や譲渡記録という当事者間の合意以外の行為が必要であり、手形や小切手と同水準の安全性が確保されています。また、紙媒体ではないことから、債権の分割を容易に行うことができるほか、印紙税や紛失・盗難防止等の事務管理コストの節減効果が認められます。

　建設業界では、従来は手形による決済が多くみられましたが、近年は決済方法の多様化が進んだ結果、電子記録債権（及び電子記録債務）の利用は一般的となっています。

　なお、電子記録債権の会計・税務処理について、建設業に固有の処理は定められていません。

［2］　会計処理

　電子記録債権は、上記のように手形債権と異なる側面はあるものの、手形債権の代替として機能することが想定されていることから、その会計処理は手形債権に準じて取り扱うことが適当とされています。

　貸借対照表上、手形債権が売掛金や買掛金等の指名債権とは別に区分掲記される取引に関しては、重要性が乏しい場合を除き電子記録債権（または電子記録債務）として表示されます。

【事例Ⅱ－1－8】電子記録債権の発生と譲渡（債権者）

---

　①　発生記録により電子記録債権10,000千円が発生した。

　　（借方）電 子 記 録 債 権　　10,000　（貸方）完成工事未収入金　　10,000

　②　譲渡記録により電子記録債権を工事未払金10,000千円と引き換えに譲渡した。

　　（借方）工 事 未 払 金　　10,000　（貸方）電 子 記 録 債 権　　10,000

【事例Ⅱ－1－9】電子記録債務の発生と譲渡及び決済（債務者）

---

　①　発生記録により電子記録債務10,000千円が発生した。

　　（借方）工 事 未 払 金　　10,000　（貸方）電 子 記 録 債 務　　10,000

② 債権者が、譲渡記録により電子記録債権を工事未払金10,000千円と引き換えに譲渡した。

(仕訳なし)

③ 債務が決済された

(借方) 電 子 記 録 債 務　　10,000　(貸方) 現　金　預　金　　10,000

[3] 税務処理

税務上、電子記録債権の取扱いについて特に規定はありませんが、一般に手形債権と同様の取扱いを受けるものと認識されています。なお、債務者が取引停止処分を受けた場合の形式基準による貸倒引当金の計上については、手形交換所に加えて電子債権記録機関による取引停止処分も含まれています（法基通11-2-11）。

消費税においても手形と同様、支払手段の1つとして取り扱われており、電子記録債権の発生・譲渡等は非課税取引になります。

4. 完成工事未収入金

[1] 勘定科目の概要

完成工事未収入金は、完成工事高に計上した工事にかかる請負代金の未収額として計上されます（勘定科目分類）。

収益認識基準により、進捗度に基づき一定の期間にわたり収益を認識する工事の場合、完成工事売上高に計上した期中出来高に対する未収部分が完成工事未収入金として計上されます。ただし、期間がごく短い工事契約の場合には、工事の完成引渡しが完了した一時点で完成工事高を計上し請負金額の未収部分を完成工事未収入金として計上することができます。

また、完成工事未収入金は、法的な請求権を有するかどうかにより「顧客との契約から生じた債権」と「契約資産」に分類されます。

「顧客との契約から生じた債権」とは、企業が顧客に移転した財又はサービスと交換に受け取る対価に対する企業の権利のうち無条件のもの（すなわち、

対価に対する法的な請求権)で(収益認識会計基準12)、対価を受け取る期限が到来する前に必要となる条件が時の経過のみである債権です。

一方で、「契約資産」とは、企業が顧客に移転した財又はサービスと交換に受け取る対価に対する企業の権利(ただし、顧客との契約から生じた債権を除く)をいいます(収益認識会計基準10)。

完成工事未収入金のうち完成引渡しが完了した工事にかかる未収額は、履行義務を充足(工事完成・引渡し等)して顧客(施主)に対価を請求しているので、法定な請求権を有する「顧客との契約から生じた債権」になります。

そして、進捗度に基づき収益を認識した未完成の工事にかかる完成工事未収入金は、対価を受け取るためには支払期日の到来以外の条件(工事完成・引渡し等)が求められるため、「契約資産」となります。

ただし、完成工事未収入金のうち、破産債権、更生債権その他これらに準ずる債権(破産更生債権等)で決算期後1年以内に弁済を受けられないことが明らかなものは、投資その他の資産に記載しなければならないとされています(勘定科目分類)。

図表Ⅱ-1-4　進捗度に基づき一定の期間にわたり完成工事高を計上する場合の債権債務

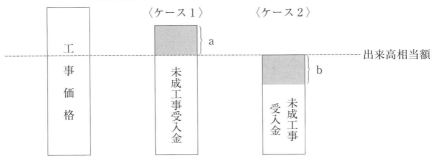

〈ケース1〉a部分を貸借対照表上、未成工事受入金として表示
〈ケース2〉b部分を貸借対照表上、完成工事未収入金(契約資産)として表示

[2] 会計処理

　完成工事高の計上は、従来、工事契約会計基準等により、原則として工事進行基準が適用されていましたが、収益認識基準等の導入により、原則、進捗度に基づき一定の期間にわたり認識することになりました。

　収益認識基準は工事契約会計基準を踏襲しており、完成工事高に対する完成工事未収入金の会計処理の考え方は同じです。

　進捗度に基づき一定の期間にわたり収益を認識する場合、毎決算日ごとに工事進捗度に応じた完成工事高を計上するため、完成工事高に対応する未収部分が完成工事未収入金として計上されます。完成工事未収入金と同一の工事契約から生じた未成工事受入金（第Ⅱ部第6章「8．未成工事受入金」（240頁）参照）がある場合には、相殺して差額を計上します。

　ただし、期間がごく短い工事契約で、工事の完成引渡しが完了した一時点で完成工事売上高を計上する場合、完成工事未収入金は、工事価格と既受領額である未成工事受入金との差額が計上されます。

　また、JV（共同企業体）工事においては、請負総額に対して、出資持分割合を乗じた額が完成工事未収入金の計上額となります。

　なお、完成工事未収入金の回収状況等は、資金繰りの関係からも重要であるため、個別工事ごとならびに得意先一覧等により、回収条件・回収状況等の管理が必要となります。

【事例Ⅱ－1－10】完成工事未収入金の計上①

・工事価格1,000,000千円（消費税別）、工期X1年5月1日～X3年3月31日の工事を受注した。

・工事総原価は900,000千円（消費税別）と見積もられた。

＜進捗度に基づき一定の期間にわたり収益を認識する工事の会計処理＞

① 工事着手にあたり、前受金として200,000千円が入金された。

（借方）現　金　預　金　200,000　（貸方）未成工事受入金　200,000

---

② X2年3月31日（決算日）において、完成工事高を計上する。当工事の発生工事原価は360,000千円（消費税別）である。

（借方）完成工事未収入金　240,000　（貸方）完　成　工　事　高　400,000

　　　　未成工事受入金　200,000　　　　　仮受消費税等　40,000

［消費税］当事例では、工事進行基準による完成工事高計上時に資産の譲渡を行ったとしています。

工事進捗度＝発生工事原価360,000千円÷工事総原価900,000千円＝40%

完成工事高＝工事価格1,000,000千円×40%＝400,000千円

完成工事未収入金＝完成工事高400,000千円＋仮受消費税等40,000千円

　　　　　　　　　－未成工事受入金200,000千円＝240,000千円

③ X3年3月31日に竣工し、施主に物件を引き渡した。

（借方）完成工事未収入金　660,000　（貸方）完　成　工　事　高　600,000

　　　　　　　　　　　　　　　　　　　　　仮受消費税等　60,000

［消費税］工事の完成引渡しは資産の譲渡にあたるため、課税取引となります。

完成工事高＝工事価格1,000,000千円－前期完成工事高400,000千円＝600,000千円

完成工事未収入金＝完成工事高600,000千円＋仮受消費税等60,000千円

　　　　　　　　　＝660,000千円

＜完成引渡しが完了した時点で収益を認識する工事の会計処理＞

① 工事着手にあたり、前受金として200,000千円が入金された。

（借方）現　金　預　金　200,000　（貸方）未成工事受入金　200,000

② X2年3月31日（決算日）において、当工事の発生工事原価は360,000千円（消費税別）であるが、完成工事高は認識しない。

（仕訳なし）

③ X3年3月31日に竣工し、施主に物件を引き渡した。

（借方）完成工事未収入金　900,000　（貸方）完　成　工　事　高　1,000,000

　　　　未成工事受入金　200,000　　　　　仮受消費税等　100,000

［消費税］工事の完成引渡しは資産の譲渡にあたるため、課税取引となります。

完成工事未収入金＝完成工事高1,000,000千円＋仮受消費税等100,000千円

　　　　　　　　　－未成工事受入金200,000千円＝900,000千円

【事例Ⅱ－1－11】完成工事未収入金の計上②

・工事価格400,000千円（消費税別）、工期Ｘ1年12月1日～Ｘ2年9月30日の工
　事を受注した。
・工事総原価は360,000千円（消費税別）と見積もられた。

＜進捗度に基づき一定の期間にわたり収益を認識する工事の会計処理＞

① 工事中間金として、150,000千円が入金された。
　（借方）現　金　預　金　150,000　（貸方）未成工事受入金　150,000
② Ｘ2年3月31日（決算日）において、完成工事高を計上する。当工事の発生
　工事原価は108,000千円（消費税別）である。
　（借方）未 成 工 事 受 入 金　132,000　（貸方）完 成 工 事 高　120,000
　　　　　　　　　　　　　　　　　　　　　　　仮 受 消 費 税 等　　12,000
［消費税］当事例では、工事進行基準による完成工事高計上時に資産の譲渡を行っ
　　　　　たとしています。

　　工事進捗度＝発生工事原価108,000千円÷工事総原価360,000千円＝30％

　　完成工事高＝工事価格400,000千円×30％＝120,000千円

　　未成工事受入金＝完成工事高120,000千円＋仮受消費税等12,000千円＝132,000千円
③ Ｘ2年9月30日に、当初の予定期日どおり施主に物件を引き渡した。
　（借方）完成工事未収入金　290,000　（貸方）完 成 工 事 高　280,000
　　　　　未 成 工 事 受 入 金　　18,000　　　　　仮 受 消 費 税 等　　28,000
［消費税］工事の完成引渡しは資産の譲渡にあたるため、課税取引となります。

　　完成工事高＝工事価格400,000千円－前期完成工事高120,000千円＝280,000千円

　　完成工事未収入金＝完成工事高280,000千円＋仮受消費税等28,000千円

　　　　　　　　　　　－未成工事受入金（150,000千円－132,000千円）＝290,000千円

＜完成引渡しが完了した時点で収益を認識する工事の会計処理＞

① 　工事中間金として、150,000千円が入金された。

　（借方）現　金　預　金　150,000　（貸方）未成工事受入金　150,000

② 　X2年3月31日（決算日）において、当工事の発生工事原価は108,000千円（消費税別）であるが、完成工事高は認識しない。

　　　　　　　　　　　　　　　（仕訳なし）

③ 　X2年9月30日に、当初の予定期日どおり施主に物件を引き渡した。

　（借方）完成工事未収入金　290,000　（貸方）完　成　工　事　高　400,000

　　　　　未成工事受入金　150,000　　　　　仮受消費税等　40,000

［消費税］工事の完成引渡しは資産の譲渡にあたるため、課税取引となります。

　完成工事未収入金＝完成工事高400,000千円＋仮受消費税等40,000千円

　　　　　　　　　　－未成工事受入金150,000千円＝290,000千円

［3］　税務処理

　法人税法においては、工事期間が1年以上、請負対価の額が10億円以上に該当する長期大規模工事が工事進行基準の対象となり、損失が生じると見込まれる工事にも適用されます（法法64、法令129）。JV工事については、請負契約上の請負金額で判断するのではなく、各構成員の出資比率を乗じた金額で判断することとなります。

　また、工事進行基準に基づいて計上された完成工事未収入金は、売掛債権等に該当するとされており、貸倒引当金及び貸倒損失の対象とすることができます（法令130）。

　法人税法は収益認識基準への対応が図られており、履行義務が一定の期間にわたり充足される工事契約について、進捗度に応じて完成工事高を計上している場合の完成工事未収入金も、売掛債権等として扱われます。

　一方、消費税については、工事進行基準により完成工事高を計上した部分に関して、その課税期間に資産の譲渡等を行ったものと取り扱いますが、実際に工事を引き渡したとき（竣工時）を基準として申告することも認められていま

す（消法17、消基通9－4－1）。

5. 有価証券

[1] 勘定科目の概要

　貸借対照表上の流動資産の部に記載される「有価証券」は、時価の変動により利益を得ることを目的として保有する有価証券及び決算期後1年以内に満期の到来する有価証券をいいます（勘定科目分類）。すなわち、売買目的有価証券（有価証券の売買を主たる業種とする会社の保有する有価証券など）、または債券等で1年以内に償還されるものが該当します。

　建設業を含む一般の事業会社の保有する有価証券は、通常は売買目的有価証券に該当しませんので、流動資産の有価証券勘定の内容は後者のケースとなります。有価証券の詳細については、第Ⅱ部第4章「1.投資有価証券」（186頁）を参照してください。

　なお、有価証券の会計・税務処理について、建設業に固有の処理は定められていません。

[2] 会計処理

　売買目的有価証券は、時価をもって貸借対照表価額とします。帳簿価額と時価との間の評価差額は、当期の損益として処理します（金融商品会計基準66）。

【事例Ⅱ－1－12】有価証券の時価評価

---

①　取得した期の処理

　売買目的有価証券を当期に3,000千円取得し、期末には3,500千円の時価となった。

　（借方）有　価　証　券　　　　500　（貸方）有価証券評価益　　　　500
　　　　　　　　　　　　　　　　　　　（営 業 外 収 益）

②　翌期末

　上記有価証券は、翌期末において時価が2,800千円まで下がった。

第Ⅱ部
勘定科目別の会計処理

| （借方）有 価 証 券 評 価 損 | 700 | （貸方）有　価　証　券 | 700 |

（営 業 外 費 用）

　上記の売買目的有価証券のケースは、一般事業会社が該当するのは稀であることに留意が必要です。一般事業会社であり得るのは、次のような1年以内償還予定の債券を保有する場合等が考えられます。

【事例Ⅱ－1－13】 国債の取得と償還

① 満期日が10カ月後の国債（額面100,000千円）を99,000千円で取得した。手数料は200千円（消費税別）、経過利子として200千円を支払った。

（借方）有　価　証　券	99,200	（貸方）現　金　預　金	99,420
仮 払 消 費 税 等	20		
前払有価証券利息	200		

［消費税］有価証券売買の仲介・代理は役務の提供にあたるため、課税対象となります。

② 決算日につき、償却原価法により400千円のアキュムレーションを行う。

| （借方）有　価　証　券 | 400 | （貸方）有 価 証 券 利 息 | 400 |

③ 満期日が到来し、額面100,000千円と利息500千円が入金された。

（借方）現　金　預　金	100,500	（貸方）有　価　証　券	99,600
		有 価 証 券 利 息	700
		前払有価証券利息	200

　なお、時価評価損益をそのつど損益に取り込む売買目的有価証券を除き、有価証券の時価が帳簿価額に比して著しく下落した場合は、有価証券の減損処理が必要となります（金融商品会計基準20・21、第Ⅱ部第4章「1.投資有価証券」（186頁）参照）。

[3] 税務処理

　有価証券の税務処理については、第Ⅱ部第4章1.「［4］税務処理」（192頁）を参照してください。

6. 未成工事支出金

[1] 勘定科目の概要

　未成工事支出金は、未完成工事に要した工事原価項目を集計し、棚卸資産（仕掛品）として計上するものです。

　未成工事支出金は、材料費・労務費・外注費・経費に分類して管理する必要があります（第Ⅱ部「第14章　完成工事原価報告書」（402頁）参照）。

　なお、進捗度に基づき一定の期間にわたり収益を認識する工事では、支出した工事原価を期中は未成工事支出金として計上しますが、決算時において完成工事原価に振り替えます。その結果、未成工事支出金の貸借対照表価額は、原則として完成引渡しが完了した時点で収益を認識することとした工事の工事原価のみとなります。

[2] 会計処理

　建設業においては、受注案件ごとに支出額を集計する個別原価計算が一般的であり、そのための個別工事原価台帳の整備が必須です。

　次の図表Ⅱ－1－5の工事一覧表のうち、2物件は進捗度に基づき一定の期間にわたり収益を認識する工事（この場合（S）で表記）のため、決算時には完成工事原価に振り替えられ、最下段の工事原価50,000千円のみが未成工事支出金残高として計上されます。

図表Ⅱ－1－5　個別工事原価台帳の例

工事番号：1－1K－0001
工事名称：Aマンション新築工事

発生日 (3月)	摘要	材料費	労務費	外注費	経費 内訳	経費 金額	累計
3／10	生コン代	30,000					30,000
3／20	設計料				設計料	50,000	50,000
3／25	現場作業員		10,000				10,000
3／31	外注工事			50,000			50,000
	計	30,000	10,000	50,000		50,000	140,000

工事一覧表

工事№.	工事名称	発注者	工期	X1年4月	X1年5月	X1年6月～X2年2月	X2年3月	X1年度計
1－1K－0001（S）	Aマンション新築工事	A社	X1.5～X3.3	－	45,000	175,000	140,000	360,000
1－1K－0002（S）	B市庁舎改築工事	B市	X1.12～X2.9	－	－	100,000	60,000	160,000
1－1D－0001	C市道路補修	C市	X2.2～X2.5	－	－	20,000	30,000	50,000

【事例Ⅱ－1－14】未成工事支出金の計上と原価振替①

・請負金額1,000,000千円（消費税別）、工期X1年5月1日～X3年3月31日の工事を受注した。

・工事総原価は900,000千円（消費税別）と見積もられた。

・消費税の取扱いについては、簡略化のため未成工事支出金の全額が課税仕入れ等に該当するとみなしている。そのため、個々の仕訳に消費税の取扱いを付記していない。

＜進捗度に基づき一定の期間にわたり収益を認識する工事の会計処理＞

① X1年5月〜X2年3月の間に発生した工事原価360,000千円（消費税別）を計上する。

（借方）未 成 工 事 支 出 金　360,000　（貸方）工 事 未 払 金　396,000
　　　　仮 払 消 費 税 等　　36,000

② X2年3月31日（決算日）において、完成工事原価を計上する。

（借方）完 成 工 事 原 価　360,000　（貸方）未 成 工 事 支 出 金　360,000

③ X2年4月〜X3年3月の間に発生した工事原価540,000千円（消費税別）を計上する。

（借方）未 成 工 事 支 出 金　540,000　（貸方）工 事 未 払 金　594,000
　　　　仮 払 消 費 税 等　　54,000

④ X3年3月31日（竣工時）において、完成工事原価を計上する。

（借方）完 成 工 事 原 価　540,000　（貸方）未 成 工 事 支 出 金　540,000

＜完成引渡しが完了した時点で収益を認識する工事の会計処理＞

① X1年5月〜X2年3月の間に発生した工事原価360,000千円（消費税別）を計上する。

（借方）未 成 工 事 支 出 金　360,000　（貸方）工 事 未 払 金　396,000
　　　　仮 払 消 費 税 等　　36,000

② X2年3月31日（決算日）において、完成工事原価は計上しない。

（仕訳なし）

③ X2年4月〜X3年3月の間に発生した工事原価540,000千円（消費税別）を計上する。

（借方）未 成 工 事 支 出 金　540,000　（貸方）工 事 未 払 金　594,000
　　　　仮 払 消 費 税 等　　54,000

④ X3年3月31日（決算日）において、完成工事原価を計上する。

（借方）完 成 工 事 原 価　900,000　（貸方）未 成 工 事 支 出 金　900,000

【事例Ⅱ－1－15】未成工事支出金の計上と原価振替②

・請負金額400,000千円（消費税別）、工期Ｘ1年12月1日〜Ｘ2年9月30日の工事を受注した。

・工事総原価は360,000千円（消費税別）と見積もられた。

・消費税の取扱いについては、簡略化のため未成工事支出金の全額が課税仕入れ等に該当するとみなしている。そのため、個々の仕訳に消費税の取扱いを付記していない。

＜進捗度に基づき一定の期間にわたり収益を認識する工事の会計処理＞

① Ｘ1年12月〜Ｘ2年3月の間に発生した工事原価160,000千円（消費税別）を計上する。

（借方）未 成 工 事 支 出 金　160,000　（貸方）工 事 未 払 金　176,000

　　　　仮 払 消 費 税 等　 16,000

② Ｘ2年3月31日（決算日）において、完成工事原価を計上する。

（借方）完 成 工 事 原 価　160,000　（貸方）未 成 工 事 支 出 金　160,000

③ Ｘ2年4月〜Ｘ2年9月の間に発生した工事原価200,000千円（消費税別）を計上する。

（借方）未 成 工 事 支 出 金　200,000　（貸方）工 事 未 払 金　220,000

　　　　仮 払 消 費 税 等　 20,000

④ Ｘ2年9月30日（竣工時）において、完成工事原価を計上する。

（借方）完 成 工 事 原 価　200,000　（貸方）未 成 工 事 支 出 金　200,000

＜完成引渡しが完了した時点で収益を認識する工事の会計処理＞

① Ｘ1年12月〜Ｘ2年3月の間に発生した工事原価160,000千円（消費税別）を計上する。

（借方）未 成 工 事 支 出 金　160,000　（貸方）工 事 未 払 金　176,000

　　　　仮 払 消 費 税 等　 16,000

② Ｘ2年3月31日（決算日）において、完成工事原価は計上しない。

（仕訳なし）

③ X2年4月～X2年9月の間に発生した工事原価200,000千円（消費税別）を計上する。

（借方）未成工事支出金　200,000　（貸方）工事未払金　220,000
　　　　仮払消費税等　　 20,000

④ X2年9月30日（竣工時）において、完成工事原価を計上する。

（借方）完成工事原価　　360,000　（貸方）未成工事支出金　360,000

[3] 税務処理

未成工事支出金においては、その特性から以下❶～❸のような税務上の論点があげられます。

❶ 未成工事支出金から控除する仮設材料の価額（法基通2−2−6）

建設工事用の足場、型枠、シート等のような仮設材料の取得価額を未成工事支出金に含めて経理処理している場合、建設工事等の完了または他の建設工事等の用に供するためこれらの資材を転送した場合に、当該未成工事支出金の金額から控除すべき仮設材料の価額については、次の①～③のいずれかにより処理します。

　① 当該仮設材料の取得価額から損耗等による減価の見積額を控除した額

　② 当該仮設材料の損耗等による減価の見積もりが困難な場合、工事の完了または他の工事現場等への転送のときにおける当該仮設材料の価額相当額

　③ 当該仮設材料の再取得価額に適正に見積もった残存率を乗じて計算した金額

❷ 木造の現場事務所等の取得に要した金額が未成工事支出金の金額に含まれている場合（法基通2−2−7）

建設業者等が建設工事等の用に供した現場事務所、労務者用宿舎、倉庫等の仮設建物で木造のものの取得価額を、その建設工事等にかかる未成工事支出金の金額に含めている場合には、以下①と②に掲げる場合に応じ、それぞれ次の金額を当該未成工事支出金から控除します。この場合、その控除すべき金額を

未成工事支出金から控除することに代えて、雑収入等として処理することも認められます。

① 当該建設工事等の完成による引渡しの日以前に当該仮設建物を他に譲渡し、または他の用途に転用した場合、その譲渡価額に相当する金額またはその転用のときにおける価額に相当する金額

② 当該建設工事が完成して引き渡された際に当該仮設建物が存する場合、その引渡しのときにおける価額に相当する金額（当該仮設建物が取り壊されるものである場合には、その取壊しによる発生資材の価額として見積もられる金額）

❸ **金属造りの移動性仮設建物の取得価額の特例**（法基通2-2-8）

　建設業者等が建設工事等の用に供する金属造りの移動性仮設建物については、その償却費を工事原価に算入します。ただし、この場合における当該建物の償却計算の基礎となる取得価額は、当該建物のうちその移動に際して継続して使用される部分の取得に要した額によることができます。

7. 販売用不動産・不動産事業支出金

[1] 勘定科目の概要

　販売用不動産とは、会社の事業として不動産の販売を行う場合の当該資産であり、製造業における商製品に該当します。また、不動産事業支出金とは、不動産販売事業のうち開発業務を行う場合に、不動産の購入・開発にかかった費用を集計した、製造業における仕掛品に該当します。

　建設業の場合、不動産の販売業務を兼業事業として行うことが多いので、これらの勘定科目はよく利用されると思われます。

[2] 会計処理

　棚卸資産は、原則として購入対価に引取費用等の付随費用を加算した金額を取得原価としますが、販売用不動産も同様です。不動産開発事業を行う場合のように、開発工事等の支出金と支払利息との間に密接な因果関係がある場合は、

第1章
流動資産

費用と収益を合理的に対応させる見地から、支払利息も原価に加えることができます（日本公認会計士協会「不動産開発事業を行う場合の支払利子の監査上の取扱いについて」）。

「棚卸資産の評価に関する会計基準」では、通常の販売目的で保有する棚卸資産は、取得原価をもって貸借対照表価額とし、期末における正味売却価額が取得原価よりも下落している場合には、当該正味売却価額をもって貸借対照表価額とする旨が定められています。取得原価と正味売却価額との差額は当期の費用として処理し、翌期にその戻入れを行う方法（洗替え法）と行わない方法（切放し法）が選択適用できます。これは、販売用不動産等についても同様に適用されますが、販売用不動産のうち建物については、正味売却価額が回復することは稀であると思われます。

【事例Ⅱ－1－16】販売用不動産の取得

① 不動産販売のため土地100,000千円、建物50,000千円（消費税別）を取得した。

（借方）販 売 用 不 動 産　150,000　（貸方）現　金　預　金　155,000
　　　　仮 払 消 費 税 等　　　5,000

［消費税］土地建物の取得は資産の譲渡にあたります。ただし、土地については非課税取引とされていますので、建物の取得のみが課税取引となります。

② 販売用不動産にかかる固定資産税2,000千円を支払った。

（借方）販 売 用 不 動 産　　2,000　（貸方）現　金　預　金　　2,000

【事例Ⅱ－1－17】販売用不動産の評価減

事例Ⅱ－1－16の販売用不動産の期末時価は130,000千円まで下落しているため、22,000千円の評価減を行う。

（借方）販売用不動産評価損　　22,000　（貸方）販 売 用 不 動 産　22,000
　　　　（兼業事業売上原価）

$$販売用不動産評価損 = 販売用不動産(150,000千円 + 2,000千円) - 時価130,000千円$$
$$= 22,000千円$$

【事例Ⅱ－1－18】販売用不動産の売却

事例Ⅱ－1－17の販売用不動産を売却した（売却価額は土地100,000千円、建物40,000千円（消費税別））。

（借方）現　金　預　金　144,000　（貸方）兼業事業売上高　140,000
　　　　　　　　　　　　　　　　　　　　　仮受消費税等　　 4,000
（借方）兼業事業売上原価　130,000　（貸方）販売用不動産　130,000

［消費税］土地建物の売却は資産の譲渡にあたります。ただし、土地については非課税取引とされていますので、建物の売却のみが課税取引となります。

[3] 税務処理

　取得価額について、購入代価に加算する付随費用のうち所定の費用の合計額が少額（購入代価のおおむね3％以内の金額）である場合には、取得価額に算入しないことができます（法基通5－1－1）。

　また、販売用不動産の取得原価には、不動産取得税、地価税（適用停止中）、固定資産税及び都市計画税、特別土地保有税、登録免許税その他登記または登録のため要する費用の額、借入金の利子の額を算入しないことができます（法基通5－1－1の2）。

　税務上における棚卸資産の評価損は、次の①～③の場合に損金算入ができますが、時価が単に物価変動等により低下しただけでは損金となりませんので注意が必要です（法法33②、法令68①一、法基通9－1－6）。

①　当該資産が災害により著しく損傷したこと

②　当該資産が著しく陳腐化したこと

③　上記に準ずる特別の事実

8. 材料貯蔵品

[1] 勘定科目の概要

　材料貯蔵品は、手持ちの工事用材料及び仮設材料や機械部品等の消耗工具器具等ならびに事務用消耗品等のうち、未成工事支出金、完成工事原価または販売費及び一般管理費として処理されなかったものをいいます（勘定科目分類）。製造業における原材料と貯蔵品を統合した勘定科目になります。

[2] 会計処理

　建設業では、一般に工事単位を基礎とする個別原価計算を行っており、特定の工事のために工事用材料等を購入し、直接工事現場に必要数量を搬入します。そして工事原価の集計においては、工事用原材料や仮設材料等は材料貯蔵品勘定を通過することなく、直接に未成工事支出金に集計されます。

　これは、工事現場が分散し、かつ移動性の激しい建設業の場合は、工事用原材料等を集中管理することが困難・非効率であることによります。しかしながら、工事用材料のうち汎用性の高い材料は、資材部門で一括購入を行って保管・払出しをすることがあります。そのような場合の未払出しの工事用材料が、材料貯蔵品の残高となります。

【事例Ⅱ－1－19】工事用原材料の購入

① 工事現場へ搬入するため、鉄筋20,000千円（消費税別）を購入した。

（借方）材 料 貯 蔵 品　　20,000　　（貸方）工 事 未 払 金　　22,000
　　　　仮 払 消 費 税 等　　 2,000

[消費税] 工事用原材料の購入は資産の譲渡にあたるため、課税取引となります。

② 購入した鉄筋のうち15,000千円を現場に搬入した。

（借方）未 成 工 事 支 出 金　15,000　　（貸方）材 料 貯 蔵 品　　15,000

[3] 税務処理

　原則として、消耗品で貯蔵中のものは棚卸資産（この場合、材料貯蔵品）となります（法法2二十、法令10六）。

　しかしながら、各事業年度ごとに一定数量を取得し、かつ経常的に使用するものについては、継続適用を条件として取得時の損金とすることができます（法基通2－2－15）。

9. 短期貸付金

[1] 勘定科目の概要

　貸付金とは、民法上の金銭消費貸借契約及び準消費貸借契約に基づく金銭貸付取引から生じた金銭債権をいいます。貸付金のうち、貸借対照表日の翌日から1年以内に返済期限の到来するものを短期貸付金とします。当初の返済期が1年を超えるものは、投資その他の資産（長期貸付金）に記載します（勘定科目分類）。

　貸付先としては、子会社、取引先・下請会社や従業員に対するものが一般的です。元利金の返済条件を明らかにするために、金銭消費貸借契約書等を作成するとともに、貸付金台帳により回収管理を行うことが重要です。

　建設業においては、事業上の取引から派生して貸付金が生じることが多く、その回収可能性には十分な検討が必要です。必要に応じて担保の取得、会計上の貸倒引当金の設定も検討しなければなりません。

　なお、短期貸付金の会計・税務処理について、建設業に固有の処理は定められていません。

[2] 会計処理

　回収管理を適切に行うため、貸付金台帳により貸付先ごとの残高管理を行い、貸付条件に従って利息を計上する必要があります。

　また、貸付先の財政状態に基づいて債権の評価を行い、必要に応じて貸倒引当金を設定する必要があります。

【事例Ⅱ－1－20】短期貸付の実行と回収

① 下請会社の支援のため、期間1年、利率3％で50,000千円を貸し付けた（元利期日一括返済）。

（借方）短 期 貸 付 金　50,000　（貸方）現 金 預 金　50,000

② 6カ月後に当社は決算を迎えたので、未収利息を計上する。

（借方）未 収 利 息　　750　（貸方）貸 付 金 利 息　　750

未収利息＝50,000千円×3％×6カ月÷12カ月＝750千円

③ 返済期日が到来し、貸付金及び利息を回収した。

（借方）現 金 預 金　51,500　（貸方）短 期 貸 付 金　50,000

貸 付 金 利 息　　750

未 収 利 息　　750

[3] 税務処理

　貸付金の利子については、その利子の計算期間の経過に応じて益金の額に算入しますが、継続適用を条件として、貸付金等から生じる利子の支払期日到来時に益金とすることができます（法基通2－1－24）。

　消費税については、貸付金は利子を対価とする金銭の貸付として非課税取引とされています。

10. 前払費用

[1] 勘定科目の概要

　前払費用は、一定の契約に従い、継続して役務の提供を受ける場合、いまだ提供されていない役務に対し支払われた対価をいいます（原則注解5）。「役務の提供を受ける」とは、「取引の相手方から物販など以外のサービスを受ける」ことをいいます。

　具体的な前払費用の例は、未経過保険料、未経過支払利息、前払賃借料など、費用の前払いで決算日後1年以内に費用となるものです。ただし、当初1年を超えたあとに費用となるものとして支出されたものは、「投資その他の資産」

の区分に「長期前払費用」として記載することができます（勘定科目分類）。

　このように、前払費用は、契約に基づく継続的な役務提供に該当しない、商品・物品購入等にかかる前渡金とは異なることに留意が必要です。前払費用は、いまだ提供されていない役務に対する支払いであるため、費用収益の対応の観点からは当期の損益計算に含めないほうが合理的だからです。そのため、前払費用はこれを当期の損益計算から除かなければなりません（原則第二　一 A）。

　なお、前払費用の会計処理について、建設業に固有の処理は定められていません。

［2］　会計処理

　決算時において、いまだ役務の提供は受けていないものの支払いが終わっているものにつき、該当金額を費用から減ずるとともに前払費用を計上します。なお、中小企業については、金額的重要性の乏しいものは現金主義に基づく処理が認められます（中小企業会計指針31、中小企業会計要領7）。

　前払費用にかかる会計処理には、①費用の支出時は現金主義で処理をしておき決算時に修正する方法と、②支出時から前払費用処理をしておき、時の経過に応じて費用化する方法があります。

　①のほうが簡便であり、適切な財務諸表を作成するという目的は容易に達成することができます。会社が月次決算を行っており、経営管理上、適切な月次損益を把握するためには②のほうが適しています。どちらを採用するかは、これらの目的のいずれを重視するかによります。

【事例Ⅱ－1－21】手形借入の実行（支出時に費用処理し、決算時に前払費用計上）

　①　銀行から金利3％、1年後一括返済で50,000千円を借り入れた。

　（借方）現 金 預 金　　48,500　（貸方）短 期 借 入 金　　50,000
　　　　　支 払 利 息　　 1,500

　②　決算時に前払いとなっている半年分を前払費用に計上した。

```
（借方）前 払 費 用    750 （貸方）支 払 利 息    750
前払費用＝支払利息1,500千円×6カ月÷12カ月＝750千円
```

【事例Ⅱ－1－22】賃借料の支払い（支出時に費用処理し、決算時に前払費用計上）

```
① 機械の6カ月分のレンタル料300千円（消費税別）をまとめて支払った。
（借方）賃 借 料    300 （貸方）現 金 預 金    330
     仮払消費税等     30
［消費税］機械のレンタルは資産の貸付にあたるため、課税取引となります。
② 決算時に前払いとなっている2カ月分を前払費用に計上した。
（借方）前 払 費 用    100 （貸方）賃 借 料    100
前払費用＝300千円×2カ月÷6カ月＝100千円
```

【事例Ⅱ－1－23】保険料の支払い（支出時に前払費用処理してから費用化）

```
① 火災保険料1年分（240千円）を一括払いした。
（借方）前 払 費 用    240 （貸方）現 金 預 金    240
② 毎月の月次決算において順次費用化する。
（借方）保 険 料     20 （貸方）前 払 費 用     20
保険料＝240千円×1カ月÷12カ月＝20千円
```

[3] 税務処理

　前払費用の額は、原則として当該事業年度の損金の額に算入されません。しかし、1年以内に役務の提供を受ける前払費用について、支払ったときの損金とする処理を継続している場合には、損金として認められます（法基通2－2－14）。

　また、消費税については、上記の取扱いの適用を受けている場合は、前払費用にかかる課税仕入れは、その支出した日の属する課税期間の取引として認め

られ、仕入税額控除ができます（消基通11－3－8）。

11. 未収入金

[1] 勘定科目の概要

　未収入金とは、本来の営業取引から生じる完成工事未収入金以外で、営業取引以外の非継続的な取引から生じる債権をいいます。具体的には、有価証券や固定資産といった資産の売却にともなうものや、不要になったスクラップの売却代金、労災保険料の還付金収入等にかかる未入金の金額などがあります。

　これに対して、一定の契約に従い、継続して役務の提供を行う場合にすでに提供した役務に対して、いまだ支払いを受けていないものは未収収益として計上されますが、これらを混同しないようにする必要があります。未収入金は債権として確定している一方、未収収益は経過勘定として発生主義に基づいて計上されるものです。

　なお、未収入金の会計・税務処理に関して、建設業に固有の処理は定められていません。

[2] 会計処理

　資産等を売却したことにより発生する未回収の金額と、労災メリット還付金のように、先に支払っているものについて、精算にともなって返金等が発生する未収入金があります。それらのうち、貸借対照表日の翌日から起算して1年以内に回収が見込まれるものを未収入金として流動資産に計上します。

　それ以外のものについては、その他流動資産に計上するか、もしくは長期未収入金として投資その他の資産に計上します。

【事例Ⅱ－1－24】不要備品の売却

　① 不要となった備品（取得原価1,000千円、減価償却累計額750千円）をスクラップ業者に200千円（消費税別）で売却した。

（借方）減価償却累計額	750	（貸方）備　　　　品	1,000

（借方）減価償却累計額　　　750　（貸方）備　　　　品　　1,000
　　　　未　収　入　金　　　220　　　　　仮受消費税等　　　　20
　　　　備　品　売　却　損　　50
［消費税］備品の売却は資産の譲渡にあたるため、課税取引となります。
②　売却代金入金時
（借方）現　金　預　金　　　220　（貸方）未　収　入　金　　　220

【事例Ⅱ－1－25】労災メリット還付金の処理

①　労災メリット還付金が250千円見込まれるため、未収計上した。
（借方）未　収　入　金　　　250　（貸方）未成工事支出金　　　250
②　労災メリット還付金が入金された。
（借方）現　金　預　金　　　250　（貸方）未　収　入　金　　　250

[3]　税務処理

　未収入金の発生事由が、資産の譲渡、役務の提供による対価、貸付金の未収利息、損害賠償金の未収部分であるもの等については、金銭債権として税務上の貸倒引当金の設定対象となります。

12. その他流動資産

[1]　勘定科目の概要

　その他流動資産に含まれるものとして、主に立替金、短期保証金、仮払金等があげられます。

❶　立替金

　立替金は、他の者が負担すべき債務や費用等を立替払いした場合に用いられ、当該金銭等が返済されることを予定しています。取引先や役員・従業員、子会社等との取引でよく発生します。

❷ 短期保証金

短期保証金には、入札保証金、契約保証金といった工事関係保証金や、現場作業事務所の賃貸借契約等にともなう保証金等があげられます。

❸ 仮払金

仮払金とは、いわゆる仮勘定であり、金銭の支出を行っているものの支出の内容または金額が確定しないため、一時的に使用する勘定です。金銭を支出しており、支出の内容が確定している前渡金及び建設仮勘定とは区別する必要があります。

建設業においては、未契約工事に対して支出した費用及び精算未了の工事費、販売費及び一般管理費ならびに決算日においてその内容を示す科目をもって記載できないものが多く含まれます。これらは本来、決算時までには精算または振り替えるべきものであり、その性質を示す適当な科目で表示するのが原則です（原則第三　四（一））。

これらの勘定科目の会計・税務処理について、建設業に固有の処理は定められていません。

[2] 会計処理

立替金や仮払金については、通常1年以内に回収されるため、流動資産に計上します。

保証金のうち工事関係保証金については、正常営業循環基準に基づき、履行期が貸借対照表日の翌日から1年を超えるものについても短期保証金としますが、工事関係保証金以外の保証金で貸借対照表日の翌日から1年を超えるものについては、長期保証金として投資その他の資産に計上します。

【事例Ⅱ－1－26】子会社に対する立替金の支払い

① 子会社にかかる地代600千円を立替払いした。

（借方）立　替　金　　600　（貸方）現　金　預　金　　600

②　当該立替金について、子会社に対する未払金と相殺により決済した。

（借方）未　払　金　　600　（貸方）立　替　金　　600

【事例Ⅱ－1－27】契約保証金の支払い

①　契約保証金を支出した。なお、工事価格は420,000千円（消費税込）、契約保
証金は請負価格の10％とする。

（借方）短　期　保　証　金　　42,000　（貸方）現　金　預　金　　42,000

短期保証金＝工事価格420,000千円（消費税込）×10％＝42,000千円

②　工事の竣工引渡が完了したため、保証金が入金となった。

（借方）現　金　預　金　　42,000　（貸方）短　期　保　証　金　　42,000

【事例Ⅱ－1－28】仮払金の支払いと精算

①　社長に、会社の支払いにあてるための現金100千円を支出したが、内容及び
金額が未確定のため、仮払金勘定で処理した。

（借方）仮　払　金　　100　（貸方）現　金　預　金　　100

②　客先への慶弔見舞金として90千円使用したとの報告を受け、残金の返金が
あったため、仮払金を精算した。

（借方）交　際　費　　90　（貸方）仮　払　金　　100
　　　　現　金　預　金　　10

[3]　税務処理

その他流動資産については、法人税法上特に論点はありません。仮払金については、期末残高のうち精算可能なものはないか、また工事契約締結前の未精算工事仮払金について内容を検討し、必要に応じて損金処理することとなります。

13. 貸倒引当金

[1]　勘定科目の概要

　貸倒引当金は、受取手形、完成工事未収入金、貸付金等の金銭債権に対して
貸倒見積高を計上することにより発生する引当金です。会計上は、債権の貸倒
見積高の算定にあたって、債権を債務者の財政状態及び経営成績等に応じて一
般債権、貸倒懸念債権及び破産更生債権等に区分し、その区分に応じてそれぞ
れ算定します。

　なお、貸倒引当金の会計・税務処理について、建設業に固有の処理は定めら
れていません。

[2]　会計処理

❶ 貸倒見積高の算定方法

　債権の貸倒見積高を算出する方法には、個々の債権ごとに見積もる方法と債
権をまとめて過去の貸倒実績率により見積もる方法とがありますが、貸倒引当
金の繰入れ及び取崩しの処理は、引当ての対象となった以下①～③の債権の区
分ごとに行います（金融商品会計基準27）。

①　一般債権

　一般債権（経営状態に重大な問題が生じていない債務者に対する債権）につい
ては、債権全体または同種・同類の債権ごとに、債権の状況に応じて求めた
過去の貸倒実績率等合理的な基準により算定します。

②　貸倒懸念債権

　貸倒懸念債権（経営破綻の状態には至っていないが、債務の弁済に重大な問題
が生じているかまたは生じる可能性の高い債務者に対する債権）については、債
権の状況に応じて、次のaまたはbのいずれかの方法により算定します。

a.　財務内容評価法

　債権額から担保の処分見込額及び保証による回収見込額を減額し、その
残額について債務者の財政状態及び経営成績を考慮して貸倒見積高を算定

する方法

　　b.　キャッシュ・フロー見積法

　　債権の元本の回収及び利息の受取りにかかるキャッシュ・フローを合理的に見積もることのできる債権については、債権の元本及び利息について元本の回収及び利息の受取りが見込まれるときから当期末までの期間にわたり、当初の約定利子率で割り引いた現在価値の総額と債権の帳簿価額との差額を貸倒見積高とする方法

　　ただし、同一の債権については、債務者の財政状態及び経営成績の状況等が変化しない限り、同一の方法を継続して適用します。

③　破産更生債権

　　破産更生債権等（経営破綻または実質的に経営破綻に陥っている債務者に対する債権）については、債権額から担保の処分見込額及び保証による回収見込額を減額し、その残額を貸倒見積高とします。

　　なお、清算配当等により回収が可能と認められる金額についても、担保の処分見込額及び保証による回収見込額と同様に債権額から減額することができます。

【事例Ⅱ－1－29】貸倒引当金の繰入れと取崩し

① 　会社は売掛金10,000千円を期末残高として有しているが、このたび貸倒引当金を計上することとした。売掛金の内容は一般債権7,500千円、貸倒懸念債権2,000千円、破産更生債権等500千円であった。一般債権については、貸倒実績率0.2％に基づき貸倒引当金を計上する。貸倒懸念債権については、担保処分見込額300千円を除いた残額の30％を引き当てる。破産更生債権等については50千円が保証による回収見込額である。

（借方）貸倒引当金繰入額　　　　975　（貸方）貸　倒　引　当　金　　　　975
貸倒引当金：一般債権15千円（＝7,500千円×0.2％）、貸倒懸念先債権510千円
　　　　　　¦＝（2,000－300）×30％¦、破産更生債権等450千円（＝500－50）
　　　　　　の合計975千円が貸倒引当金繰入額となります。

② 翌期末に一般債権は6,000千円であった。実績率は前期と同様とする。

＜差額補充法による処理＞

（借方）貸　倒　引　当　金　　　　　3　（貸方）貸倒引当金戻入益　　　　3

＜洗替え法による処理＞

（借方）貸　倒　引　当　金　　　　15　（貸方）貸倒引当金戻入益　　　15

（借方）貸倒引当金繰入額　　　　12　（貸方）貸　倒　引　当　金　　　12

洗替え法による場合でも、表示上は相殺することができます。

翌期末に必要な貸倒引当金（一般債権分）

＝一般債権6,000千円×貸倒実績率0.2％＝12千円

　なお、中小企業については、2011（平成23）年度税制改正前の法人税法の区分に基づいて算定される貸倒引当金繰入限度額が明らかに取立不能見込額に満たない場合を除き、当該繰入限度額を認める（中小企業会計指針18）、あるいは法人税法上の中小法人に認められている法定繰入率で算定することも考えられる（中小企業会計要領4）とされています。

❷ 貸倒引当金の記載方法

　貸借対照表においては、当該各資産科目に対する控除科目として、各資産科目別に掲記することを原則としますが、①貸倒引当金を流動資産、投資その他の資産等の区分に応じ、これらの資産に対する控除科目として一括して表示すること、②各資産の金額から直接控除し、その控除残高を各資産の金額として表示することも認められています（会計規78）。

　なお、②の方法による場合は、資産項目別の貸倒引当金の金額を注記する必要があります（会計規103二）。

　建設業では、貸倒引当金について「受取手形、完成工事未収入金等流動資産に属する債権に対する貸倒見込額を一括して記載する」、もしくは「長期貸付金等投資その他の資産に属する債権に対する貸倒見込額を一括して記載する」とされています（勘定科目分類）。

[3] 税務処理

　法人税法においては、貸倒引当金を繰り入れることのできる適用法人は次の法人に限定されています。

　①　中小法人等

　②　銀行、保険その他これらに準ずる法人

　③　金融に関する取引に係る金銭債権を有する一定の法人

　中小法人等とは、資本金の額が５億円以上である法人等による完全支配関係がある法人以外で、資本金の額が１億円以下である普通法人等をいいますので留意が必要です（法法52①一）。

　法人税法における貸倒引当金の繰入限度額は、個別評価金銭債権にかかる繰入限度額と一括評価金銭債権にかかる繰入限度額の合計額となります（法法52①②）。

　本項では、一括評価金銭債権にかかる繰入限度額について解説します。個別評価金銭債権にかかる繰入限度額については、第Ⅱ部第４章「７．貸倒引当金［３］税務処理」（205頁）を参照してください。

❶ 一括評価金銭債権の範囲

　一括評価金銭債権とは、売掛金、貸付金その他これらに準ずる金銭債権（個別評価金銭債権を除く）をいいます（法法52②）。具体的には、次の①～⑧のような金銭債権が該当します（法基通11－2－16・17、11－2－20）。

　①　売掛金

　②　貸付金

　③　受取手形

　④　未収の譲渡代金、未収加工料、未収請負金、未収手数料、未収保管料

　⑤　未収地代家賃等または貸付金の未収利子で益金の額に算入されたもの

　⑥　他人のために立替払いをした場合の立替金等

　⑦　売買があったものとされる法人税法上のリース取引のリース料のうち支払期日の到来していないもの

　⑧　保証債務を履行した場合の求償権

なお、次の⑨〜⑭のような金銭債権は一括評価金銭債権にはあたりません（法基通11－2－18）。

⑨　預貯金及びその未収利子、公社債の未収利子、未収配当その他これらに類する債権

⑩　保証金、敷金、預け金その他これらに類する債権

⑪　手付金、前渡金等のように資産の取得の代価または費用の支出にあてられるものとして支出した金額

⑫　前払給料、概算払旅費、前渡交際費等のように将来精算される費用の前払いとして、一時的に仮払金、立替金等として経理されている金額

⑬　雇用保険法、雇用対策法、障害者の雇用の促進等に関する法律等の法令の規定に基づき交付を受ける給付金等の未収金、仕入割戻しの未収金

⑭　法人がいわゆる特定目的会社（SPC）を用いて売掛債権等の証券化を行った場合において、その特定目的会社の発行する証券等のうちその法人が保有することとなったもの

❷ **貸倒実績率の算定**

一括評価金銭債権にかかる損失見込額は、法人の過去3年間における貸倒損失の発生額に基づく貸倒実績率を利用して算定します（法令96②）。

貸倒実績率（小数点以下4位未満切上）＝

$$\frac{\begin{array}{l}\text{その事業年度開始の日前3年以内に開始した}\\ \text{各事業年度の売掛債権等の貸倒損失の額}\\ \text{＋個別評価分の引当金繰入額}\\ \text{－個別評価分の引当金戻入額}\end{array} \times \dfrac{12}{\text{左の各事業年度の合計月数}}}{\begin{array}{l}\text{その事業年度開始の日前3年以内に開始した}\\ \text{各事業年度終了のときにおける一括評価金銭} \quad \div \quad \text{左の各事業年度の数}\\ \text{債権の帳簿価額の合計額}\end{array}}$$

---

❸ 一括評価金銭債権にかかる繰入限度額の算定

繰入限度額は下記算式により算定します（法令96②）。

一括評価金銭債権に かかる繰入限度額	＝	事業年度終了時の一括評価 金銭債権の帳簿価額の合計額	×	貸倒実績率

❹ 中小企業等の特例

中小企業等（各事業年度終了のときにおける資本金１億円以下の法人等）については、貸倒実績率によらず、法定繰入率（建設業の場合、1000分の６を適用）による繰入限度額の算定が認められています（措法57の９①、措令33の７④）。その際、債務者から受け入れた金額がある場合等、実質的に債権とみられない部分の金額に相当する金額は、一括評価金銭債権の金額から控除します。

実質的に債権とみられないものとは、その債務者から受け入れた金額がある場合の金銭債権をいいます。債務者から受け入れた金額がその債務者に対し有する金銭債権と相殺可能な状態にあるものだけでなく、金銭債権と相殺的な性格を持つもの及びその債務者と相互に融資しているもの等である場合のその債務者から受け入れた金額に相当する金銭債権も含まれます（措法57の９①、措令33の７②）。

中小企業等の 繰入限度額	＝	（事業年度終了時の一括 評価金銭債権の帳簿価額 － 実質的に債権と みられないものの額）	×法定繰入率

【事例Ⅱ－1－30】貸倒引当金の繰入れ（税法基準）

期末一般売掛債権等の残高540,000千円のうち、実質的に債権とみられないものが60,000千円ある。会社は法人税法上の中小法人に該当し、法定繰入率1000分の６により貸倒引当金を繰り入れる。

（借方）貸倒引当金繰入額　2,880　（貸方）貸倒引当金　2,880

貸倒引当金＝一般売掛債権等（540,000千円－60,000千円）

×法定繰入率6／1000＝2,880千円

第 **2** 章

有形固定資産

1. 有形固定資産の概説

　有形固定資産とは、経営目的のために使用されることを目的に所有し、棚卸資産のように売却することを予定しない財貨であり、建物（附属設備を含む）、構築物、機械装置、船舶、車両運搬具、工具器具備品、土地、建設仮勘定等がこれに含まれます（原則第三　四（一）B）。有形固定資産には、将来営業の用に供することを目的に所有するものの現在遊休状態にある資産、あるいは未稼働である資産や、営業目的のために他社に貸与している建物、例えば下請の専業会社に貸与している設備等も含まれます。

　固定資産の会計実務は、会計基準が「企業会計原則」や「企業会計原則と関係諸法令との調整に関する連続意見書」第三等により規定されているものの、法人税法等に依拠する部分が多くなっています。

　例えば、取得価額が10万円未満の資産は、法人税法上、少額の減価償却資産等として支出時に損金算入できるため、資産計上せずに支出時に費用処理することが一般的です（法令133）。また、税務上の中小企業者等（資本金の額または出資金の額が1億円以下の法人または農業協同組合等で、常時使用する従業員の数が1,000人以下の法人、ただし大規模法人との支配関係がある場合を除く）においては、取得価額が30万円未満の資産を2024（令和6）年3月31日までに取得し事業供用した場合には、その期において300万円を上限として損金とすることができるため、やはり資産計上せず費用処理することが一般的です（措法67の5、措令39の28）。

このように法人税法等に沿って会計処理をする場合、申告書上の調整は不要となりますが、法人税法と異なる会計処理を採用した場合には、申告書上の調整が必要となります。

固定資産はその取得や設置場所の移動、減価償却計算の結果を固定資産台帳により管理します。固定資産台帳は固定資産税（償却資産税）の計算の基礎にもなります。建設業においては、保有する建設機械等が現場を転々とすることが多々あるため、固定資産台帳の整備により保有資産の状況等を管理する必要があります。

この章ではまず、取得価額など有形固定資産全般に関係する論点を整理したあと（リース会計を除く）、各勘定科目ごとに特有の論点を解説します。なお、有形固定資産の減価償却については第Ⅱ部第10章「17．減価償却費」（360頁）を、また除売却時の処理については、同第12章「2．その他特別利益」（389頁）及び「4．その他特別損失」（393頁）をご参照ください。

[1] 取得価額の決定

❶ 購入の場合

購入により取得した場合には、購入代金に買入手数料、運送費、荷役費、据付費及び試運転費等の付随費用を加えて取得原価とします。

ここで、付随費用には登録免許税や不動産取得税も含まれますが、これらを取得価額に含めず経費処理することも認められています（法基通7－3－3の2）。また、値引・割戻しを受けた場合は購入代金から控除する必要があります（法基通7－3－17の2）。

❷ 自家建設の場合

自社で使用する目的で有形固定資産を自家建設（製作）する場合は、適正な原価計算により算定された製造原価に、事業の用に供するために支払われた直接費用を加え取得価額とします。

建設（製作）中の原価は「建設仮勘定」に集計し、完成した時点で建物や機械装置などの本勘定へ振り替えます。また、建設に要する借入金の利子で、稼

働前の期間に属するものは取得価額に含めることができます（法基通7－3－1の2（注））。

❸ 他の固定資産との交換の場合

会計上、固定資産を交換により取得した場合には、交換に供された資産の帳簿価額をもって取得価額とします。税法上は、取得資産の時価をもって取得価額とするのが原則ですが、同一種類・同一用途の固定資産間の交換である等、一定の要件を充足する場合には、圧縮記帳の例外適用が認められます（法法50、法令92、法基通10－6－7・10－6－9）。

会計上、交換により固定資産を取得した場合は、仕訳は次のような借方・貸方とも同じ備忘的なものとなりますが、固定資産台帳には、所在地のほか交換が行われたことに関する事項を記録する必要があります。

（借方）土　地　　×××　　　（貸方）土　地　　×××

[2] 資本的支出と修繕費（収益的支出）

固定資産の修理、改造のための支出は、それが資本的支出にあたるか、また修繕費（収益的支出）にあたるかによって、会計処理が異なります。

「資本的支出」とは、固定資産の使用期間を延長させたり、固定資産の価値を増加させるような支出をいいます。当該支出は、将来の収益と対応させるため取得価額に追加します。修繕費は資本的支出にあたらない支出をいい、支出時の期間費用とします。

法人税法上、1つの修理・改良等のために要した支出が20万円未満の場合には、損金と認められるので、費用処理します。これに対し、20万円以上の支出があった場合は、それが資本的支出あるいは修繕費であることが明白である場合は、上述のとおり処理します。ただし、一般的には両者の区別が不明確なケースが多くみられます。その場合は、法人税基本通達に則り**図表Ⅱ－2－1**のような手順で判定し、会計処理を行います（法基通7－8－3～7－8－6）。

法人税法上の中小企業者等において、取得価額が30万円未満であることから

図表Ⅱ－2－1　形式的基準による判断の手順

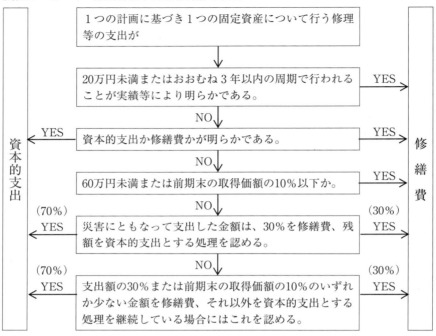

費用処理した資産についても、その後、1つの修理・改良等のために20万円以上の支出をしたときには、上記により判定し、それが資本的支出にあたる場合には資産計上しなければならない点に注意が必要です。

[3] 圧縮記帳について

圧縮記帳とは、一定の要件を満たす固定資産の取得時に、固定資産の取得価額から利益相当額を直接減額して計上することを認める法人税法及び租税特別措置法上の制度です。

例えば、国庫補助金や保険金等により固定資産を取得する際や、交換や買換え等により固定資産を取得する際に、それらの取得が一定の要件を満たす場合に、受贈益あるいは譲渡益に相当する金額のうちの一定限度を固定資産の取得

価額から控除することができます（法法50、法令92、法基通10－6－7・10－6－9）。圧縮記帳により、固定資産取得時の受贈益等に対する課税を翌期以降に繰り延べる効果があります。

税務上は、次の①～③のいずれかの経理処理方法による必要があります。

① 取得した固定資産の取得価額を直接減額する方法

② 損金経理により圧縮積立金を積み立てる方法

③ 剰余金の処分により圧縮積立金を積み立てる方法

会計上は、原則として上記③の剰余金の処分により圧縮積立金を積み立てる方法を採用しますが、例外として、国庫補助金、工事負担金等により取得した資産については、それらに相当する金額について取得価額から控除することが認められます。

[4] 固定資産の減損会計

通常、固定資産はその帳簿価額を上回る収益を上げることが期待され事業に供されています。

しかし、「固定資産の減損に係る会計基準」により、当該固定資産または当該固定資産を含む資産グループ*に対する投資を回収することが見込めなくなった場合には、帳簿価額を切り下げる減損処理が必要となる場合があります。

> ＊ 他の資産または資産グループからおおむね独立したキャッシュ・フローを生み出す最小の単位をいいます。建設業においては、各支店等が独立したキャッシュ・フローを生み出す単位と考えられるのであれば、当該各支店等が資産グループとなります。

固定資産の減損会計は、資産の収益性を帳簿価額に反映させること、及び取得原価基準のもとで行われる帳簿価額の臨時的な減額であることが特徴となっています。

なお、中小企業については、減損の可能性について検討するケースを、将来使用の見込みがないことや用途転用しても採算が見込めない場合に限定することも認められます（中小企業会計指針36）。

[5] 資産除去債務

資産除去債務とは、有形固定資産の取得、建設、開発または通常の使用によって生じ、当該有形固定資産の除去に関して法令または契約で要求される法律上の義務及びそれに準ずるものをいいます（資産除去債務会計基準3）。

例えば、石綿障害予防規則やPCB特別措置法、不動産賃貸借契約における原状回復義務等が該当します。これらに基づいて、資産の除去にかかる費用を負債として認識するとともに、原則的にこれを固定資産の帳簿価額に加えて減価償却により費用化する必要があります。

なお、資産除却債務の詳細については第Ⅱ部第7章「6. 資産除去債務」(271頁) をご参照ください。

2. 建物・構築物

[1] 勘定科目の概要

建物とは、経営目的で使用される社屋、工場、店舗及び倉庫等をいい、附属設備を含みます。附属設備とは、電気設備（照明設備を含む）や冷暖房通風設備、給排水設備、エレベーター等をいいます。工事完了後取り壊される仮設建物は、原則として建物勘定に計上しません。このような仮設建物は、実質的には骨組みだけであって属性上建物とするのは適当でないため、工具器具備品勘定で処理するのが適当と考えられるからです。

構築物とは、土地に定着する工作物及びそれらの附属設備をいいます。例えばドック、橋、岸壁、さん橋、軌道、貯水池、坑道、煙突などになります。

なお、建物・構築物の会計・税務処理について、建設業に固有の処理は定められていません。

[2] 会計処理

建物・構築物の取得時は、本章「1. 有形固定資産の概説 ［1］取得価額の決定」(156頁) に基づいて把握された取得原価で計上します。

【事例Ⅱ－2－1】建物を購入により取得した場合

　　営業用の建物を購入し、購入代金として80,000千円（消費税別）及び仲介手数料を600千円（消費税別）支払った。

　（借方）建　物　・　構　築　物　　　80,600　（貸方）現　　金　　預　　金　　88,660
　　　　　仮　払　消　費　税　等　　　　8,060
　［消費税］建物の購入は資産の譲渡にあたるため、課税取引となります。
　　　　　　また、不動産売買の仲介は役務の提供にあたるため、課税取引となります。

【事例Ⅱ－2－2】附属設備を購入により取得した場合

　　営業所の入り口に自動ドアを設置し、代金として800千円（消費税別）を支払った。

　（借方）建　物　・　構　築　物　　　　800　（貸方）現　　金　　預　　金　　　880
　　　　　仮　払　消　費　税　等　　　　80
　［消費税］自動ドアの設置は資産の譲渡にあたるため、課税取引となります。

[3]　税務処理

　本章「1．有形固定資産の概説」（155頁）を参照してください。

3.　機械・運搬具

[1]　勘定科目の概要

　機械・運搬具とは、機械装置（建設機械その他の各種機械及び装置）、船舶（船舶及び水上運搬具）、航空機（飛行機及びヘリコプター）及び車両運搬具（鉄道車両、自動車及びその他の陸上運搬具）をいいます（勘定科目分類）。

❶　機械装置

　機械装置には、コンベヤー、ホイスト、起重機（クレーン）等の搬送設備その他の附属設備が含まれます。

❷ 船舶

　船舶安全法及びその他の関係法規により施設することが規定されている救命ボートや電信機器等の法定装備品は、船舶及び水上運搬具に含めます。

❸ 車両運搬具

　例えば、次の①〜⑤のようなものが含まれます。

①　鉄道用車両：電気または蒸気機関車、電車、貨車等

②　特殊自動車：トラックミキサー、散水車、レッカーその他特殊車体を架装したもの等

③　営業用自動車：貨物自動車、旅客自動車等

④　一般用自動車：普通自動車（二輪車を含む）、乗合自動車等

⑤　その他：フォークリフト、トロッコ、自転車、リヤカー等

　車両に装備されている機器（ラジオ、エアコン、ステレオ等）は、車両運搬具に含めます。なお、ブルドーザーのような自走式作業機械やクレーン等の建設機械は、機械装置として処理します。

　なお、機械・運搬具の会計・税務処理について、建設業に固有の処理は定められていません。

[2]　会計処理

　機械・運搬具の取得時は、本章「1．有形固定資産の概説　［1］取得価額の決定」（156頁）に基づいて把握された取得原価で計上します。

【事例Ⅱ－2－3】機械装置を購入により取得した場合

> 　工事に使用する目的でブルドーザー1台を15,000千円(消費税別)で購入した。購入代金は約束手形を振り出し支払った。
>
> 　（借方）機　械　・　運　搬　具　　15,000　（貸方）設 備 支 払 手 形　　16,500
> 　　　　　仮 払 消 費 税 等　　　1,500
>
> ［消費税］機械装置の購入は資産の譲渡にあたるため、課税取引となります。

【事例Ⅱ－2－4】機械装置を自社で製作した場合

> 工事で使用する機械を自製した。当該自製のための支出は、適正な原価計算により2,000千円が建設仮勘定に計上されているため、それを本勘定に振り替えた。
>
> （借方）機 械 ・ 運 搬 具　　2,000　（貸方）建 設 仮 勘 定　　2,000

[3] 税務処理

　船舶安全法の規定により定期検査を受けなければならない船舶（総トン数5トン未満を除く）について、当該定期検査を受けるための修繕にかかる支出に備えるため、積立限度額以下の金額を損金経理の方法により特別修繕準備金として積み立てた場合、当該積み立てた金額は、当該事業年度の所得金額の計算上、損金の額に算入されます（措法57の8）。

　その他、本章「1．有形固定資産の概説」（155頁）を参照してください。

4．工具器具・備品

[1] 勘定科目の概要

　工具器具・備品とは、各種の工具、器具及び備品で、耐用年数が1年以上かつ取得価額が相当額以上であるものをいいます（勘定科目分類）。

　耐用年数が1年未満のものや少額のものは、製造原価として消耗工具器具備品費とするか、または販売費及び一般管理費として消耗品費等に計上し、期間費用とします。なお、工事現場に設置される移動性仮設建物用の部材等もこれに含まれます。相当額の目安は、各社が経理規程等で定める固定資産計上基準によりますが、一般的には税務基準の10万円以上を固定資産計上します。

　なお、工具器具・備品の会計・税務処理について、建設業に固有の処理は定められていません。

[2] 会計処理

　工具器具備品の取得時は、本章「1．有形固定資産の概説　[1]取得価額

の決定」(156頁)に基づいて把握された取得原価で計上します。

【事例Ⅱ－2－5】工具の購入

140千円（消費税別）の工具と60千円（消費税別）の備品を購入した。

(借方) 工 具 器 具 備 品	140	(貸方) 現 金 預 金	220
消 耗 品 費	60		
仮 払 消 費 税 等	20		

［消費税］工具及び備品の購入は資産の譲渡にあたるため、課税取引となります。

[3] 税務処理

本章「1．有形固定資産の概説」(155頁)を参照してください。

5. 土地

[1] 勘定科目の概要

土地とは、自家用の土地をいい、工場や事務所の敷地のほか、社宅用地や運動場用地などの経営附属用の土地等が含まれます。また、遊休土地も当勘定に含まれます。ただし、一般事業会社において営業目的と関係なく他に賃貸する等、他の用途に供されている場合は、投資その他の資産に区分されます。

なお、土地の会計・税務処理について、建設業に固有の処理は定められていません。

[2] 会計処理

土地と建物を一括して購入した場合、全体の取得原価の決定方法は、本章「1．有形固定資産の概説」(155頁)にて述べたとおりですが、当該取得価額を土地と建物に按分しなければなりません。この場合、売買契約書等によって土地と建物の価額が明白であるケースや、消費税の金額からそれぞれの価額が判明するケースは、それに従って処理します。

【事例Ⅱ－2－6】 土地付建物の購入

　　営業所用に土地付建物を310,000千円（消費税込）で取得した。売買契約書に
　よると消費税は12,500千円である。

　（借方）建　　　　　物　　125,000　（貸方）現　金　預　金　　312,500
　　　　　土　　　　　地　　175,000
　　　　　仮 払 消 費 税 等　　 12,500

　［消費税］土地建物の取得は資産の譲渡にあたります。ただし、土地については
　　　　　　非課税取引とされていますので、建物の取得のみが課税取引となります。

　　　　　　　建物＝仮払消費税等12,500千円÷10％＝125,000千円

　　　　　このように、消費税の金額から土地と建物の金額を算出できます。

　　また、実務上、土地と建物それぞれの価額を区分することが困難なケースも
見受けられます。この場合は、建物価額を見積もって残りを土地の価額とする
方法のほか、専門家に土地の鑑定評価を依頼するなどして土地の価額を決定し、
残りを建物とする方法も認められています。

　　そのほか、固定資産・都市計画税の納税通知書に記載されている固定資産税
評価額を参考に土地、建物の取得価額を按分する方法を採用することもありま
す。

　　実務的には、土地及び建物の価額を契約書上で区分して明記することが望ま
しいと考えられます。

【事例Ⅱ－2－7】 土地付建物の購入（土地の評価額を入手）

　　営業所用に土地付建物を208,000千円（消費税込）で購入し、仲介手数料5,000
　千円（消費税別）、固定資産税及び都市計画税の清算金1,000千円と合わせて支払っ
　た。契約書上は土地建物のそれぞれの金額は明らかとなっていないが、当社は別
　途土地の時価評価額につき不動産鑑定士の鑑定評価を受け、120,000千円と評価
　した。なお、不動産鑑定料500千円（消費税別）を支払っている。

（借方）土　　　　　地　123,900　（貸方）現　金　預　金　215,150

　　　　　建　　　　物　82,600

　　　　　仮 払 消 費 税 等　　8,650

［消費税］不動産売買仲介及び不動産鑑定評価は役務の提供にあたるため、課税

　　　　取引となります。

　建物金額(消費税込)＝契約金額208,000千円−土地評価額120,000千円＝88,000千円

　建物金額＝88,000千円÷1.1＝80,000千円

　したがって、契約金額は土地120,000千円と建物80,000千円で200,000千円（消費税別）となり、土地と建物の構成割合は60％と40％になる。付随費用を按分した土地と建物の取得原価は次のとおりとなる。

　土地＝120,000千円＋付随費用（5,000千円＋1,000千円＋500千円）×60％

　　　＝123,900千円

　建物＝80,000千円＋付随費用(5,000千円＋1,000千円＋500千円)×40％

　　　＝82,600千円

[3]　税務処理

　土地の購入に際して支払った手付金は、所有権移転登記が完了するまでは建設仮勘定に計上し、その後所有権移転登記をもって本勘定へ振り替えます。また、手付金と同様に土地の取得のために直接かかった費用は、原則として取得原価に含めます。

　ただし、不動産取得税や登録免許税その他の登記費用等は、土地に含めずに費用処理しても損金として認められます（法基通7−3−3の2）。

6.　リース資産

[1]　リース会計の概説

　リース取引に係る会計処理は、「リース取引に関する会計基準」及び「リース取引に関する会計基準の適用指針」に従って行います。

　なお、本書においては、借り手としての会計処理・税務処理を前提に記載し、

貸し手としての処理は省略しております。

❶ ファイナンス・リース取引の判定

ファイナンス・リース取引とは、次の①と②のいずれも満たすリース取引をいいます（リース会計基準5、リース適用指針5）。

① 解約不能（ノンキャンセラブル）のリース取引

　リース契約に基づくリース期間の中途において当該契約を解除することができないリース取引またはこれに準ずるリース取引

② フルペイアウトのリース取引

　借り手が、リース物件からもたらされる経済的利益を実質的に享受することができ、かつ、当該リース物件の使用にともなって生じるコストを実質的に負担することとなるリース取引

具体的には、次の①または②のいずれかに該当する場合には、ファイナンス・リース取引と判定されます（リース適用指針9）。

① 現在価値基準

　解約不能のリース期間中のリース料総額の現在価値が、リース物件を現金で購入した場合の合理的見積価額のおおむね90％以上であること

② 経済的耐用年数基準

　解約不能のリース期間が、リース物件の経済的耐用年数のおおむね75％以上であること

❷ 所有権移転ファイナンス・リース取引と所有権移転外ファイナンス・リース取引の区分

ファイナンス・リース取引のうち、次の①～③のいずれかに該当する場合は所有権移転ファイナンス・リース取引に該当し、それ以外は所有権移転外ファイナンス・リース取引となります（リース適用指針10）。

① 所有権移転条項付リース

② 割安購入選択権条項付リース

③ 特別仕様物件のリース

❸ **リース資産及びリース債務の計上価額**

　ファイナンス・リース取引については、通常の売買取引にかかる方法に準じて会計処理を行うこととされています（リース会計基準9、リース適用指針21）。

　リース資産及び債務の計上価額は、次のとおりとなります（リース適用指針22）。

　　①　借り手において当該リース物件の貸し手の購入価額等が明らかな場合

　　　　…リース料総額の割引現在価値と貸し手の購入価額等のいずれか低い額

　　②　貸し手の購入金額が明らかでない場合

　　　　…①の割引現在価値と見積現金購入価額とのいずれか低い額

　一般的には貸し手の購入価額や計算利子率はわからないので、②のケースに該当し、リース料総額を借り手の追加借入れに適用されると合理的に見積もられる利率で割り引いた現在価値と、借り手の見積現金購入価額のいずれか低いほうを利用します。

❹ **少額リース資産及び短期のリース取引に関する簡便的な取扱い等**

　ファイナンス・リース取引とされるものに関しても、リース期間が1年以内のリース取引や、企業の事業内容に照らして重要性の乏しいリース取引で、リース契約1件当たりのリース料総額が300万円以下のリース取引は、費用処理（賃貸借処理）することができます（リース適用指針34、35）。

❺ **表示方法**

　リース資産は、有形固定資産、無形固定資産の別に、一括してリース資産として表示するのが原則です。ただし、個々のリース資産の属性に沿って、有形固定資産または無形固定資産に属する各科目に含めて表示することも認められています（リース会計基準16）。

[2]　勘定科目の概要

　有形固定資産に計上されるリース資産とは、ファイナンス・リース取引におけるリース物件の借り主である資産をいいます（勘定科目分類）。

　なお、リース資産の会計・税務処理について、建設業に固有の処理は定めら

れていません。

[3] 会計処理

　リース取引開始日に、リース物件とこれにかかる債務を、リース資産及びリース債務として計上します。リース資産の計上額は、先に述べたように、リース料総額を借り手の追加借入れに適用されると合理的に見積もられる利率で割り引いた現在価値と、借り手の見積現金購入価額のいずれか低いほうを利用するのが一般的です。

　なお、所有権移転外ファイナンス・リース取引で、リース資産総額に重要性が乏しいと認められる場合（リース資産にかかる未経過リース料の期末残高が、当該未経過リース料の期末残高、有形固定資産及び無形固定資産の期末残高の合計額の10％未満である場合）には、リース資産及びリース債務をリース料総額で計上することができます（リース適用指針31、32）。

　また、中小企業については、所有権移転外ファイナンス・リース取引について、通常の賃貸借取引に係る方法に準じて会計処理を行うことができます（中小企業会計指針75－3、中小企業会計要領10）。

【事例Ⅱ－2－8】 リース資産の計上

　期首に所有権移転外ファイナンス・リース契約（5年）を締結し、リース資産を計上した。なお、リース料総額は8,000千円（消費税別）、リース料総額の現在価値は7,600千円（消費税別）、見積現金購入価額は7,750千円（消費税別）であった。リース料総額に含まれている利息相当額は契約において明示されていない。

　（借方）リ ー ス 資 産　　7,600　（貸方）リース債務（流動）　　1,680
　　　　　仮 払 消 費 税 等　　　800　　　　　リース債務（固定）　　6,720

［消費税］リース資産の取得は資産の譲渡にあたるため、課税取引となります。

　リース資産は、現在価値＜見積現金購入価額により7,600千円

　リース債務（流動）＝（リース資産7,600千円＋仮払消費税等800千円）

　　　　　　　　　　÷60カ月（5年）×12カ月＝1,680千円

リース料総額は、原則としてリース債務の元本返済と支払利息に区分して計算します。この利息相当額をリース期間に配分する方法は、原則として利息法によります。なお、所有権移転外ファイナンス・リース取引で、リース資産総額に重要性が乏しいと認められる場合には、利息相当額を定額法によりリース期間に配分することができます（リース適用指針31）。

　所有権移転ファイナンス・リース取引にかかるリース資産では、自己所有の固定資産に適用する減価償却方法と同一の方法により減価償却を行います。所有権移転外ファイナンス・リース取引では、残存価額をゼロ、リース期間を耐用年数として、定額法、級数法、生産高比例法等の中から企業の実態に応じたものを選択適用します（リース会計基準12、リース適用指針28）。

【事例Ⅱ－2－9】リース料の支払いとリース資産の減価償却

> ①　期首に取引を開始した所有権移転外ファイナンス・リース契約にかかる初回のリース料を支払った。リース資産計上額は5,400千円、リース債務計上額は6,000千円（リース料総額にかかる消費税を含む）、リース料総額は6,600千円（消費税込）であり、リース期間5年間の60回払いである。なお、利息相当額は定額法で配分している。
>
> 　（借方）リース債務（流動）　　100　（貸方）現　金　預　金　　110
> 　　　　　支　払　利　息　　　10
>
> 　リース料＝リース料総額6,600千円（消費税込）÷60回＝110千円
>
> 　リース債務＝リース債務計上額6,000千円÷60回＝100千円
>
> 　支払利息＝（リース料総額6,000千円（消費税別）－リース資産5,400千円）
> 　　　　　　÷60回＝10千円
>
> ②　決算につきリース資産の減価償却費1年分を計上した。減価償却方法は残存価額ゼロでリース期間定額法を採用している。
>
> 　（借方）減　価　償　却　費　　1,080　（貸方）リ　ー　ス　資　産　　1,080
>
> 　減価償却費＝リース資産5,400千円÷5年＝1,080千円

[4] 税務処理

　法人税法では、「リース取引」について解約不能とフルペイアウトの要件が必要であることを定めています（法法64の2③）。フルペイアウトの判断においては、会計上はリース料総額の現在価値により検討しますが、税務上は現在価値に割り引く前の実際のリース料の金額をもとに判定します（法基通12の5－1－1、12の5－1－2）。

　また、「所有権移転外リース取引」は、次の①～④のいずれにも該当しないものとされています（法令48の2⑤五）。

① 　リース期間の終了時または中途において、そのリース取引にかかる契約において定められているリース取引の目的とされている資産（以下「リース資産」という）が、無償または名目的な対価の額でそのリース取引にかかる賃借人に譲渡されるものであること

② 　リース期間の終了時または中途においてリース資産を著しく有利な価額で買い取る権利が、賃借人に与えられているものであること

③ 　賃借人の特別な注文によって製作される機械装置のように、リース資産がその使用可能期間中その賃借人によってのみ使用されると見込まれるものであること、または建築用足場材のようにリース資産の識別が困難であると認められるものであること

④ 　リース期間がリース資産の法定耐用年数に比して相当短いもの（賃借人の法人税の負担を著しく軽減することになると認められるものに限る）であること

　なお、「リース期間がリース資産の法定耐用年数に比して相当短いもの」とは、リース期間がリース資産の法定耐用年数の70％（法定耐用年数が10年以上のリース資産については60％）に相当する年数（1年未満の端数切捨て）を下回る期間であるものをいいます（法基通7－6の2－7）。

　また、消費税の課税については、法人税の課税所得計算における取扱いと同様とされ、法人税法上のリース取引に該当する場合には資産の譲渡として取り扱われます（消基通5－1－9）。

したがって、リース料総額でリース資産を取得したものとして処理を行いますが、その認識の時期は原則として物件の引渡し時となります。結果として、会計上は賃貸借処理が容認される場合であっても、税務上は原則としてリース料支払時に仮払消費税等を認識できず、リース開始時にリース料の全額にかかる仮払消費税等を一括して認識する必要があります。

この点について、実務上の処理の煩雑さを避けるため、借り手が会計上で賃貸借処理をしている場合には、そのリース料について支払うべき日の属する課税期間における課税仕入れとする処理が認められています(国税庁質疑応答事例「所有権移転外ファイナンス・リース取引について賃借人が賃貸借処理した場合の取扱い」)。

7. 建設仮勘定

[1] 勘定科目の概要

建設仮勘定とは、建設中の自家用固定資産の新設または増設のために要した支出をいいます(勘定科目分類)。

具体的には、次の①〜③のような支出が含まれます(財規ガイド22−9①、法令54①二イ)。

① 設備の建設のために支出した手付金もしくは前渡金

② 設備の建設のために取得した機械等で保管中のもの

③ 建設の目的のために要した直接労務費、直接経費

なお、建設またはその他の目的にあてられる資材で、取得の際に建設にあてるものとその他の目的にあてるものとの区分が困難なものは、貯蔵品とすることができます。また、これらの資材の購入のための前渡金で、その資材を建設にあてるものとその他の目的にあてるものとに区分することが困難である場合には、前渡金(流動資産)とすることができます(財規ガイド22−9②③)。

建設仮勘定は、建設目的ごとに区分せずに一括して建設仮勘定として掲記するのが原則です。ただし、長期にわたる巨額の資産の建設にかかるものは、建設目的ごとに区分して掲記することもできます(財規ガイド22−9④)。

なお、建設仮勘定の会計・税務処理について、建設業に固有の処理は定めら

れていません。

[2] 会計処理

設備の建設のための支出は、その支払いのつど建設仮勘定に計上します。建設仮勘定は、資産の完成をもってすみやかに本勘定に振り替えます。その際、費用性の支出（例えば修繕費など）が建設仮勘定に含まれていた場合には、当該支出は費用処理することが考えられます。

【事例Ⅱ－2－10】建設仮勘定にかかる支出

---

① 建設用資材の保管用倉庫を建設中であり、建材を10,000千円（消費税別）購入した。

(借方) 建 設 仮 勘 定 　10,000 (貸方) 未 　 払 　 金 　11,000
　　　　仮 払 消 費 税 等 　 1,000

［消費税］建材の購入は資産の譲渡にあたりますので、課税対象となります。

② 保管用倉庫が完成したので、建設仮勘定を取り崩した。なお、最終的に建設仮勘定に集約された建設コストは42,000千円であった。

(借方) 建 物 ・ 構 築 物 　42,000 (貸方) 建 設 仮 勘 定 　42,000

---

[3] 税務処理

法人税法上、建設中の資産は減価償却資産に該当しませんが、建設仮勘定に計上されている場合でも、その完成した部分が事業の用に供されているときには、その完成した部分については減価償却資産に該当します(法基通7－1－4)。

また、消費税法上、課税仕入れの時期は原則として資産の引渡しや役務の提供があった日の課税期間となります。ただし、建設仮勘定として経理した課税仕入れについて、資産の引渡しや役務の提供または一部が完成したことにより引渡しを受けた部分をそのつど課税仕入れとしないで、工事の目的物のすべての引渡しを受けた日の課税期間における課税仕入れとして処理する方法も認められています（消基通11－3－6）。

第 **3** 章

無形固定資産

1. 無形固定資産の概説

　無形固定資産とは、これを保有することによって企業に長期にわたって排他的または優越的な地位を与えるような法的権利や経済価値をいい、のれん（営業権）、特許権、借地権、商標権、ソフトウェアやこれらをリース物件とするリース資産等がこれに含まれます。

　この章ではまず、取得価額など無形固定資産全般に関係する論点を整理したあと、各勘定科目ごとに特有の論点を解説します。

[1]　取得価額の決定及び評価

　無形固定資産の取得価額は、有形固定資産の場合と同様であり、購入の場合には購入代金に買入手数料、運送費、荷役費、据付費及び試運転費等の付随費用を加えて取得原価とします（第Ⅱ部第2章「1. 有形固定資産の概説」（155頁）参照）。また、貸借対照表では取得価額から減価償却累計額を直接控除した価額により表示します。

[2]　無形固定資産と前払費用、繰延資産の違い

　前払費用は、一定の契約に従い、継続して役務の提供を受ける場合、いまだ提供されていない役務に対し支払われた対価をいいます（第Ⅱ部第1章「10. 前払費用」（142頁）参照）。無形固定資産が他に譲渡することが可能であるのに対して、前払費用は役務の給付請求権であるため、一般的に他に譲渡すること

がない、すなわち譲渡性がない点で無形固定資産と異なります。

　また、繰延資産は、すでに対価の支払いが完了しまたは支払義務が確定し、これに対応する役務の提供を受けたにもかかわらず、その効果が将来にわたって発現するものと期待される費用をいいます（第Ⅱ部第5章「1.繰延資産の概説」(214頁) 参照）。繰延資産は、前払費用と同様に譲渡性がなく、適切な期間損益計算の観点から費用の計上を次期以降に繰り延べるための擬制的な資産であり、計上が任意である点で無形固定資産と異なります。

[3]　減損会計について

　固定資産の減損会計は、有形固定資産と同様に無形固定資産にも適用されます。減損会計の概要については、第Ⅱ部第2章「1.　有形固定資産の概説」(155頁) を参照してください。

2.　特許権

[1]　勘定科目の概要

　特許権とは、発明や発見による新製品や新製法を独占的、排他的に利用できる権利をいいます。他の者が所有する特許権について実施権または使用権を取得した場合にも、特許権として扱われます。

　なお、特許権の会計・税務処理について、建設業に固有の処理は定められていません。

[2]　会計処理

　取得時には特許権の取得に要した付随費用とともに資産計上し、所定の期間で減価償却を実施します。

【事例Ⅱ-3-1】特許権の取得

　①　期首に提携企業から特許権を1,000千円（消費税別）で取得した。

（借方）特　　許　　権　　1,000　（貸方）現　金　預　金　　1,100
　　　　仮払消費税等　　　100

［消費税］特許権の取得は資産の譲渡にあたるため、課税取引となります。

② 決算につき特許権の減価償却を行った。耐用年数は税法基準に準拠し、8年
としている。

（借方）減　価　償　却　費　　125　（貸方）特　　許　　権　　125

減価償却費＝取得価額1,000千円×1年÷8年＝125千円

[3] 税務処理

法人税法上、特許権は耐用年数8年、償却方法は定額法とされています（耐用年数令1・別表第三）（特許法上の特許権の有効期間は原則として出願日から20年）。

消費税法上、特許の取得費用は原則として課税仕入れですが、特許申請時に支払う特許料（特許を取得・維持するために特許庁に支払う手数料）、登録免許税については課税対象外となります。

3. 借地権

[1] 勘定科目の概要

借地権とは、他人の所有する土地を利用するための地上権（地代を払って建物その他の建造物等を所有する物権。譲渡可）及び賃借権（賃貸借契約から生ずる債権）をいいます。また、狭義の借地権は、借地借家法上の借地権をいい、建物の所有を目的とする地上権及び土地の賃借権をいいます（借地借家法2一）。借地権は、自己の経営目的のために他人の所有する土地を利用できる経済的利益を資産として計上するものです。

なお、借地権の会計・税務処理について、建設業に固有の処理は定められていません。

[2] 会計処理

❶ 取得価額について

借地権の取得価額には、土地の賃貸借契約または転貸借契約にあたり、借地権の対価として支払った権利金等の額に、付随して支出した手数料や賃借した土地の整備費用等を含めます。

【事例Ⅱ－3－2】借地権の取得

本社ビルの建設用地を借地するために、30,000千円を借地権の対価として支払った。また、土地の整地のために3,000千円（消費税別）を支払っている。

（借方）借　　地　　権　33,000　（貸方）現　金　預　金　33,300
　　　　仮 払 消 費 税 等　　　300

［消費税］土地の整地は役務の提供にあたるため、課税取引となります。

　　　　なお、借地権は土地の上に存する権利であるため、土地の譲渡と同様に非課税取引となります。

❷ 借地権の更新

借地権の契約期間満了にともない更新料を支払った場合には、以下の算式により借地権の帳簿価額を損金に算入するとともに、支払った更新料を借地権の帳簿価額に加算します（法令139）。

$$更新前の借地権の帳簿価額 \times \frac{支払更新料}{更新時における借地権の価額}$$

【事例Ⅱ－3－3】借地権更新料の支払い

帳簿価額800千円の借地権が期間満了し、更新料500千円を支払った。このときの借地権の時価は2,000千円である。

（借方）借　　地　　権　　500　（貸方）現　金　預　金　　500
　　　　借 地 権 償 却　　200　　　　借　　地　　権　　200

$$借地権償却＝更新前帳簿価額800千円÷借地権時価2,000千円×更新料500千円$$
$$＝200千円$$

[3] 税務処理

　法人税法上、土地の上に存する建物等を取得した場合における、その建物等の購入対価のうち借地権の対価と認められる部分の金額が、当該建物等の購入対価のおおむね10％以下の金額であるときは、これを区分しないで建物等の取得価額に含めることができるとされています（法基通7－3－8）。

　借地権の設定等を行ったにもかかわらず、権利金の収受がない場合には、当事者間において、借地権の対価相当額の贈与が行われたとみなされる場合があります（権利金の認定課税）。しかしながら、次の①または②のいずれかに該当する場合には、権利金の認定課税は行われません。

　①　相当の地代（原則として、その土地の更地価額のおおむね年6％程度の金額）を収受している

　②　借地権の設定等にかかる契約書において、将来借地人が当該土地を無償で返還することが定められており、かつ、「土地の無償返還に関する届出書」を借地人と連名で遅滞なくその法人の納税地を所轄する税務署長に提出している

　なお、②において実際に収受している地代が相当の地代より少ないときは、その差額に相当する金額を借地人に贈与したものとして扱われます（法法22、法令137、法基通13－1－1・13－1－2・13－1－7）。

4. のれん

[1] 勘定科目の概要

　のれんとは、合併、事業譲渡等により取得した事業の取得原価が、取得した資産及び引き受けた負債に配分された純額を上回る場合の超過額をいいます（勘定科目分類）。逆に下回る場合は負ののれんとされ、当該負ののれんが生じた事業年度の利益として処理します（企業結合会計基準31、33、48）。

従来より、のれん（営業権）は、会社の営業権たる超過収益力を表すものとして営業譲渡や合併のときに認識されてきました。近年では、「企業結合に関する会計基準」の適用により、企業結合により発生する差額としての側面が強くなっています。

　なお、のれんの会計・税務処理について、建設業に固有の処理は定められていません。

[2]　会計処理

　のれんは、有償で譲り受けた場合または合併により取得した場合にのみ資産として計上し、無償で取得した場合のいわゆる自己創設のれんは計上できません（企業結合会計基準98）。なお、のれん以外の無形固定資産を無償で取得した場合には、公正な評価額をもって取得価額とします（原則第三 五F）。

　のれんは、20年以内のその効果の及ぶ期間にわたって、定額法その他の合理的な方法により規則的に償却します（企業結合会計基準32）。

　なお、のれんの償却期間及び償却方法は、企業結合ごとに取得企業が決定します。のれんの償却開始時期は企業結合日となり、償却費は販売費及び一般管理費として処理します。減損以外の理由では、のれんの償却額を特別損失に計上することはできません（企業結合会計基準47、企業結合適用指針76）。

【事例Ⅱ－3－4】のれんの取得と償却

① 10月に他社のA事業を5,000千円（消費税別）で譲り受けた。これにともなって、商品2,000千円、機械・運搬具1,000千円、工具器具備品1,000千円を引き継いだ。当社の決算日は3月31日である。

（借方）商　　　　　品　　2,000　（貸方）現　金　預　金　　5,500
　　　　機 械・運 搬 具　　1,000
　　　　工 具 器 具 備 品　　1,000
　　　　の　　れ　　ん　　1,000
　　　　仮 払 消 費 税 等　　　500

［消費税］事業譲渡は資産の譲渡にあたるため、課税取引となります。

② のれんの償却期間を10年とし、決算にあたり定額法で償却する。

（借方）の れ ん 償 却　　50　（貸方）の　　れ　　ん　　　50

のれん償却＝取得価額1,000千円÷10年×6カ月÷12カ月＝50千円

[3] 税務処理

　法人税法において、のれんは営業権に包括されて取り扱われるため、会計上の償却期間が税法上の営業権の償却期間である5年より短い場合には、申告調整が必要となります（法法62の8④⑤）。

5. ソフトウェア

[1] 勘定科目の概要

　ソフトウェアとは、コンピュータを機能させるように指令を組み合わせて表現したプログラム等をいいます（研究開発会計基準一2）。システム仕様書やフローチャート等の関連文書はソフトウェアに含まれますが、コンテンツ（情報の内容）は含みません。ただし、コンテンツがソフトウェアと経済的・機能的に一体不可分と認められる場合には、両者を一体として取り扱うことができます（研究開発実務指針6、7）。

　ソフトウェアの会計処理は、その制作目的により、受注制作のソフトウェア、市場販売目的のソフトウェア、自社利用のソフトウェアの3種類に分類のうえ規定されています（研究開発会計基準四1～3）。ここでは、建設業をはじめとするソフトウェア利用企業の立場から、自社利用のソフトウェアについて解説します。

　なお、ソフトウェアの会計・税務処理について、建設業に固有の処理は定められていません。

［2］　会計処理

❶　資産計上と費用処理

　自社利用のソフトウェアは、その利用により将来の収益獲得または費用削減が確実であると認められる場合には、これを無形固定資産に計上します（研究開発会計基準四３）。

　将来の収益獲得または費用削減が確実であると認められる例として、当該ソフトウェアを用いて外部へ業務処理等のサービスを提供する契約が締結されている場合や、社内利用を目的としてパッケージソフトウェアの完成品を購入した場合があげられます。将来の収益獲得または費用削減が確実であると認められない場合または確実性が不明な場合には、費用処理することとなります。

❷　取得価額について

　市販のパッケージソフトウェアを購入した際に、その導入にともなって付随的な修正作業等のための支出があった場合には、取得のための付随費用としてこれを取得価額に含めますが、その金額に重要性がない場合には費用処理することも可能です（研究開発実務指針14）。

❸　自社利用ソフトウェアの減価償却

　自社利用のソフトウェアは、その利用の実態に応じて最も合理的と考えられる減価償却の方法を採用することになりますが、一般的には定額法による償却が合理的です。

　耐用年数は、当該ソフトウェアの利用可能期間によるべきですが、原則として５年以内の年数とします。５年を超える年数とするときには、合理的な根拠に基づくことが必要です。また、利用可能期間については、毎期見直しを行うことが必要です（研究開発実務指針21）。

❹　機器組込みソフトウェア

　機械装置等に組み込まれたソフトウェアで、当該ソフトウェアが組み込まれた機械装置等と相互に有機的一体として機能するものであり、個別に機能するものでない場合には、当該機械装置等に含めて処理します（研究開発実務指針17）。

【事例Ⅱ－3－5】 自社利用ソフトウェアの取得と減価償却

---

① 受注管理システムの開発を専門業者に依頼し、開発料として22,000千円（消費税別）を支払った。

（借方）ソ フ ト ウ ェ ア　　20,000　（貸方）現　金　預　金　　22,000
　　　　仮 払 消 費 税 等　　　2,000

［消費税］ソフトウェアの取得は資産の譲渡にあたるため、課税取引となります。

② 決算につきソフトウェアの減価償却を実施した。耐用年数は5年とし、今期の償却対象期間は9カ月であった。

（借方）減 価 償 却 費　　　3,000　（貸方）ソ フ ト ウ ェ ア　　　3,000

減価償却費＝取得価額20,000千円÷5年×9カ月÷12カ月＝3,000千円

---

[3] 税務処理

次の①～③の費用の額は、ソフトウェアの取得原価に算入しないことができます（法基通7－3－15の3）。

① 自己の製作にかかるソフトウェアの製作計画の変更等により、いわゆる仕損じがあったため不要となったことが明らかなものにかかる費用の額

② 研究開発費の額（自社利用のソフトウェアについては、その利用により将来の収益獲得または費用削減にならないことが明らかなものに限る）

③ 製作等のために要した間接費、付随費用等で、その費用の額の合計額が少額（その製作原価のおおむね3％以内の金額）であるもの

上記②に関連して、将来の収益獲得または費用削減の可能性が明らかでないもの（不明なもの）については損金算入が認められません。

一方、会計上は、将来の収益獲得または費用削減が確実である場合に、無形固定資産に計上しなければならないとされており、会計上費用処理したソフトウェアについて、法人税法上で申告調整が必要となる場合があります。

図表Ⅱ－3－1　自社利用ソフトウェアの取扱い

		会計	法人税法
将来の収益獲得または費用削減の可能性	確実	資産計上	資産計上
	不明	費用処理	資産計上
	ならないことが明らか	費用処理	資産計上または損金算入

6.　リース資産

　リース資産については、有形無形を問わず同様の処理となりますので、第Ⅱ部第2章「6.　リース資産」（166頁）を参照してください。

7.　その他の無形固定資産

[1]　勘定科目の概要

　その他の無形固定資産には、例えば以下❶～❹のようなものがあります。

　なお、これらの勘定科目にかかる会計・税務処理について、建設業に固有の処理は定められていません。

❶ 電話加入権

　電話役務の提供を受けるために加入電話の施設を利用する権利をいいます。具体的には、電話加入契約にともなって支払った加入料や設置料が該当します。

　電話加入権は非償却資産であるため、償却しません。

❷ 施設利用権

　各種の施設を設置するために要する費用を負担することにより、その施設を利用して便益を受ける権利をいいます。水道施設利用権や電気通信施設利用権、温泉利用権などが該当します。施設利用権は減価償却資産であり、償却により費用化します。

❸ 商標権

　商標法に基づき登録することによって、商標を独占的、排他的に使用できる

権利をいいます。商標権は減価償却資産であり、償却により費用化します。

❹ その他

以上のほかに、鉱業権、漁業権、入漁権、実用新案権、著作権、意匠権及び水利権等があります。

[2] 会計処理

無形固定資産の取得時に資産計上し、減価償却資産については所定の期間で減価償却を実施します。

【事例Ⅱ－3－6】施設利用権の取得と償却

① 支店所在地の再開発にともなう下水道整備がなされ、受益者負担金として3,000千円（消費税別）支払った。

（借方）水 道 施 設 利 用 権　　　3,000　（貸方）現　金　預　金　　　3,300
　　　　仮 払 消 費 税 等　　　　300

［消費税］水道施設利用権の取得は資産の譲渡にあたるため、課税取引となります。

② 決算につき減価償却費を計上した。償却期間は5年とし、今期の償却対象期間は7カ月であった。

（借方）減 価 償 却 費　　　350　（貸方）水 道 施 設 利 用 権　　　350

減価償却費＝取得価額3,000千円÷5年×7カ月÷12カ月＝350千円

[3] 税務処理

各無形固定資産につき、法人税法上の耐用年数は次のとおりです（耐用年数令別表第三）。

- 水道施設利用権　　　：15年
- 電気通信施設利用権：20年
- 商標権　　　　　　　：10年
- 意匠権　　　　　　　：7年

その他、鉱業件については定額法または生産高比例法、著作権は出版権の設

定の対価として支出した金額のほかは定めがないなど、それぞれ減価償却の取扱いが異なりますので留意が必要です。

第4章

投資その他の資産

1. 投資有価証券

[1] 有価証券全般について

❶ 有価証券の区分

有価証券とは、財産権を表示する証券であり、その権利の移転または行使に証券が必要なものをいいます。

具体的には、手形、小切手、株券、債券、船荷証券及び倉庫証券等を指しています。このうち、会計上の有価証券勘定で処理するのは金融商品取引法に定める有価証券となりますが、一般に株式や債券がほとんどです（金商法2①）。

なお、「金融商品に関する会計基準」では、有価証券を次の**図表Ⅱ－4－1**の4区分に分類しています（金融商品会計基準15〜18、金融商品実務指針59）。

図表Ⅱ－4－1　有価証券の区分

区分	内容	貸借対照表価額	時価評価差額の取扱い
①売買目的有価証券	時価の変動により利益を得ることを目的として保有する有価証券	時価	当期の損益
②満期保有目的の債券	満期まで所有する意図をもって保有する社債その他の債券	取得原価または償却原価法	該当なし
③子会社及び関連会社株式	支配力または影響力を有する関係会社株式	取得原価	該当なし
④その他有価証券	売買目的有価証券、満期保有目的の債券、子会社及び関連会社株式以外の有価証券	時価	評価差額の合計額を純資産の部に計上*

＊税効果会計を適用する。

❷ 有価証券の取得及び売却

　有価証券の取得及び売却は、原則として売買約定日に認識されます（約定日基準）。ただし、約定日基準に代えて、継続適用を条件に修正受渡日基準によることもできます。修正受渡日基準は、期中は受渡日基準により処理し、決算日に約定済みで未受取りとなっている有価証券の時価変動差額のみを処理する方法です（金融商品実務指針22）。

　有価証券の取得時における付随費用（支払手数料等）は、取得原価に含まれます。ただし、経常的に発生する費用で、有価証券との対応関係が明確でない付随費用は、取得原価に含めないことができます（金融商品実務指針56）。

【事例Ⅱ－4－1】投資有価証券の取得と売却

> ①　その他有価証券40,000千円を購入した。売買委託手数料は200千円（消費税別）であった。
>
> 　（借方）投 資 有 価 証 券　　40,200　（貸方）現 金 預 金　　40,220
> 　　　　　仮 払 消 費 税 等　　　　20

［消費税］有価証券売買の仲介・代理は役務の提供にあたるため、課税取引になります。

② 上記のその他有価証券を60,000千円で売却した。売買委託手数料は300千円（消費税別）であった。

（借方）現 金 預 金　　59,670　（貸方）投 資 有 価 証 券　　40,200
　　　　仮 払 消 費 税 等　　　　30　　　　　　投資有価証券売却益　　19,500

［消費税］有価証券売買の仲介・代理は役務の提供にあたるため、課税取引になります。

投資有価証券売却益＝売却価額60,000千円－取得原価40,200千円－売買委託手数料300千円＝19,500千円

❸ 有価証券の評価

有価証券の評価方法は、総平均法または移動平均法によります。

総平均法は、同一銘柄ごとに期首に保有する有価証券と期中に取得した有価証券の取得価額の合計額を、その合計株数で除して平均単価を求める方法です。移動平均法は、同一銘柄ごとに有価証券の取得の都度平均単価を求めて払出単価とする方法です（**図表Ⅱ－4－2**参照）。

有価証券の評価基準には、時価法、償却原価法及び原価法があげられます。

時価とは算定日において市場参加者間で秩序ある取引が行われると想定した場合の、当該取引における資産の売却によって受け取る価格または負債の移転のために支払う価格とします（時価算定会計基準5）。

償却原価法とは、金融資産または金融負債を債権額または債務額と異なる金額で計上した場合において、当該差額に相当する金額を弁済期または償還期に至るまで毎期一定の方法で取得原価に加減する方法をいいます（金融商品会計基準（注5））。

有価証券の評価基準及び評価方法は、会社の重要な会計方針として注記事項になります（会計規101①一）。

図表Ⅱ－4－2　有価証券台帳の例（移動平均法）

有価証券台帳　　　　　　　　　　　（表）

証券コード8001　　　　　　　銘柄　Ａ社普通株式
　　　　　　　　　　　　　　　決算日　3月31日

年月日	摘　要	受　入			払　出			残　高			備　考
		株数	単価	金額	株数	単価	金額	株数	単価	金額	
X1.8.1	X証券	1,000	600	600,000				1,000	600	600,000	
9.1	Y証券	2,000	690	1,380,000				3,000	660	1,980,000	
12.15	Z証券				1,500	660	990,000	1,500	660	990,000	単価710売却
X2.1.20	X証券	3,000	720	2,160,000				4,500	700	3,150,000	
3.31	次期繰越				4,500		3,150,000				
		6,000		4,140,000	6,000		4,140,000				
4.1	前期繰越	4,500	700	3,150,000				4,500	700	3,150,000	

配当金欄　　　　　　　　　　　　（裏）

年月日	配当金	国　税	地方税	年月日	配当金	国　税	地方税
X1.11.30	6,000	900	300				
X2.6.30	9,000	1,350	450				

［2］　勘定科目の概要

　投資有価証券は、流動資産に記載された有価証券以外の有価証券で、関係会社株式に属するものを除いたものをいいます（勘定科目分類）。

　すなわち、「金融商品に関する会計基準」における有価証券の4つの区分では、満期保有目的の債券のうち1年を超えて償還される予定のものとその他有価証券が該当します。

　なお、投資有価証券の会計・税務処理について、建設業に固有の処理は定められていません。

［3］　会計処理

　投資有価証券に計上される有価証券は、満期保有目的の債券及びその他有価

証券となりますが、それぞれ次のように取り扱います。

❶ 満期保有目的の債券

満期保有目的の債券は、取得原価をもって貸借対照表価額とします。ただし、債券を債券金額より低い価額または高い価額で取得した場合において、取得価額と債券金額との差額の性格が金利の調整と認められるときは、償却原価法に基づいて算定された価額をもって貸借対照表価額としなければなりません（金融商品会計基準16）。

償却原価法による取得原価への加減額は、有価証券利息に含めて処理します。この利息を期間配分する方法は利息法（債券のクーポン受取総額と金利調整差額の合計額を債券の帳簿価額に比し一定率となるように、複利をもって各期の損益に配分する方法）が原則とされますが、継続適用を条件に、簡便法である定額法（債券の金利調整差額を取得日または受渡日から償還日までの期間で除して各期の損益に配分する方法）を利用することができます（金融商品実務指針70）。

なお、中小企業は取得原価で計上することも考えられます（中小企業会計要領5）。

【事例Ⅱ－4－2】償却原価法の適用

> 満期保有目的の額面100,000千円の社債について、97,000千円で流通市場から取得している。差額は金利の調整と認められるので、決算につき償却原価法を適用する。取得時から償還までの期間は3年、そのうち当期には9カ月が属している。
>
> （借方）投 資 有 価 証 券　　750　（貸方）有 価 証 券 利 息　　750
> 有価証券利息＝（100,000千円－97,000千円）÷3年×9カ月÷12カ月＝750千円

❷ その他有価証券

その他有価証券は、時価をもって貸借対照表価額とし、評価差額は洗替え方式に基づき、次のいずれかの方法により処理します（金融商品会計基準18）。

・評価差額の合計額を純資産の部に計上する

・時価が取得原価を上回る銘柄にかかる評価差額は純資産の部に計上し、時

価が取得原価を下回る銘柄にかかる評価差額は当期の損失として処理する

また、これにより純資産の部に計上されるその他有価証券の評価差額については、税効果会計を適用しなければなりません（第Ⅱ部第8章「7.その他有価証券評価差額金」（291頁）参照）。

【事例Ⅱ−4−3】 その他有価証券の時価評価

① その他有価証券に分類される株式の取得価額は120,000千円であるが、決算につき期末の時価130,000千円で評価を行う。なお、税効果会計適用における実効税率は30％とする。

（借方）投 資 有 価 証 券　　　10,000　　（貸方）繰 延 税 金 負 債　　　3,000

その他有価証券評価差額金　　7,000

その他有価証券評価差額金 ＝ （130,000千円−120,000千円）×（100％−30％）

＝7,000千円

② 翌期首において、前期末の時価評価を洗い替える。

（借方）繰 延 税 金 負 債　　　3,000　　（貸方）投 資 有 価 証 券　　　10,000

その他有価証券評価差額金　　7,000

なお、中小企業については、その他有価証券が多額でない場合など、取得原価で計上することも考えられます（中小企業会計指針19、中小企業会計要領5）。

❸ **有価証券の減損**

満期保有目的の債券、子会社株式及び関連会社株式ならびにその他有価証券のうち、市場価格のない株式等以外のものについて時価が著しく下落したときは、回復する見込みがあると認められる場合を除き、時価をもって貸借対照表価額とし、評価差額は当期の損失として処理しなければなりません（金融商品会計基準20）。

市場価格のない株式等については、発行会社の財政状態の悪化により実質価額が著しく低下したときは、相当の減額をなし、評価差額は当期の損失として処理しなければなりません（金融商品会計基準21）。

「時価が著しく下落したとき」とは、個々の銘柄の有価証券の時価が取得原価に比べて50％程度以上下落した場合をいいます。上記以外の場合には、状況に応じ、個々の企業において時価が「著しく下落した」と判断するための合理的な基準を設け、当該基準に基づき回復可能性の判定の対象とするかどうかを判断します。その際、個々の銘柄の有価証券の時価の下落率がおおむね30％未満の場合には、一般的には「著しく下落した」ときに該当しないものと考えられます（金融商品実務指針91）。

なお、中小企業については、法人税法に定める減損処理に拠った場合と比べて重要な差異がないと見込まれるときは、法人税の取扱いに従うことが認められます（中小企業会計指針22）。

【事例Ⅱ－4－4】投資有価証券の減損

その他有価証券 A 株式500千円について、決算日における時価は200千円であった。取得原価に対して50％超下落しており、回復の見込みもないと判断されるため減損を認識する。

（借方）投資有価証券評価損　　　　300　（貸方）投 資 有 価 証 券　　　　300

[4] 税務処理

売買目的以外の有価証券について、「有価証券の価額が著しく低下したこと」とは、当該有価証券の当該事業年度終了のときにおける価額がそのときの帳簿価額のおおむね50％相当額を下回ることとなり、かつ、近い将来その価額の回復が見込まれないこととされています（法基通9－1－7）。回復可能性の判断は、過去の市場価格の推移や発行法人の業況等も踏まえ、当該事業年度の終了のときに行います。

償却原価法の適用における利息の配分は、法人税法上は定額法のみが認められています（法令119の14、139の2②）。したがって、利息法で会計処理を行った場合は申告調整が必要になります。

2. 関係会社株式・関係会社出資金

[1] 勘定科目の概要

関係会社株式とは、会社計算規則第2条第3項第22号に定める関係会社の株式であり、関係会社出資金とは、同項で定められた関係会社に対する出資金をいいます（勘定科目分類）。関係会社とは、当該株式会社の親会社、子会社及び関連会社ならびに当該株式会社が他の会社等の関連会社である場合における当該他の会社（その他の関係会社）等をいいます（会計規2③二十五）。

なお、関係会社株式及び関係会社出資金について、建設業に固有の処理は定められていません。

ここで、親会社、子会社及び関連会社を整理すると以下❶～❸のようになります。

❶ 親会社

親会社とは、株式会社を子会社とする会社その他の当該株式会社の経営（財務及び事業の方針の決定）を支配している会社をいいます（会社法2四、会施規3②）。親会社株式は、売買目的有価証券またはその他有価証券に分類され、それぞれの保有目的区分にかかる方法に準拠して処理を行います。

❷ 子会社

子会社とは、会社がその総株主の議決権の過半数を有する株式会社その他の当該会社が、その経営（財務及び事業の方針の決定）を支配している場合における当該他の会社等をいいます（会社法2三、会施規3①）。

具体的には、議決権の過半数を自己の計算において所有している会社等（民事再生法による再生手続開始の決定を受けた会社、会社更生法、破産法による手続開始決定を受けた会社であって、有効な支配従属関係は存在しないと認められる会社等を除く）が該当します。

また、議決権の100分の40以上100分の50以下を自己の計算において所有している会社等で、会社法施行規則第3条第3項第2号に定める要件に該当する会

社等も子会社になります。

❸ 関連会社

関連会社は、会社が他の会社等の財務及び事業の方針の決定に対して重要な影響を与えることができる場合における当該他の会社等（子会社を除く）をいいます（会計規2③二十一）。

すなわち、所有している議決権の数の割合が100分の20以上である会社、議決権の100分の15以上100分の20未満を自己の計算において所有している会社等で会社計算規則第2条第4項に定められている要件に該当する会社等が関連会社となります。

[2] 会計処理

子会社株式及び関連会社株式は、取得原価をもって貸借対照表価額とします。ただし、時価（または実質価額）が著しく下落したときは、回復する見込みがあると認められる場合を除き時価（または実質価額）をもって貸借対照表価額とし、評価差額は当期の損失として処理します。

なお、親会社の株式を取得した場合は、貸借対照表上では親会社株式として表示します。

【事例Ⅱ－4－5】関係会社株式の取得

① A社の株式30％を500千円で取得し、A社を関連会社とした。

（借方）関 係 会 社 株 式　　500　（貸方）現　金　預　金　　500

② 決算時において、時価は40％値上がりしていた。

（仕訳なし）

関連会社株式は取得原価評価のため、減損する場合を除いて時価評価されません。

【事例Ⅱ－4－6】関係会社株式の減損

　　事例Ⅱ－4－5のA社株式の時価が取得時に比べて60％下落し、かつ回復見込がないため、減損処理を行う。

　　（借方）関係会社株式評価損　　　　300　（貸方）関 係 会 社 株 式　　　　300

[3]　税務処理

　関係会社株式は、法人税法上はその他有価証券に区分されます。その取得及び譲渡、評価は、その他有価証券と同様となります（本章「1．投資有価証券」（186頁）参照）。

3.　長期貸付金

[1]　勘定科目の概要

　長期貸付金は、流動資産に記載された短期貸付金以外の貸付金であり、1年を超えて回収されるものが該当します（勘定科目分類）。貸付金は、金銭消費貸借契約等に基づいて取引が行われるものや、手形によるものがあります。

　また、建設協力金についても、長期貸付金として計上されることがあります（本章「9．その他投資」（209頁）参照）。

　なお、長期貸付金の会計・税務処理について、建設業に固有の処理は定められていません。

[2]　会計処理

　貸付金は金融資産の1つであり、その発生は資金の貸付実行時に認識し、回収時に消滅を認識します。また、決算時には取得原価から貸倒見積高に基づいて算定された貸倒引当金を控除した金額で評価します。

【事例Ⅱ－4－7】 貸付の実行・回収と評価

① 取引業者に運転資金として期間5年、利率2%、年1回元金均等分割弁済で30,000千円を貸し付けた。

　（借方）長 期 貸 付 金　30,000　（貸方）現 金 預 金　30,000

② 当期の返済期日が到来し、約定どおり返済された。

　（借方）現 金 預 金　6,600　（貸方）長 期 貸 付 金　6,000

　　　　　　　　　　　　　　　　　　　　　受 取 利 息　600

③ 決算時に回収不能見込額として5,000千円の貸倒引当金を計上した。

　（借方）貸倒引当金繰入額　5,000　（貸方）貸 倒 引 当 金　5,000

　債権を債権金額と異なる価額で取得した場合において、取得価額と債権金額との差額の性格が金利の調整と認められるときは、償却原価法に基づいて算定された金額から貸倒引当金を控除した金額で評価します（金融商品実務指針105）。

【事例Ⅱ－4－8】 信用リスクを反映した債権の取得と償却原価法

① 平成X1年4月1日に利率1.5%、実効利子率1.2%、利払日3月31日、回収期間3年で貸付金（取得価額10,000千円、債権金額12,000千円）を取得した。

　（借方）長 期 貸 付 金　10,000　（貸方）現 金 預 金　10,000

② 決算時（平成X2年3月31日）に利息相当額150千円が入金された。

＜全額利息として受け入れた場合＞

　（借方）現 金 預 金　150　（貸方）受 取 利 息　150

＜入金150千円を元本と利息に配分した場合＞

　（借方）現 金 預 金　150　（貸方）受 取 利 息　120

　　　　　　　　　　　　　　　　　　　　　長 期 貸 付 金　30

　受取利息＝取得価額10,000千円×実効利子率1.2%＝120千円

[3] 税務処理

会社更生法もしくは「金融機関等の更生手続の特例等に関する法律」の規定に基づく更生計画の認可により債権を切り捨てた場合は、その減額した部分は所得金額の計算上損金の額に算入します（法法33③）。

法人が、災害を受けた得意先等の取引先に対してその復旧を支援することを目的として災害発生後相当の期間（災害を受けた取引先が通常の営業活動を再開するための復旧過程にある期間）内に売掛金、未収請負金、貸付金その他これらに準ずる債権の全部または一部を免除した場合には、その免除したことによる損失の額は、寄付金の額に該当しないものとされています。契約で定められた従前の取引条件を変更する場合や、災害発生後に新規に行う取引につき従前の取引条件を変更する場合も、同様とされています（法基通9－4－6の2）。

例えば、すでに契約で定められたリース料、貸付利息、割賦販売にかかる賦払金等で災害発生後に授受するものの全部または一部の免除を行うような場合が該当します。

また、取引先の復旧を支援することを目的として災害発生後相当の期間内に行われた低利または無利息による融資は、正常な取引条件に従ったものと扱われます（法基通9－4－6の3）。

4. 破産更生債権等

[1] 勘定科目の概要

破産更生債権等は、完成工事未収入金、受取手形等の営業債権及び貸付金、立替金等のその他の債権のうち破産債権、再生債権、更生債権その他これらに準ずる債権で、決算期後1年以内に弁済を受けられないことが明らかなものをいいます（勘定科目分類）。すなわち、経営破綻または実質的に経営破綻に陥っている債務者に対する債権が該当します。

なお、破産更生債権等の会計・税務処理について、建設業に固有の処理は定められていません。

[2] 会計処理

破産更生債権等については、債権額から担保の処分見込額及び保証による回収見込高を控除し、その残額を貸倒見積高とします。清算配当等により回収が可能と認められる金額も、債権の額から控除することができます。

【事例Ⅱ－4－9】施主の倒産にともなう損失処理

倒産した施主に対し破産更生債権1,000千円を有しているが、民事再生計画が認可決定された。再生計画によると債権の90％は切り捨てられ、残額は5年で返済されるというものであった。残債権について貸倒引当金を設定する。

（借方）破 産 更 生 債 権 等　　100	（貸方）完成工事未収入金　　1,000	
貸　倒　損　失　　900		
（借方）貸倒引当金繰入額　　100	（貸方）貸　倒　引　当　金　　100	

[3] 税務処理

破産更生債権は、貸倒引当金の繰入限度額の算定において、個別評価金銭債権に該当します。したがって、債権の一部について貸倒れその他これに類する事由による損失が見込まれる場合に貸倒引当金を計上します。また、所定の事実が生じた場合には、貸倒損失として債権金額を減額します。

詳細は、本章「7．貸倒引当金　[3] 税務処理」（205頁）及び第10章「13．貸倒損失　[3] 税務処理」（352頁）を参照してください。

5. 長期前払費用

[1] 勘定科目の概要

長期前払費用は、前払費用のうち決算日後1年を超えたあとに費用になるものとして支払われた対価をいいます。流動資産に記載された前払費用以外のもので、未経過保険料、未経過支払利息及び前払賃借料等が該当します（勘定科目分類）。

なお、長期前払費用の会計・税務処理について、建設業に固有の処理は定められていません。

[2] 会計処理

長期前払費用として計上されたもののうち、決算日後１年以内に役務提供を受けるものは前払費用に振り替えますが、金額的重要性が低い場合は長期前払費用のままで費用化することも認められます。

【事例Ⅱ－4－10】保険料の支払い（支出時に長期前払費用処理）

---

① 火災保険料5年分（2,400千円）を期首に一括払いした。

（借方）長 期 前 払 費 用 　 2,400 （貸方）現 　 金 　 預 　 金 　 　 2,400

② 決算時に当期分の保険料480千円を費用に振り替えるとともに、翌期分の保険料480千円について前払費用に振り替えた。

（借方）保 　 　 険 　 　 料 　 　 480 （貸方）長 期 前 払 費 用 　 　 　 960
　　　　前 　 払 　 費 　 用 　 　 480

---

[3] 税務処理

支出時の損金として認められない法人税法上の繰延資産について、会計上は長期前払費用に計上するのが一般的です。会計上費用処理を行った場合には、法人税法上は申告調整することになります。

法人税法上の繰延資産には、①公共的施設の設置等の負担金、②共同的施設の設置等の負担金、③借家権利金、④電子計算機、複写機等の機器の賃借にともなって支出する費用、⑤ノウハウの頭金、⑥広告宣伝用資産の贈与費用、⑦スキー場のゲレンデ整備費用、⑧出版権の設定の対価、⑨同業者団体等の加入金、⑩職業運動選手等の契約金があります（法基通8－2－3）。

6. 繰延税金資産

[1] 税効果会計全般について

　貸借対照表の繰延税金資産及び繰延税金負債、損益計算書の法人税等調整額は税効果会計の適用によって生じます。ここではまず、税効果会計について概説します。

❶ 税効果会計のはたらき

　税効果会計とは、会計上の収益・費用と税務上の益金・損金の認識時点が異なる結果、会計上と税務上の資産・負債の額に相違がある場合において、法人税等を適切に期間配分することにより、税引前当期純利益と法人税等を合理的に対応させることをいいます。税効果会計が対象とする税金とは、利益に関連する金額を課税所得とする税金を指し、具体的には法人税、事業税所得割、住民税（都道府県民税、市町村民税）法人税割が対象になります。

　通常は、会計上の税引前当期純利益と税務上の課税所得には差異があります。そのため、税金計算の結果得られる税金費用（法人税等）の金額は、税引前当期純利益と合理的な対応がありません。税効果会計により、それを調整して対応させることができます。

　税効果会計では、会計上と税務上の資産・負債の差額である一時差異（将来減算一時差異及び将来加算一時差異）に法定実効税率を乗じた額を繰延税金資産または繰延税金負債として計上します。

　将来減算（加算）一時差異とは、当該期に課税所得の計算上は加算（減算）され、将来において差異が解消されるときに課税所得の計算上減算（加算）されるものをいいます。また、法定実効税率は、課税所得に対する税額負担率のことを指し、以下により算定されます。

$$
\text{法定実効税率} = \frac{\text{法人税率} \times (1 + \text{地方法人税率} + \text{住民税率}) + \text{事業税率}}{1 + \text{事業税率}}
$$

図表Ⅱ－4－3 計算例

<税効果会計を適用していない場合>
税引前当期純利益が同額であっても、所得計算の結果、法人税は異なることがある。

（単位：千円）

	X 1 期	X 2 期
税引前当期純利益	10,000	10,000
法人税、住民税及び事業税	3,600	4,200
当期純利益	6,400	5,800

<税効果会計を適用した場合（法定実効税率を30％とする）>
理論上は、税引前当期純利益が同額であれば、法人税、住民税及び事業税は同額となる。

（単位：千円）

		X 1 期	X 2 期
税引前当期純利益		10,000	10,000
課税所得の計算	（加算）		
	貸倒引当金超過額	1,000	2,000
	賞与引当金	2,000	4,000
	（減算）		
	棚卸資産評価損認容	1,000	
	賞与引当金認容		2,000
課税所得（①）		12,000	14,000
法人税等（②＝①×30％）		3,600	4,200
法人税等調整額（③）		△600*1	△1,200*2
税金費用合計（②＋③）		3,000	3,000
当期純利益		7,000	7,000

＊1　X1期の法人税申告書別表五（一）　　　　　　　　　（単位：千円）

	X1期首	増加	減少	X1期末
貸倒引当金		1,000		1,000
賞与引当金		2,000		2,000
棚卸資産	1,000		1,000	
計	1,000	3,000	1,000	3,000

将来減算一時差異の増加額＝X1期末3,000千円－X1期首1,000千円＝2,000千円
法人税等調整額＝2,000千円×実効税率30％＝600千円

＊2　X2期の法人税申告書別表五（一）　　　　　　　　　（単位：千円）

	X2期首	増加	減少	X2期末
貸倒引当金	1,000	2,000		3,000
賞与引当金	2,000	4,000	2,000	4,000
計	3,000	6,000	2,000	7,000

将来減算一時差異の増加額＝X2期末7,000千円－X2期首3,000千円＝4,000千円
法人税等調整額＝4,000千円×実効税率30％＝1,200千円

　このように、税効果会計を適用しない場合には、申告調整を経た法人税等の金額により、税引前当期純利益と税金費用及び当期純利益は対応しません。税効果会計を適用すると、理論上は、税引前当期純利益が同額であれば、税金費用及び当期純利益は同額となり、税金費用の負担率は法定実効税率に一致します（実務上は、課税所得の計算上永久に損金・益金に算入されない永久差異の存在により必ずしも一致しません）。

❷ 繰延税金資産の回収可能性

　以上のような計算に基づき繰延税金資産及び繰延税金負債は計上されますが、繰延税金資産については、資産として計上するにあたり回収可能性が認められることが前提となります。繰延税金資産の計上は、将来支払うべき法人税等を減額する効果が認められる場合、すなわち将来減算一時差異に対応する課税所得を獲得する見込みがあることが必要となります。

その繰延税金資産の回収可能性については、次の①〜③に基づいて、将来の税金負担額を軽減する効果を有するかどうかを判断します（回収可能性適用指針6）。

①　収益力に基づく一時差異等加減算前課税所得

②　タックス・プランニングに基づく一時差異等加減算前課税所得

③　将来加算一時差異

実務上は、会社を5つの区分に分類し、収益力やタックス・プランニングを評価のうえ繰延税金資産を計上するのが一般的です（回収可能性適用指針15〜34）。過去の業績や納税実績に加えて、企業の利益計画の妥当性が重要なポイントとなります。

❸ **繰延税金資産及び繰延税金負債の表示**

繰延税金資産及び繰延税金負債の貸借対照表における表示は、繰延税金資産は投資その他の資産の区分に、繰延税金負債は固定負債の区分に表示します（税効果会計基準第三1、税効果会計に係る会計基準の一部改正（企業会計基準第28号）2・1）。

また、同一納税主体の繰延税金資産と繰延税金負債は、双方を相殺して表示し、異なる納税主体の繰延税金資産と繰延税金負債は、双方を相殺せずに表示します（税効果会計基準第三2）。

なお、税効果会計の適用に関して、建設業に固有の処理は求められておりません。

[2]　勘定科目の概要

繰延税金資産は、税効果会計の適用により資産として計上される金額をいいます。対象となる将来減算一時差異の例としては、賞与引当金否認額、未払事業税、減価償却超過額、減損損失などがあげられます。また、一時差異ではありませんが、同様の効果を持つ繰越欠損金の解消見込額もあります。

なお、繰延税金資産の会計・税務処理については、建設業に固有の処理は定められていません。

また、中小企業については、中小企業会計指針では会計基準と同様の規定と

なっています（中小企業会計指針62～67）。一方、中小企業会計要領には税効果会計に関する規定がなく、適用を前提としていないものと考えられます。

[3] 会計処理

　繰延税金資産及び繰延税金負債の計上または取崩しにあたっては、法人税等調整額を相手勘定として用います。

【事例Ⅱ－4－11】繰延税金資産の計上（新規適用の場合）

　　期首時点の繰延税金資産残高は24,000千円、今期の繰延税金資産増加分は5,000千円を計上した。

　（借方）繰　延　税　金　資　産　　　5,000　（貸方）法　人　税　等　調　整　額　　　5,000

【事例Ⅱ－4－12】繰延税金資産の取崩し

　　期末の将来減算一時差異が減少したため、繰延税金資産を取り崩した。

　（借方）法　人　税　等　調　整　額　　24,000　（貸方）繰　延　税　金　資　産　　24,000

【事例Ⅱ－4－13】繰延税金資産の相殺表示

　　繰延税金資産残高6,000千円のうち4,000千円を、繰延税金負債4,000千円と相殺した。

　（借方）繰　延　税　金　負　債　　　4,000　（貸方）繰　延　税　金　資　産　　　4,000

[4] 税務処理

　税効果会計は税務処理に関して何ら影響を与えません。したがって、会計上で計上した繰延税金資産及び法人税等調整額などは、すべて申告調整における調整項目となります。

7. 貸倒引当金

[1] 勘定科目の概要

　固定資産に計上される貸倒引当金は、長期貸付金等、投資その他の資産に属する債権に対する貸倒見込額を一括して記載します（勘定科目分類）。会計上は、債権の貸倒見積高の算定にあたって、債権を債務者の財政状態及び経営成績等に応じて一般債権、貸倒懸念債権及び破産更生債権等に区分し、その区分に応じてそれぞれ算定します。

　なお、貸倒引当金の会計・税務処理について、建設業に固有の処理は定められていません。

[2] 会計処理

　会計処理は、原則として流動資産における貸倒引当金も、投資その他の資産における貸倒引当金も同様です（第Ⅱ部第1章「13. 貸倒引当金」(149頁) 参照）。

【事例Ⅱ－4－14】貸倒引当金の設定

　A社は子会社B社に2,000千円の貸付を行っていたが、B社の経営状態が悪化したため、1,000千円は切り捨て、今後の回収見込みを700千円とする返済計画に合意し、貸倒引当金を300千円設定した。

　(借方) 貸　倒　損　失　　1,000　(貸方) 長　期　貸　付　金　　1,000
　　　　　貸倒引当金繰入額　　 300　　　　　貸　倒　引　当　金　　 300

　切捨て部分は、損失負担を行わなければ今後より大きな損失を蒙ることになることが社会通念上明らかであること、損失負担に至ったことに相当の理由があると認められる場合は寄付金に該当しないとされています（法基通9－4－1）。

[3] 税務処理

　法人税法における貸倒引当金の繰入限度額は、個別評価金銭債権にかかる繰

入限度額と一括評価金銭債権にかかる繰入限度額の合計額となります（法法52
①②）。本項では、個別評価金銭債権にかかる繰入限度額について解説します。

　流動資産における貸倒引当金も投資その他の資産における貸倒引当金も、税
務処理に相違はありませんが、法人税法上で貸倒引当金を繰り入れることので
きる適用法人の範囲と、一括評価金銭債権にかかる繰入限度額については第Ⅱ
部第1章「13．貸倒引当金　[3]税務処理」（152頁）を参照してください。

❶ 個別評価金銭債権の範囲

　個別評価金銭債権とは、債権の一部について貸倒れその他これに類する事由
による損失が見込まれる金銭債権をいいます（法令52①）。個別評価金銭債権
には、売掛金、貸付金その他これらに類する債権はもとより、保証金や前渡金
等の返還請求債権等も含めた広義の債権が含まれます（法基通11−2−3）。

❷ 個別評価金銭債権にかかる繰入限度額

　具体的には、以下①〜④の金額が繰入限度額となります。

①　長期棚上げ債権（法令96①一）

　会社更生法による更生計画認可決定や民事再生法による再生計画認可決定
などにより、事業年度終了の日の翌日から5年を経過して弁済される金額（担
保権の実行等による回収見込みがあると認められる部分を除く）

②　実質基準（法令96①二）

　金銭債権（①の適用があるものを除く）にかかる債務者につき、a．債務超
過の状態が相当期間継続し、かつ、その営む事業に好転の見通しがないこと、
b．災害、経済事情の急変等により多大な損害が生じたこと、c．その他の
事由が生じていること等により、個別評価金銭債権の一部の金額についてそ
の取立て等の見込みがないと認められるときにおける回収不能額に相当する
金額

③　形式基準（法令96①三）

　金銭債権（①及び②の適用があるものを除く）にかかる債務者につき、会社
更生手続、民事再生手続、破産手続及び特別清算手続の開始の申立てや、手
形交換所における取引停止処分等の事由（法基通11−2−11）が生じている

場合における当該金銭債権の額（実質的に債権と認められない部分の金額、担
保権の実行や保証債務の履行その他により取立て等の見込みがあると認められる
部分の金額を除く）の50％に相当する金額

④　外国政府等に対する金銭債権のうち、経済的価値が著しく減少し、かつ、
回収困難な金銭債権の50％に相当する金額（法令96①四）

なお、担保権の実行により取立ての見込みがあると認められる部分の金額は、
質権、抵当権、所有留保権及び信用保険等によって担保されている部分の金額
であることに留意が必要です（法基通11－2－5）。

8.　投資損失引当金

[1]　勘定科目の概要

子会社株式等（市場価格のない子会社株式及び関連会社株式）に対して、一定
の要件に該当する場合には投資損失引当金を計上します。ただし、減損処理の
対象となる子会社株式等については、投資損失引当金による処理は認められま
せんので留意する必要があります。

一定の要件とは、次の①と②のとおりです。

①　子会社株式等の実質価額が著しく低下している状況には至っていないも
のの、実質価額がある程度低下したときに、健全性の観点からこれに対応
して引当金を計上する場合

②　子会社株式等の実質価額が著しく低下したものの、会社はその回復可能
性が見込めると判断して減損処理を行わなかったが、健全性の観点からリ
スクに備えて引当金を計上する場合

例えば、回復可能性の判断の根拠となる再建計画等が外部の要因に依存する
度合が高い場合等が該当します（監査委員会報告第71号2（1））。

なお、投資損失引当金の会計・税務処理について、建設業に固有の処理は定
められていません。

[2] 会計処理

❶ 投資損失引当金の計上

子会社等の財政状態が悪化し、その株式の実質価額が低下した場合には、その低下に相当する額を投資損失引当金として計上します（監査委員会報告第71号2（2））。

【事例Ⅱ－4－15】投資損失引当金の計上

市場価格のない子会社株式10,000千円に対して、子会社の純資産価額が5,500千円まで低下したため、将来の損失計上にそなえて投資損失引当金を4,500千円計上した。

（借方）投資損失引当金繰入額　　4,500　（貸方）投資損失引当金　　4,500

❷ 投資損失引当金の取崩し

投資損失引当金計上後、子会社等の財政状態がさらに悪化して株式の実質価額が著しく低下した場合、または株式の実質価額の回復可能性が見込めなくなった場合には、引当金を取り崩し、当該子会社株式等を減損処理します。

子会社株式等の財政状態が改善し、株式の実質価額が回復した場合には、回復部分に見合う額の投資損失引当金を取り崩します。ただし、子会社等の事業計画等により財政状態の改善が一時的と認められる場合には、当該投資損失引当金の取崩しは認められません（監査委員会報告第71号2（3））。

【事例Ⅱ－4－16】投資損失引当金の取崩し

事例Ⅱ－4－15における子会社株式について、純資産価額が3,000千円回復したため、引当金を取り崩した。

（借方）投資損失引当金　　3,000　（貸方）投資損失引当金戻入額　　3,000

[3] 税務処理

法人税法上は、投資損失引当金は引当金として認められていませんので、引当金の繰入れまたは戻入れをした場合は別表上加減算して調整します。

9. その他投資

[1] 勘定科目の概要

その他投資に区分される勘定科目は、建設協力金等の差入預託保証金、ゴルフ会員権、保険積立金等があげられます。

なお、これらの勘定科目にかかる会計・税務処理について、建設業に固有の処理は定められていません。

❶ 建設協力金

建設協力金とは、建物建設時に消費寄託する建物等の賃貸にかかる預託保証金であり、契約に定めた期日に預託金受入企業が現金を返還し差入企業がこれを受け取る契約となります。

例えば、当初無利息であり10年経過すると低利の金利が付き、その後10年間にわたり現金で返済されるようなものがあります（金融商品実務指針221）。

❷ 会員権

会員権とは、施設運営会社の発行する株式、あるいは当該会社に対する預託保証金または入会金から構成されており、施設利用権が化体されたものです。

❸ 保険積立金

保険積立金とは、満期返戻金を有する保険契約などにかかる保険料を積み立てる勘定です。

例えば、役員を被保険者として、会社を受取人とする長期の生命保険をかける場合などがあります（金融商品実務指針221）。

[2] 会計処理

❶ 建設協力金等の差入預託保証金

将来返還される建設協力金等の差入預託保証金は金融商品であり、「金融商

品に関する会計基準」に基づいて会計処理を行います（金融商品実務指針10）。

差入預託保証金の貸借対照表計上額は当初認識時の時価であり、返済期日までのキャッシュ・フローを割り引いた現在価値となります。支払額と当該時価との差額は長期前払家賃として計上し、契約期間にわたって各期の損益に合理的に配分します。ただし、返済期日までの期間が短いもの等、その影響額に重要性がないものは現在価値に割り引かないことができます（金融商品実務指針133）。

敷金は取得原価で計上しますが、回収不能と見込まれる金額がある場合には貸倒引当金を設定する必要があり、返還されない部分があれば賃借期間にわたって償却します（金融商品実務指針133）。

また、建物等の賃借契約において、当該賃借建物等に係る有形固定資産（内部造作等）の除去などの原状回復が要求されている場合には、当該契約条項により敷金の回収が最終的に見込めないと認められる金額を合理的に見積もり、賃借期間にわたって償却する処理を採用している場合にはこれに従って処理します（資産除去債務適用指針9）。

【事例Ⅱ－4－17】建設協力金の処理

A社は、X1年にテナントとして入居予定のビル建設資金200,000千円を地主に建設協力金として支払った。建設協力金は10年間にわたって、毎期末日に20,000千円ずつ金利とともに返済を受ける。建設協力金の回収キャッシュ・フローの現在価値は175,000千円、X2年の利息計上額は3,000千円とする（簡略化のため現在価値の計算については省略する。詳細については金融商品実務指針設例15参照）。

① 地主に建設協力金を支払った。

（借方）長 期 貸 付 金　175,000　（貸方）現 金 預 金　200,000
　　　　長 期 前 払 家 賃　 25,000

長期前払家賃＝建設協力金200,000千円－現在価値175,000千円＝25,000千円

② X2年期末日において、元本20,000千円と利息2,000千円が入金された。

（借方）長 期 貸 付 金　 3,000　（貸方）受 取 利 息　 5,000

現 金 預 金 　 2,000

（借方）現 金 預 金 　20,000 　（貸方）長 期 貸 付 金 　20,000

（借方）地 代 家 賃 　 2,500 　（貸方）長 期 前 払 家 賃 　 2,500

受取利息＝利息計上額3,000千円＋利息回収額2,000千円＝5,000千円

地代家賃＝長期前払家賃25,000千円÷10年＝2,500千円

【事例Ⅱ－4－18】敷金の処理

① 事務所の賃借契約に際して敷金5,000千円を支払ったが、そのうち1,800千円
は返還されない契約である。契約期間は2年であり、契約期間満了時には更新
料を支払って契約継続ができる。

（借方）敷 　 　 　 　 金 　 3,200 　（貸方）現 　 金 　 預 　 金 　 5,000

　 　 　 長 期 前 払 費 用 　 1,800

② 決算に際して、長期前払費用の費用化を行う。当期に帰属する期間は4カ月
であった。

（借方）長 期 前 払 費 用 償 却 　 300 　（貸方）長 期 前 払 費 用 　 300

長期前払費用償却＝1,800千円×4カ月÷24カ月（2年）＝300千円

---

❷ 会員権

　ゴルフ会員権等のうち、株式または預託保証金方式から構成されるものは金
融商品に該当し、「金融商品に関する会計基準」に基づいて会計処理を行います。

　施設利用権を化体した株式及び預託保証金であるゴルフ会員権等は、取得原
価をもって計上します。それらのうち、市場価格のあるものについて著しい時
価の下落が生じた場合、または市場価格がないものについて当該株式の発行会
社の財政状態が著しく悪化した場合には、有価証券に準じて減損処理を行うこ
とになります。

　また、預託保証金の回収可能性に疑義が生じた場合には、債権の評価勘定と
して貸倒引当金を設定することになります（金融商品実務指針135）。その際、

預託保証金額を上回る部分は直接評価損を計上し、下回る部分については貸倒引当金を設定することに留意が必要です（金融商品実務指針311）。

【事例Ⅱ－4－19】 ゴルフ会員権の減損

＜株式方式＞

　株式形態のゴルフ会員権を7,000千円保有している。期末日における運営会社株式の実質価額は3,000千円であるため、減損処理を行う。

　（借方）会 員 権 評 価 損　　4,000　（貸方）会　　　員　　　権　　4,000

＜預託保証金方式＞

　預託保証金形態のゴルフ会員権10,000千円（うち預託保証金8,000千円、入会金等2,000千円）を保有している。会員権相場における時価は4,000千円であり、減損処理を行う。

　（借方）会 員 権 評 価 額　　2,000　（貸方）会　　　員　　　権　　2,000
　　　　　貸倒引当金繰入額　　4,000　　　　　貸 倒 引 当 金　　4,000

　貸倒引当金繰入額＝帳簿価額10,000千円－入会金等2,000千円－時価4,000千円
　　　　　　　　　　＝4,000千円

❸ 保険積立金

　保険料の支払いには、いわゆる掛捨型と積立型があります。掛捨型の場合は保険積立金は生じません。また積立型であっても、保険料の全額が返戻されるとは限りません。保険積立金として処理すべき契約であるか否かは、保険契約をよく確認する必要があります。

【事例Ⅱ－4－20】 保険積立金の処理

①　役員養老保険を契約し、保険料200千円を支払った。この保険契約は半額が損金（費用）、半額は積立てされるタイプのものである。

　（借方）保　　　険　　　料　　　100　（貸方）現　金　預　金　　　200

|（借方）|保　険　積　立　金|100|

② 上記保険が満期を迎え、返戻金6,200千円が振り込まれた。保険積立金残高は6,000千円であった。

|（借方）現　金　預　金|6,200|（貸方）保　険　積　立　金|6,000|
| | |保　険　返　戻　金|200|

[3] 税務処理

　法人会員として支出したゴルフクラブの入会金は、資産として計上するものとされており、購入代価のほかに名義変更料も含むとされています（法基通9-7-11）。また、法人が資産に計上した入会金については償却を認めないとされていますが、脱退してもその返還を受けられない場合における入会金に相当する額及び譲渡損失については、その日の属する事業年度の損金に算入することとなります（法基通9-7-12）。

　保険積立金に関して、福利厚生目的のハーフタックスプランがあります。これは、養老保険における死亡保険金の受取人を役員・従業員の遺族とし、満期保険金の受取りを会社とすることで、保険料の2分の1を損金算入することができます（法基通9-3-4）。これに対して、死亡保険金の受取人を会社とし、満期保険金の受取人を役員とする場合で、会社がその保険料の2分の1を給与、残る2分の1を定期保険料として処理した場合、役員が受け取る満期保険金の一時所得の計算上、控除できる保険料には会社が定期保険料として（給与以外の損金として）処理した金額は含めないとされています（所令183④三）。

　このような逆ハーフタックスプランの商品については、税務上の取扱いに留意が必要です。

第 **5** 章

繰延資産

1. 繰延資産の概説

[1] 繰延資産の対象

　繰延資産は、すでに代価の支払いが完了しまたは支払義務が確定し、これに対応する役務の提供を受けたにもかかわらず、その効果が将来にわたって発現するものと期待される費用をいいます（原則注解15）。

　この定義では、次の3つのポイントがあります。それは、①役務＝サービス（特定の事務作業のほか、現場作業やその管理のための特定の技術の開発結果）の提供を受けていること、②それに対応する債務が確定していること、③その効果（そのサービスを受けることによって生ずる経済的利益）が将来にわたって期待できることです。

　繰延資産は、計上時点においてすでに費用として発生しており、通常であれば、当該事業年度に全額費用として処理すべきものです（この点が、前払費用とは異なります）。しかし、その効果が将来に及ぶと期待され、将来の期間に影響する特定の費用は次期以後の期間に配分して処理するため、経過的に貸借対照表の資産の部に記載することができる（原則第三 一D、原則注解15）とされています。その論拠は、効果が及ぶ将来に獲得する収益と費用を対応させることにあります。

　例えば、後述する創立費や開業費は、会社の創立時及び開業時に一時に必要となる費用ですが、これらは会社運営が実質的にスタートしてから稼得する収益に対応する費用と考えることができます。

第Ⅱ部
勘定科目別の会計処理

しかしながら、繰延資産は資産として計上する論拠が弱いため、以下の表の
5項目のみが認められています（繰延資産会計処理2（2））。

図表Ⅱ－5－1　繰延資産の分類と減価償却

勘定科目	内　　容	費用処理償却 （償却年数）	費用処理 区分
創立費	定款等の作成費、株式募集のための広告宣伝費等の会社設立費用	原則：支出時費用処理 資産計上：5年以内の期間で月割償却	営業外費用
開業費	土地、建物等の賃借料等の会社設立後営業開始までに支出した開業準備費用	原則：支出時費用処理 資産計上：5年以内の期間で月割償却	営業外費用 販売費及び一般管理費も可
株式交付費	株式募集のための広告費、金融機関の取扱手数料等の新株発行または自己株式処分のために直接支出した費用	原則：支出時費用処理 資産計上：3年以内の期間で月割償却	営業外費用 販売費及び一般管理費も可
社債発行費等	社債募集のための広告費、金融機関の取扱手数料等の社債発行のために直接支出した費用	原則：支出時費用処理 資産計上：原則、償還までの期間で利息法により償却 例外：定額法（継続適用が条件）	営業外費用
開発費	新技術の採用、市場の開拓等のために支出した費用	原則：支出時費用処理 資産計上：5年以内の期間で月割償却	営業外費用

[2]　繰延資産の計上と償却

　繰延資産の会計処理について、会社計算規則では、繰延資産を計上すること
が可能であり（会計規74③五）、期末において相当の償却をする必要がある旨（会
計規5②）のみ規定されています。

　そこで、具体的な会計処理については、「一般に公正妥当と認められる企業
会計の基準その他の企業会計の慣行をしん酌しなければならない」（会計規3）

に基づいて、これに対応する形で、「繰延資産の会計処理に関する当面の取扱い」が明らかにされています。したがって、繰延資産の処理はこの取扱いに沿って行うこととなります。

図表Ⅱ－5－1にあるような支出は、原則として支出時の費用として処理します。ただし、その効果が将来にわたって期待できる場合には、繰延資産として資産に計上することができます。なお、効果が期待されなくなった場合には未償却残高を一時に償却する必要があります。また、資産に計上された繰延資産の償却は月割計算によるとされています（繰延資産会計処理3（1）～（6））。

[3] 税務処理

繰延資産の償却費については、会計上費用として処理した金額を限度として損金算入が認められます（法基通8－3－2）。したがって、繰延資産として資産計上した場合には当該事業年度に償却した金額のみが、全額を費用処理した場合には全額が損金として認められます（法令64①一）。

また、消費税については、各繰延資産勘定に集約された内訳の費目ごとに課税取引か否を判断する必要があります。資産計上された繰延資産の各事業年度における償却費は、不課税取引となります。

2. 創立費

[1] 勘定科目の概要

創立費とは、定款等の作成費、株式募集のための広告費等の会社設立費用をいいます（勘定科目分類）。創立費は、会社設立のために要した費用のうち会社の負担に帰すべきものですが、ほかに目論見書・株券の印刷費、設立登記の登録免許税などがあげられます。

会社の設立は、本店所在地に設立登記を行うことによって成立します（会社法49）。したがって、創立費は登記の前までにかかった費用ということになります。

会社は、設立によって成立しますので、その効果は理論上会社が存続する限

り続くと期待されます。そのため、創立費は繰延資産として貸借対照表に計上し、複数の事業年度にわたり費用化することが容認されています（原則第三 一D）。

　なお、創立費の会計・税務処理について、建設業に固有の処理は定められていません。

[2]　会計処理

　創立費は、原則として支出時に費用（営業外費用）として処理します。ただし、繰延資産として資産に計上した場合には、会社成立のときから5年以内の効果が及ぶ期間にわたり定額法により償却しなければなりません（繰延資産会計処理3（3））。

　会社法上は、資本金や資本準備金から減額する処理も認められていますが（会計規43①三）、会計上は、そのような考え方はとられていません（繰延資産会計処理3（3））。

【事例Ⅱ－5－1】創立費の繰延資産計上と償却

```
①　株式募集の広告を行うため、会社案内を作成しその印刷代1,200千円（消費
　　税別）を支払った。
　（借方）創　　　立　　　費　　1,200　（貸方）現　金　預　金　　1,320
　　　　　仮 払 消 費 税 等　　　120
［消費税］会社案内の印刷は役務の提供にあたるため、課税取引となります。
②　決算時に創立費を5年で償却する。設立第1期は5カ月決算となった。
　（借方）創 立 費 償 却　　　100　（貸方）創　　　立　　　費　　　100
　創立費償却＝1,200千円÷60カ月（5年）×5カ月＝100千円
```

【事例Ⅱ－5－2】創立費の計上（繰延資産に計上しない場合）

設立登記にかかる登録免許税700千円を支払った。

（借方）創　　　立　　　費　　　700（貸方）現　金　預　金　　　700

支出時の費用とする場合、営業外費用に計上します。

［3］　税務処理

　創立費の損金算入の取扱いについては、本章「1．繰延資産の概説　［3］税務処理」（216頁）を参照してください。

　会社法上は、創立費は濫用のおそれがあるとして、定款への記載が求められるなど制約が設けられていますが（会社法28四、会施規5）、法人税法上は定款に記載がなくとも設立のために通常必要であれば創立費として認められます（法基通8－1－1）。

　消費税については、広告宣伝の費用や司法書士の報酬、銀行の取扱手数料などは課税仕入れですが、登録免許税は税金のため不課税取引となります。

3．開業費

［1］　勘定科目の概要

　開業費とは、土地・建物等の賃借料など会社設立後営業開始までに支出した開業準備のための費用をいいます（勘定科目分類）。ほかに広告宣伝費、通信交通費、消耗品費、使用人の給料及び水道光熱費などがあげられます。

　会社は設立登記により成立するため（会社法49）、開業費はそれ以降で営業を開始するまでにかかった費用になります。会社は、開業準備を終えて営業を開始すると、会社が存続する限り事業を継続すると考えられます。したがって、開業費の効果は将来に及ぶため繰延資産として資産計上し、複数の事業年度にわたり費用化することが容認されています（原則第三　一D）。

　なお、開業費の会計・税務処理について、建設業に固有の処理は定められていません。

[2] 会計処理

　開業費は、原則として支出時に費用（営業外費用）として処理します。ただし、繰延資産として資産に計上した場合には、開業のときから５年以内の効果が及ぶ期間にわたり定額法により償却しなければなりません（繰延資産会計処理３（４））。

　なお、「開業のとき」には営業の一部を開始したときも含まれ、費用処理額は販売費及び一般管理費に計上することも可能とされています。以前は、開業準備は営業活動ではないため原則として営業外費用に計上することとされましたが、一方で営業活動と密接に関係し、また実務上の便宜を図る必要もあったため販売費及び一般管理費への計上も認められています。

【事例Ⅱ－５－３】開業費の繰延資産計上と償却

①　会社設立後、営業開始に向けて建物を賃借し、賃借料500千円（消費税別）を支払った。

　（借方）開　　業　　費　　　500　（貸方）現　金　預　金　　　550
　　　　　仮 払 消 費 税 等　　　 50

［消費税］事務所の賃借は資産の貸付にあたるため、課税取引となります。

②　決算時に開業費を５年で償却する。設立第１期は６カ月決算となった。

　（借方）開 業 費 償 却　　　　50　（貸方）開　　業　　費　　　50

開業費償却＝500千円÷60カ月（５年）×６カ月＝50千円

【事例Ⅱ－５－４】開業費の計上（繰延資産に計上しない場合）

　会社設立後、営業開始に向けて事務用デスクを購入し400千円（消費税別）を支払った。

　（借方）開　　業　　費　　　400　（貸方）現　金　預　金　　　440
　　　　　仮 払 消 費 税 等　　　 40

［消費税］事務用デスクの購入は資産の譲渡にあたるため、課税取引となります。

支出時の費用とする場合は営業外費用に計上しますが、販売費及び一般管理費に計上することも認められています。

[3]　税務処理

　開業費の損金算入の取扱いについては、本章「1. 繰延資産の概説　[3]税務処理」(216頁) を参照してください。

　消費税については、通常は課税仕入れとなるものがほとんどと考えられますが、印紙代は税金のため不課税仕入れとなります。

4.　株式交付費

[1]　勘定科目の概要

　株式交付費とは、株式募集のための広告費、金融機関の取扱手数料等の新株発行または自己株式の処分のために直接支出した費用をいいます (勘定科目分類)。ほかに目論見書や株券等の印刷費、変更登記の登録免許税などがあげられます。

　会社が、企業規模を拡大するために資金調達を行うと、それを契機に会社の業務はさらに拡大するものと考えられます。したがって、株式交付費の効果は将来に及ぶため、企業規模を拡大するためにする資金調達等は繰延資産として資産計上し、複数の事業年度にわたり費用化することが容認されています (原則第三 一D、繰延資産会計処理3 (1))。

　なお、新株の発行だけでなく、自己株式を処分する際に要する費用も株式交付費に含まれます(繰延資産会計処理3(1))。 会社法上の手続きが同一であり、財務費用としての性格も同じであると考えられるためです。

　なお、新株交付費の会計・税務処理について、建設業に固有の処理は定められていません。

[2]　会計処理

　株式交付費は、原則として支出時に費用 (営業外費用) として処理します。

ただし、企業規模を拡大するために行われる財務活動に関連する株式交付費を繰延資産として資産に計上した場合には、株式交付のときから3年以内の効果が及ぶ期間にわたって、定額法により償却しなければなりません（繰延資産会計処理3（1））。

なお、株式交付費を繰延資産として資産計上するためには、企業規模を拡大するという目的が前提となります。つまり、株式の交付を行う場合であっても、株式の分割や無償割当を目的とするものは、企業規模の拡大をともなわず、その効果が将来に波及しないため、資産計上する論拠がないということです。

したがって、株式の分割や株式無償割当などにかかる費用は、上記のような繰延資産には該当せず、支出時に費用として処理することとなりますが、当該費用は販売費及び一般管理費に計上することが認められています。

【事例Ⅱ－5－5】株式交付費の繰延資産計上と償却

---

① 新株を発行するため、株券を印刷しその印刷代3,000千円（消費税別）を支払った。

（借方）株 式 交 付 費 　 3,000 （貸方）現 　 金 　 預 　 金 　 3,300
　　　　仮 払 消 費 税 等 　 　 300

［消費税］株券の印刷は役務の提供にあたるため、課税取引となります。

② 決算時に株式交付費を3年で償却する。なお、新株発行は下半期期首に行った。

（借方）株式交付費償却 　 500 （貸方）株 　 式 　 交 　 付 　 費 　 　 500

株式交付費償却＝3,000千円÷36カ月（3年）×6カ月＝500千円

【事例Ⅱ－5－6】株式交付費の計上（繰延資産に計上しない場合）

変更登記の登録免許税300千円を支払った。

（借方）株 　 式 　 交 　 付 　 費 　 　 300 （貸方）現 　 金 　 預 　 金 　 　 300

支出時の費用とする場合は営業外費用に計上しますが、販売費及び一般管理費

に計上することも認められています。

[3] 税務処理

株式交付費の損金算入の取扱いについては、本章「1.繰延資産の概説 〔3〕税務処理」(216頁) を参照してください。

消費税については、目論見書や株券の印刷費、株式募集のための広告費、銀行や証券会社の取扱手数料などは課税仕入れですが、登録免許税は税金のため不課税取引となります。

5. 社債発行費等

[1] 勘定科目の概要

社債発行費とは、社債募集のための広告費や金融機関の取扱手数料等の社債発行のために直接支出した費用 (新株予約権の発行等にかかる費用を含む) をいいます (勘定科目分類)。ほかに目論見書や社債券等の印刷費、社債の登記にかかる登録免許税などがあげられます。

会社は、社債により資金調達を行うと、その資金をもって会社の業務を拡大させると考えられます。その結果、社債発行費の効果は将来に及ぶため、繰延資産として資産計上し、複数の事業年度にわたり費用化することが容認されています (原則第三 一D、繰延資産会計処理3 (2))。

また、新株予約権の発行にかかる費用についても、資金調達等の財務活動にかかるものについては社債発行費と同様に処理することができます (償却年数は3年以内となります)。ただし、新株予約権が社債に付されており、一括法により処理する場合、当該新株予約権付社債の発行にかかる費用は社債発行費として処理します (繰延資産会計処理3 (2))。

なお、社債発行費等の会計・税務処理について、建設業に固有の処理は定められていません。

［2］　会計処理

　社債発行費は、原則として支出時に費用（営業外費用）として処理します。ただし、繰延資産として資産に計上した場合には、社債の発行から償還までの期間にわたり利息法により償却しなければなりません。償却方法としては、利息法が原則ですが、継続適用を条件に定額法も認められます（繰延資産会計処理３（２））。社債発行費は、社債利息などと同様に資金調達にかかわる費用であり、国際的な会計基準との整合性を考慮したものとなっています。

【事例Ⅱ－5－7】社債発行費の繰延資産計上と償却

---

①　社債を発行するために金融機関へ取扱手数料1,000千円（消費税別）を支払った。

（借方）社 債 発 行 費　　　1,000　（貸方）現　金　預　金　　　1,100
　　　　仮 払 消 費 税 等　　　 100

②　決算時に社債発行費を償還期間10年で償却する。なお、社債発行は期首に行っており、償却額の計算は定額法によっている。

（借方）社 債 発 行 費 償 却　　　100　（貸方）社 債 発 行 費　　　　100

社債発行費償却＝1,000千円÷120カ月（10年）×12カ月＝100千円

【事例Ⅱ－5－8】社債発行費の計上（繰延資産に計上しない場合）

社債（期間10年）の登記にかかる登録免許税200千円を支払った。

（借方）社 債 発 行 費　　　200　（貸方）現　金　預　金　　　200

支出時の費用とする場合、営業外費用に計上します。

---

［3］　税務処理

　社債発行費等の損金算入の取扱いについては、本章「１．繰延資産の概説［3］税務処理」（216頁）を参照してください。

　消費税については、目論見書や社債券の印刷費、社債募集のための広告費、

銀行や証券会社の取扱手数料などは課税仕入れですが、登録免許税は税金のため不課税取引となります。

6. 開発費

[1] 勘定科目の概要

開発費とは、新技術の採用、市場の開拓等のために支出した費用をいいます。ただし、経常費の性格をもつものは含まれません（勘定科目分類）。

会社が、新しい技術や経営組織を採用した場合には、それを契機に会社の業績が拡大するものと考えられます。したがって、開発費の効果は将来に及ぶため、繰延資産として資産計上し、複数の事業年度にわたり費用化することが容認されています（原則第三 一D、繰延資産会計処理3（5））。

ところで、開発費の定義が上記のように難解なものとなってしまう背景には、似たような概念として「研究開発費等に係る会計基準」における「研究開発費」があり、これは繰延資産の対象から除くとされているためです（繰延資産会計処理3（5））。

研究開発費は、「研究」と「開発」という2つの言葉から構成されており、それぞれ、新しい知識の発見を目的とした調査及び研究、その知識の具体化である新しい製品の設計等、とされています（研究開発費基準一1）。

開発費と研究開発費の関係は、一見わかりにくいですが、開発費という広範な定義の中に研究開発費の「開発」部分が包含されているという関係です（図表Ⅱ－5－2）。

図表Ⅱ－5－2　開発費と研究開発費の関係

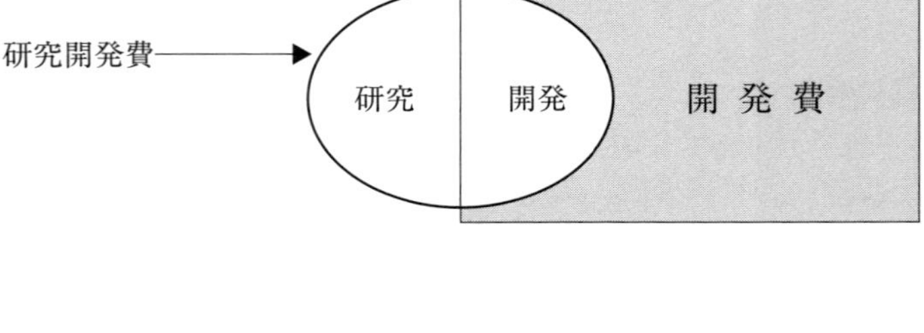

この図の中で繰延資産として扱われるのは、開発費の中で研究開発費のうちの開発以外の部分になります（研究開発実務指針27）。この「開発」以外の部分は、具体的には、技術・特許等をそのまま使用することにより製造活動を行う場合の技術導入費、新しい経営組織の採用や市場開拓あるいは資源の開発のために支出する費用などを指します。

なお、開発費の会計・税務処理について、建設業に固有の処理は定められていません。

[2] 会計処理

開発費は、原則として支出時に費用（売上原価または販売費及び一般管理費）として処理します。ただし、繰延資産として資産計上した場合には、支出のときから5年以内の効果が及ぶ期間にわたり定額法その他合理的な方法により償却しなければなりません（繰延資産会計処理3（5））。

償却期間については、支出の原因となった新技術や資源の利用可能期間が定められている場合にはこれに従う必要があります（最長5年）（繰延資産会計処理3（5））。

【事例Ⅱ－5－9】開発費の繰延資産計上と償却

① 新技術を採用するため、講習など技術導入費用5,000千円（消費税別）を支払った。

（借方）開　　　発　　　費　　　5,000　（貸方）現　金　預　金　　　5,500
　　　　仮 払 消 費 税 等　　　500

［消費税］技術導入の支援は役務の提供にあたるため、課税取引となります。

② 決算時に開発費を5年（最長償却期間）で償却する。当該開発費の支出は第4四半期期首に行った。

（借方）開 発 費 償 却　　　25　（貸方）開　　　発　　　費　　　25

開発費償却＝5,000千円÷60カ月（5年）×3カ月＝25千円

第5章
繰延資産

225

【事例Ⅱ－5－10】 開発費の計上（繰延資産に計上しない場合）

> 建築工法に関するシステム開発の頭金2,000千円（消費税別）を支払った。
>
> （借方）開　　発　　費　　2,000　（貸方）現　金　預　金　　2,200
>
> 　　　　仮 払 消 費 税 等　　　200
>
> ［消費税］システム開発は役務の提供にあたるため、課税取引となります。
>
> 　支出時の費用とする場合、営業外費用に計上します。

[3] 税務処理

　開発費の損金算入の取扱いについては、本章「1．繰延資産の概説　［3］税務処理」（216頁）を参照してください。

　消費税については、通常は課税仕入れとなるものがほとんどと考えられますが、印紙代等は税金のため不課税取引となります。

第**6**章

流動負債

1. 支払手形

[1] 勘定科目の概要

　支払手形とは、通常の取引に基づいて発生した手形債務をいいます（勘定科目分類）。通常の取引とは、当該会社の事業目的のための営業活動において、経常的または短期間に循環して発生する取引を指します。

　手形には約束手形と為替手形があります。約束手形とは、振出人が受取人に対して一定期日に一定金額を支払うことを約束する証券であり、為替手形とは、振出人が引受人に対して一定の期日に一定の金額の支払いを委託する証券です。

　会社は、取引開始時に締結した契約条件等に基づき、取引先に対する債務を手形にて支払います。この手形を受け取った取引先は、銀行に取立てに出します。そして手形満期日において手形交換所での処理により、振出人である当社の預金口座から引落しがなされます。

　このように、手形で支払うことにより、債務の支払時点より資金を用意しなくてはならない時点を遅らせることができます。そのため、支払手形取引は、会社の資金繰りにおいて重要な決済手段といえます。

　なお、支払手形の会計・税務処理について、建設業に固有の処理は定められていません。

[2] 会計処理

取引先に対する債務を手形で支払った場合、すなわち手形を振り出した場合には、支払手形に計上し、満期日において手形が決済されたときには、支払手形から減額します。手形の振出しと決済を記録して期日管理を行うため、一般に支払手形記入帳を作成します。

手形の不渡りは銀行取引停止につながりますので、銀行別・期日別に明細表を作成する必要があります。

図表Ⅱ－6－1　支払手形記入帳の例

<table>
<tr><th colspan="17">支払手形記入帳</th></tr>
<tr><th colspan="2">××年</th><th rowspan="2">摘　要</th><th rowspan="2">金　額</th><th rowspan="2">手形種類</th><th rowspan="2">手形番号</th><th rowspan="2">受取人</th><th rowspan="2">振出人又は引受人</th><th colspan="3">振出日</th><th colspan="3">支払日</th><th rowspan="2">支払場所</th><th colspan="3">顛　末</th></tr>
<tr><th>月</th><th>日</th><th>年</th><th>月</th><th>日</th><th>年</th><th>月</th><th>日</th><th>月</th><th>日</th><th>摘要</th></tr>
<tr><td>8</td><td>3</td><td>工事材料費</td><td>300,000</td><td>約手</td><td>51</td><td>J社</td><td>当社</td><td>X</td><td>8</td><td>3</td><td>X</td><td>8</td><td>25</td><td>W銀行銀座支店</td><td>8</td><td>25</td><td>支払</td></tr>
<tr><td>8</td><td>5</td><td>外注費</td><td>500,000</td><td>為手</td><td>315</td><td>L社</td><td>K社</td><td>X</td><td>8</td><td>5</td><td>X</td><td>9</td><td>15</td><td>同　上</td><td></td><td></td><td></td></tr>
<tr><td>8</td><td>11</td><td>工事未払金</td><td>800,000</td><td>為手</td><td>410</td><td>M社</td><td>当社</td><td>X</td><td>8</td><td>11</td><td>X</td><td>9</td><td>25</td><td>Y銀行本店</td><td></td><td></td><td></td></tr>
<tr><td>8</td><td>17</td><td>工事未払金</td><td>400,000</td><td>約手</td><td>52</td><td>N社</td><td>当社</td><td>X</td><td>8</td><td>17</td><td>X</td><td>9</td><td>30</td><td>W銀行銀座支店</td><td>8</td><td>29</td><td>受入</td></tr>
</table>

また、手形満期日が休日の場合、手形の交換処理は翌営業日に実施されるため、当座預金の引落しは満期日でなく交換日（満期日の翌営業日）に行われます。

この場合、会社の選択により次の①または②いずれかの方法で処理します。

①　満期日に入出金があったものとして処理する方法

②　交換日に入出金の処理をする方法

なお、設備の建設や固定資産の購入等、通常の取引に基づくものでない債務の支払いのために振り出す手形は、営業外支払手形（設備支払手形）勘定を用いて支払手形勘定と区別します（財規ガイド47－6、50）。

【事例Ⅱ－6－1】約束手形の振出しと決済

①　工事未払金50,000千円につき、30,000千円は普通預金から支払い、残り20,000
千円は約束手形を振り出して支払った。

（借方）工　事　未　払　金　　50,000　（貸方）現　金　預　金　　30,000
　　　　　　　　　　　　　　　　　　　　　　　支　払　手　形　　20,000

②　手形満期日において、予定どおり決済がされた。

（借方）支　払　手　形　　20,000　（貸方）現　金　預　金　　20,000

【事例Ⅱ－6－2】為替手形の引受け

取引先Ａ社への工事未払金30,000千円につき、Ａ社より為替手形30,000千円
の引受けを求められたので、これを引き受けた。なお、この為替手形の振出人は
取引先Ａ社であり、受取人はＡ社の取引先Ｂ社である。

（借方）工　事　未　払　金　　30,000　（貸方）支　払　手　形　　30,000

[3]　税務処理

　中小企業等が租税特別措置法に定める法定繰入率により貸倒引当金を計上する場合で、同一人に対する売掛金または受取手形と買掛金または支払手形を有しているときは、売掛金または受取手形の金額のうち、買掛金または支払手形の金額に相当する金額は、実質的に債権とみられないものとして債権の金額から控除します（措通57の9－1）。

　消費税の取扱いについては、手形の振出し及びその決済は不課税取引となります。

2.　工事未払金

[1]　勘定科目の概要

　工事未払金とは、建設会社が発注者から請け負った請負工事契約の工事費のうち未払金額を示す負債の勘定科目であり、一般企業の買掛金に相当するもの

です。

　この工事未払金には、労務費や外注費のみならず、工事原価に算入される材料貯蔵品等の購入代金も含まれます（勘定科目分類）。一方、販売費及び一般管理費の支払いや、固定資産の取得や建設のための未払金は含まれません。

[2]　会計処理

　原材料代金や外注費につき掛仕入れを行った場合、工事未払金を計上します。この計上金額は、一般企業の買掛金同様に、税抜方式を採用する場合であっても取引にかかる消費税額等を含みます（勘定科目分類）。そして、現金や手形による支払いをした際に、工事未払金を減額します。

　この工事未払金は、その発生原因が完成工事と未成工事のいずれであるかにかかわらず、確定債務を計上するのが原則です。しかし、決算時において、工事は完成しているもののその工事支払額が確定できない完成工事についても、その金額を見積もって工事未払金として計上します。

【事例Ⅱ－6－3】 材料の掛仕入れと決済

---

①　協力会社に設備工事一式を契約金額10,000千円（消費税別）、翌月末日に現金60％・手形40％の支払条件で外注し、当月この工事が完了した。

（借方）未成工事支出金　　10,000　（貸方）工　事　未　払　金　　11,000
　　　　（外　注　費）
　　　　仮払消費税等　　　 1,000

［消費税］設備工事は資産の譲渡にあたるため、課税取引となります。

②　翌月末に、条件どおり支払った。

（借方）工　事　未　払　金　　11,000　（貸方）現　金　預　金　　6,600
　　　　　　　　　　　　　　　　　　　　　　　支　払　手　形　　4,400

現金預金＝工事未払金11,000千円×60％＝6,600千円

支払手形＝工事未払金11,000千円×40％＝4,400千円

---

[3] 税務処理

　法人税法上、原則として決算日において債務が確定している費用については、損金に算入できます。「債務が確定している」とは、次の3つの要件を満たすことが必要です（法基通2－2－12）。

　①　当該事業年度終了の日までに当該費用にかかる債務が成立していること

　②　当該事業年度終了の日までに当該債務に基づいて具体的な給付をすべき原因となる事実が発生していること

　③　当該事業年度終了の日までにその金額を合理的に算定することができるものであること

　なお、完成工事原価となるべき費用の額の全部または一部が事業年度終了の日までに確定していない場合には、同日の現況によりその金額を適正に見積もる必要があります（法基通2－2－1）。

3. 短期借入金

[1] 勘定科目の概要

　短期借入金とは、決算期後1年以内に返済されると認められる借入金をいいます（勘定科目分類）。1年を超えて返済する長期借入金であっても、分割返済の定めがある場合には、返済までの期間が1年以内の金額を短期借入金に区分します（原則注解16）。

　会社は、運転資金や設備資金等、さまざまな目的で金融機関等から借入れをします。借入金の形態には、金銭消費貸借契約を締結して借入れを行う証書借入、約束手形を借入人が振り出して借入れを行う手形借入、金融機関との間で定められた当座貸越限度額内であれば当座預金がマイナスとなっても支払いが可能な当座貸越などがあります。

　なお、短期借入金の会計・税務処理について、建設業に固有の処理は定められていません。

[2] 会計処理

金融機関等からの借入れを実行した際に短期借入金に計上し、返済をした場合にその元本金額を減額します。

分割返済の定めのある長期借入金につき、返済までの期間が1年以内の金額については、「1年内返済予定の長期借入金」として区分掲記します。ただし、期中の会計処理上は長期借入金のままとし、決算時のみ、開示目的で1年内返済予定の長期借入金とすることが実務上は多いようです。

関係会社からの短期借入金は、貸借対照表上で重要性があれば「関係会社短期借入金」として区分掲記します（原則第三 四（二）C）。会社法計算書類上は、区分して表示していない場合には当該金額の注記が必要です（会計規103六）。

株主、役員あるいは従業員からの短期借入金は、負債と純資産の合計額の100分の5を超える場合には「株主、役員または従業員からの短期借入金」等として区分して表示します（財規50）。会社法計算書類上は、役員からの借入金について、役員に対する金銭債務として残高を注記します（会計規103八）。

【事例Ⅱ－6－4】借入れと返済の処理

① 銀行から5,000千円を借り入れ（借入期間3カ月）、借入期間の利息50千円を控除した金額が、当座預金に振り込まれた。

（借方）現　金　預　金　　4,950　（貸方）短　期　借　入　金　　5,000
　　　　支　払　利　息　　　　50

② 3カ月後に約定どおり全額返済した。

（借方）短　期　借　入　金　　5,000　（貸方）現　金　預　金　　5,000

【事例Ⅱ－6－5】当座預金の貸方残高

① 決算時において、当座貸越契約を締結した当座預金の残高が300千円の貸方残高（マイナス）となっている。

（借方）現　金　預　金　　300　（貸方）短　期　借　入　金　　300

② 翌期首に当座預金に振り戻した。

（借方）短　期　借　入　金　　　　300　（貸方）現　金　預　金　　　　300

【事例Ⅱ－6－6】長期借入金からの振替

　　決算時において、分割返済の定めのある長期借入金50,000千円のうち、1年以内に返済される予定の金額15,000千円を流動負債に振り替えた。

　（借方）長　期　借　入　金　　15,000　（貸方）短　期　借　入　金　　15,000

　貸借対照表上は、「1年内返済予定の長期借入金」として表示します。

---

[3]　税務処理

　消費税法上、利子を対価とする金銭の貸付（借入）取引は非課税です（消法6①・別表第1第3号、消令10①、消基通6－3－1）。

4. リース債務

[1]　勘定科目の概要

　流動負債に計上されるリース債務は、ファイナンス・リース取引におけるもので、決算期後1年以内に支払われると認められるものをいいます（勘定科目分類）。

　すなわち、リース債務は、支払いの期限の到来が1年以内か1年を超えるかに基づいて流動負債と固定負債とに区分して計上します。

　なお、リース債務の会計・税務処理について、建設業に固有の処理は定められていません。また、リース会計の全体像については、第Ⅱ部第2章「6.リース資産　[1]リース会計の概説」（166頁）を参照してください。

[2]　会計処理

　リース取引開始日に、リース物件とこれにかかる債務を、リース資産及びリース債務として計上します。リース債務の計上額は、リース資産の計上額に対応

します。

　また、所有権移転外ファイナンス・リース取引で、リース資産総額に重要性が乏しいと認められる場合（リース資産にかかる未経過リース料の期末残高が、当該未経過リース料の期末残高、有形固定資産及び無形固定資産の期末残高の合計額の10％未満である場合）には、リース資産及びリース債務をリース料総額で計上することができます（リース適用指針31、32）。

　なお、中小企業については、所有権移転外ファイナンス・リース取引について、通常の賃貸借取引に係る方法に準じて会計処理を行うことができます（中小企業会計指針75－3、中小企業会計要領10）。

【事例Ⅱ－6－7】リース債務の計上

　期首に所有権移転外ファイナンス・リース契約（5年）を締結し、リース資産を計上した。なお、リース料総額は4,000千円（消費税別）、リース料総額の現在価値は3,800千円（消費税別）、見積現金購入価額は3,900千円（消費税別）であった。リース料総額に含まれている利息相当額は契約において明示されていない。

　　（借方）リ　ー　ス　資　産　　　3,800　　（貸方）リース債務（流動）　　　　840
　　　　　　仮 払 消 費 税 等　　　　 400　　　　　　リース債務（固定）　　3,360

　［消費税］リース資産の取得は資産の譲渡にあたるため、課税対象となります。

　　リース資産は、現在価値＜見積現金購入価額により3,800千円

　　リース債務（流動）＝（リース資産3,800千円＋仮払消費税等400千円）÷60カ月

　　　　　　　　　　　　（5年）×12カ月＝840千円

　リース料支払時の処理等については、第Ⅱ部第2章「6．リース資産　［3］会計処理」（169頁）を参照してください。

［3］　税務処理

　リース取引にかかる税務処理については、第Ⅱ部第2章「6．リース資産［4］税務処理」（171頁）を参照してください。

5. 未払金

[1] 勘定科目の概要

　未払金とは、固定資産購入代金未払金、未払配当金、及びその他の未払金で決算期後1年以内に支払われると認められるものをいいます（勘定科目分類）。

　すなわち、営業活動において経常的にまたは短期間に循環して発生する取引に対する未払金で、一般の取引慣行として発生後短期間に支払われるもののうち、工事未払金に分類されないものをいいます。

　これに対して、一定の契約に従い、継続して役務の提供を受ける場合、すでに提供された役務に対していまだその対価の支払いが終わらないものは未払費用として計上しますが、これらを混同しないようにする必要があります。未払金は債務として確定している一方、未払費用は経過勘定として発生主義に基づいて計上するものです。

　なお、未払金の会計・税務処理について、建設業に固有の処理は定められていません。

[2] 会計処理

　物品の購入や、役務の提供を受けた場合に、それが工事原価となる場合を除いて、発生した債務額を未払金として計上します。

　なお、固定資産の購入等の未払金で金額的重要性がある場合には、設備未払金として表示することもあります。

【事例Ⅱ-6-8】事務用品の購入ほか

> ① 事務用品150千円（消費税別）を翌月末払いという条件で購入した。また本社ビルの清掃を他の業者に200千円（消費税別）、翌月末払いという条件で委託している。
>
> （借方）事　務　用　品　費　　　　150　（貸方）未　　　払　　　金　　　385

| 業 務 委 託 費 | 200 |
| 仮 払 消 費 税 等 | 35 |

［消費税］事務用品の購入は資産の譲渡、清掃業務は役務の提供にあたるため、
　　　　課税取引となります。

② 翌月末に条件どおり支払った。

（借方）未　　払　　金　　385　（貸方）現　金　預　金　　385

[3] 税務処理

　勘定科目は工事未払金と分かれていますが、法人税法上、未払金と工事未払金の性格は同じになります。

　法人税法上の取扱いについては、本章「2．工事未払金　［3］税務処理」(231頁）を参照してください。

6. 未払費用

[1] 勘定科目の概要

　未払費用とは、一定の契約に従い、継続して役務の提供を受ける場合、すでに提供された役務に対していまだその対価の支払いが終わらないものをいいます（原則注解5）。具体的には、未払給与手当や未払利息など、すでに役務は提供されたものの、期末日において未払いとなっているものです(勘定科目分類)。

　このような役務に対する対価は、時間の経過にともない、すでに当期の費用として発生しているものであるため、これを当期の損益計算に含めるとともに、貸借対照表の負債の部に計上します。なお、商品・物品購入にかかる債務など、契約に基づく継続的な役務提供に該当しない未払金とは異なることに留意が必要です。

　なお、未払費用の会計・税務処理について、建設業に固有の処理は定められていません。

[2] 会計処理

　決算時において、すでに役務の提供は受けたものの対価の支払いが終わっていないものにつき、該当金額を費用処理するとともに未払費用を計上します。

　なお、中小企業については、金額的重要性の乏しいものは現金主義に基づく処理が認められます（中小企業会計指針31、中小企業会計要領7）。

　翌期の処理については、①未払費用勘定を期首時点では振り戻さず、実際の対価の支払時に取り崩す方法、②翌期首において振り戻し、実際の対価の支払時には、前期計上分も含めて費用処理する方法が考えられます。

【事例Ⅱ－6－9】未払利息の計上（翌期首に戻入処理をしない方法）

　決算日において未払利息を計上し、翌期の利払日に支払った。

①　銀行より10,000千円を年利5％で借り入れている。利払日は12月31日及び6月30日の年2回であり、決算日（3月31日）を迎えた。

（借方）支　払　利　息　　　123　（貸方）未　払　費　用　　　123

未払費用＝10,000千円×5％×90日（1月1日〜3月31日）÷365日＝123千円

②　利払日である6月30日に利息を支払った。

（借方）支　払　利　息　　　125　（貸方）現　金　預　金　　　248
　　　　未　払　費　用　　　123

利払額＝10,000千円×5％×181日（1月1日〜6月30日）÷365日＝248千円

支払利息＝248千円－未払費用123千円＝125千円

【事例Ⅱ－6－10】未払給与の計上（翌期首に戻入処理をする方法）

　決算日（3月31日）において給与その他を未払費用に計上し、翌月支払った（翌期首に戻入処理をする方法による）。

①　当社の給与は15日締め・25日払いである。3月16日〜31日に発生した時間外勤務手当を含めた給与相当額は1,000千円と見積もられた。

（借方）従業員給与手当　　1,000　（貸方）未　払　費　用　　　1,000

② 翌期首である4月1日付けにて、①で計上した未払費用を振り戻す。

（借方）未　払　費　用　　1,000　（貸方）従業員給与手当　　　1,000

③ 4月25日に給与を支払った。給与の対象期間は3月16日～4月15日であり、給与手当額は2,100千円である。

（借方）従業員給与手当　　2,100　（貸方）現　金　預　金　　　2,100

[3] 税務処理

法人税法上の損金算入要件については、本章「2. 工事未払金 [3] 税務処理」を参照してください（231頁）。

なお、従業員の給与手当の未払費用計上は、該当する期間については損金算入が認められますが、役員報酬は会社の業務執行に関する包括的な委任契約に基づく対価であり、日割計算はなじまず、従業員と同じような未払給与の計上は認められていません。

7. 未払法人税等

[1] 勘定科目の概要

未払法人税等には、法人税、住民税及び事業税の未納付額を計上します（法人税等会計基準11）。住民税は都道府県民税及び市町村民税を指し、事業税は所得割だけでなく付加価値割及び資本割も含みます（損益計算書の「法人税、住民税及び事業税」とは範囲が異なるので注意が必要です）。また、これらの税金にかかる更正決定等による追徴税額等も含みます（法人税等会計基準17）。

事業所税の未納付額については、未払法人税等には含めずに未払事業所税とするか、未払金に含めて表示します。

なお、未払法人税等の会計・税務処理について、建設業に固有の処理は定められていません。

[2] 会計処理

決算時の税額計算に基づき、確定税額から中間納付額を控除した残額を計上

します。翌期においては、税金の支払時に未払法人税等を取り崩しますが、決算計上額と支払額の過不足は未払法人税等の勘定に残しておき、翌期の決算時において未払法人税の計上額に加減して調整し、法人税等を相手勘定として処理します。

　なお、当該過不足が誤謬に起因しており、重要性がある場合は、遡及して修正することも検討しなければなりません。

【事例Ⅱ－6－11】未払法人税等の計上と取崩し

①　法人税等の予定納税30,000千円を支払った。

（借方）仮　　　払　　　金　　30,000　（貸方）現　金　預　金　　30,000

②　決算における税金計算に基づき、見込税額（法人税50,000千円、地方税10,000千円、事業税等16,000千円）を計上した。

（借方）法人税,住民税及び事業税　　76,000　（貸方）未 払 法 人 税 等　　46,000

　　　　　　　　　　　　　　　　　　　　　　　　仮　　　払　　　金　　30,000

③　納付期限が来たので、算定した確定税額に基づき45,600千円を支払った。

（借方）未 払 法 人 税 等　　45,600　（貸方）現　金　預　金　　45,600

【事例Ⅱ－6－12】前年末未払法人税の過不足額の処理

　決算時に未払法人税等を60,000千円と見積もったが、申告時には59,000千円の納付で足りた。

（借方）未 払 法 人 税 等　　60,000　（貸方）現　金　預　金　　59,000

　　　　　　　　　　　　　　　　　　　　　　法人税,住民税及び事業税　　1,000

[3] 税務処理

　未払法人税等にかかる処理は、法人税の計算に影響を与えません。

　法人税の納税義務は、事業年度の終了のときに成立しますので（国税通則法15②）、未払法人税等の計上は合理的な処理といえます。

8. 未成工事受入金

[1] 勘定科目の概要

　建設業においては、工事期間が長期になり、またその請負金額も多額となる傾向があり、工事期間中の建設業者の資金的な負担が重くなります。そのため、着工時や工事期間中において、前払金や中間払金等の名目で請負代金の一部が支払われる慣行があります。

　このように、建設会社が発注者から請け負った請負工事契約につき、工事が完成する前に受け取った工事代金を示すのが未成工事受入金です。未成工事受入金は、一般企業の前受金に相当するものです。

　なお、収益認識基準では、「契約負債」とは、財又はサービスを顧客に移転する企業の義務に対して、企業が顧客から対価を受け取ったものまたは対価を受け取る期限が到来しているものをいう（収益認識会計基準11）と定義されています。未成工事受入金は、企業が財又はサービスの提供を履行（工事の完成・引渡し）する前に顧客（施主）から受領した工事代金であり、「契約負債」を表す勘定科目の1つになります。

[2] 会計処理

　発注者より工事の完成引渡し前に請負代金の一部を受領した場合には、未成工事受入金を計上します。

　このとき、消費税相当額も含めて受領した場合には、当該金額は仮受消費税等として、工事代金部分とは分けて処理する方法がとられます（未成工事受入金の受領時ではなく、完成工事高の計上時に仮受消費税を計上する方法もあります）。

【事例Ⅱ－6－13】未成工事受入金の受領

①　工事価格300,000千円の建設工事の請負に際し、発注者から着手金として、55,000千円を受け取った。

240

第Ⅱ部
勘定科目別の会計処理

（借方）現　金　預　金　　55,000　（貸方）未成工事受入金　　50,000

　　　　　　　　　　　　　　　　　　　　仮 受 消 費 税 等　　 5,000

［消費税］当事例では、工事代金の受領時に仮受消費税等を認識します。

②　工事の施工中において、発注者から中間払金として165,000千円を受け取った。

　（借方）現　金　預　金　 165,000　（貸方）未成工事受入金　 150,000

　　　　　　　　　　　　　　　　　　　　仮 受 消 費 税 等　　15,000

［消費税］当事例では、工事代金の受領時に仮受消費税等を認識します。

③　工事が完成し、発注者への引渡しが完了した。

　（借方）完成工事未収入金　 110,000　（貸方）完 成 工 事 高　 300,000

　　　　　未 成 工 事 受 入 金　 200,000　　　　　仮 受 消 費 税 等　　10,000

［消費税］工事の完成引渡しは資産の譲渡にあたるため、課税取引となります。

　　未成工事受入金累計額＝50,000千円＋150,000千円＝200,000千円

　　仮受消費税等＝（工事価格300,000千円－未成工事受入金200,000千円）×10％

　　　　　　　　　＝10,000千円

　　完成工事未収入金＝（工事価格300,000千円－未成工事受入金200,000千円）

　　　　　　　　　　　＋仮受消費税10,000千円＝110,000千円

【事例Ⅱ－6－14】未成工事受入金の受領（進捗度に基づき一定の期間にわたり収益を認識する工事）

①　工事価格1,500,000千円、工期2年の建設工事の請負に際し、着手金として330,000千円を受け取った。当該工事は会社の基準により工事進行基準を適用し、請負金にかかる消費税は工事完成時に申告するものとする。

　（借方）現　金　預　金　 330,000　（貸方）未成工事受入金　 300,000

　　　　　　　　　　　　　　　　　　　　仮 受 消 費 税 等　　30,000

［消費税］当事例では、工事代金の受領時に仮受消費税等を認識します。

②　着工して初めての決算を迎えた。原価比例法による工事進捗度は30％であった。

第6章
流動負債

241

（借方）完成工事未収入金　　150,000　（貸方）完 成 工 事 高　　450,000

　　　　　未 成 工 事 受 入 金　　300,000

完成工事高＝工事価格1,500,000千円×工事進捗度30％＝450,000千円

完成工事未収入金＝完成工事高450,000千円－未成工事受入金300,000千円

　　　　　　　　＝150,000千円

（借方）仮 受 消 費 税 等　　30,000　（貸方）預　　　　り　　　　金　　30,000

仮受消費税は預り金勘定に振り替え、翌事業年度に繰り越します。

③　翌期首において預り金勘定を振り戻した。

（借方）預　　　　り　　　　金　　30,000　（貸方）仮 受 消 費 税 等　　30,000

④　翌事業年度中において、工事が完成した。

（借方）完成工事未収入金　1,170,000　（貸方）完 成 工 事 高　1,050,000

　　　　　　　　　　　　　　　　　　　　　　仮 受 消 費 税 等　　120,000

［消費税］工事の完成引渡しは資産の譲渡にあたるため、課税取引となります。

完成工事高＝工事価格1,500,000千円－前期完成工事高450,000千円

　　　　　　＝1,050,000千円

仮受消費税＝工事価格に対応する消費税150,000千円－前期計上消費税30,000

　　　　　　千円＝120,000千円

完成工事未収入金＝当期完成工事高1,050,000千円＋仮受消費税120,000千円

　　　　　　　　　＝1,170,000千円

[3]　税務処理

　個別評価金銭債権に対する貸倒引当金の繰入れに関して、同一人に対する完成工事未収入金と未成工事受入金がある場合、その完成工事未収入金の額のうち未成工事受入金の額は、実質的に債権とみられない部分の金額に該当します（法基通11－2－9）。

　消費税について、建設工事の課税売上の時期は、原則として完成引渡し時点です。よって、前渡金や中間払金等の入金時に消費税相当額が含まれている場合、仮受消費税等として処理しておき、決算日をまたぐ工事にかかるものについては、預り金等として翌事業年度に繰り越す処理を行います（消基通9－1

$-1 \cdot 9 - 1 - 5 \cdot 9 - 1 - 6$）。

なお、工事進行基準を採用している場合には、完成引渡し前であっても、これらの収入金額が計上されたときに消費税の申告をすることができます（消法17、消基通 $9 - 4 - 1$）。

9. 預り金

[1] 勘定科目の概要

預り金とは、他人からの金銭を受け入れ、後日当該他人または第三者に対して支払うべきものをいいます。営業取引に基づいて発生した預り金及び営業外取引に基づいて発生した預り金で、決算日後1年以内に返済されるものを計上します（勘定科目分類）。また、支払いまでの期間が1年を超えるものは長期預り金勘定で処理します。

一般的には、給料などから徴収した源泉所得税、住民税や、社会保険料等の預り金が多く含まれます。

なお、預り金の会計・税務処理について、建設業に固有の処理は定められていません。しかしながら建設業においては、JVスポンサー企業が発注者から受け取った工事代金のうち、JVサブ企業持分額を、分配時まで一時的に預り金計上しておくために利用されます。

[2] 会計処理

他人から金銭を受け入れたとき、当該金額を預り金として計上します。そして、その金銭を当該他人または第三者に支払ったときに減額します。

会社法上は、役員からの預り金について、その金銭債務を注記します（会計規103八）。

【事例Ⅱ－6－15】預り金の発生、及び払出し

> ① 当社がスポンサーをつとめるJV工事につき、発注者から工事代金の入金

10,000千円（前払金）があった。JV持分は当社60％、他社40％であり、JV構成会社間の資金処理は分配方式によっている。

（借方）現　金　預　金　　10,000　（貸方）未成工事受入金　　6,000
　　　　　　　　　　　　　　　　　　　　　預　　り　　金　　4,000

② JV子会社に対し、持分相当額を小切手により払い出した。

（借方）預　　り　　金　　4,000　（貸方）現　金　預　金　　4,000

【事例Ⅱ－6－16】従業員預り金（社内預金）

① 社員による社内預金への積立てが500千円あった。

（借方）現　金　預　金　　500　（貸方）預　　り　　金　　500
　　　　　　　　　　　　　　　　　　　　（従業員預り金）

② 社内預金につき、300千円の払出しがあった。

（借方）預　　り　　金　　300　（貸方）現　金　預　金　　300
　　　　（従業員預り金）

[3]　税務処理

　消費税の取扱いについて、預り金の発生と支払取引は不課税取引となります。

10. 前受収益

[1]　勘定科目の概要

　前受収益は、「一定の契約に従い、継続して役務の提供を行う場合、いまだ提供していない役務に対し支払いを受けた対価」をいいます（原則注解5）。具体的には、貸付金利息や工事機材の賃貸料の前受分等が該当します。

　このような役務に対する対価は、時間の経過とともに翌期以降の収益となるものであるため、これを当期の損益計算から除外するとともに、貸借対照表の負債の部に計上します（勘定科目分類）。なお、前受収益は、工事代金の前払いを受けた場合のような、役務提供契約以外の契約等による未成工事受入金また

は前受金とは異なることに留意が必要です。

なお、前受収益の会計・税務処理について、建設業に固有の処理は定められていません。

[2] 会計処理

決算時において、いまだ役務の提供は行っていないものの対価の支払いを受けたものにつき、該当金額を収益から減ずるとともに前受収益を計上します。

なお、中小企業については、金額的重要性の乏しいものは現金主義に基づく処理が認められます（中小企業会計指針31、中小企業会計要領7）。

前受収益にかかる会計処理には、①収益にかかる対価（現金等）の受入時には現金主義で処理をしておき決算時に修正する方法と、②対価の受入時から前受収益処理をしておき、時の経過に応じて収益計上する方法があります。

①のほうが簡便ですが、より適切な月次損益計算のためには②のほうが適しています。どちらを採用するかは、対価の受入れのタイミング（年次前受、月次前受など）も考慮して決定するのが良いと思われます。

なお、翌期の処理では、上記①については翌期首において振り戻す方法が通常であり、②については時の経過に応じて費用化する処理を続けます。

【事例Ⅱ－6－17】貸付金の実行（受取時に収益処理し、決算時に前受収益計上）

---

① 10月1日に協力業者に対し、金利3％前払い、元金1年後一括返済という条件にて、5,000千円を貸し付けた。

（借方）貸　付　金　　　5,000　（貸方）現　金　預　金　　　4,850
　　　　　　　　　　　　　　　　　　　受　取　利　息　　　　 150

② 決算時（3月31日）に、未経過である半年分を前受収益に計上した。

（借方）受　取　利　息　　　 75　（貸方）前　受　収　益　　　　 75

③ 翌期首（4月1日）に振り戻した。

（借方）前　受　収　益　　　 75　（貸方）受　取　利　息　　　　 75

【事例Ⅱ－6－18】賃貸料の受取り（受取時に前受収益処理してから収益処理）

① 土地の賃貸料を6カ月分（300千円）まとめて受け取った。

（借方）現　金　預　金　　300　（貸方）前　受　収　益　　300

② 毎月の月次決算において順次収益化する。

（借方）前　受　収　益　　 50　（貸方）賃　　貸　　料　　 50

[3] 税務処理

　貸付金、預金、貯金または有価証券から生ずる利子の額について、その利子の計算期間の経過に応じた当事業年度分以外の金額は、翌事業年度以降の益金とすることができます（法基通2－1－24）。また、資産の賃貸借契約に基づいて支払いを受ける使用料等の額について、前受けにかかる額は、翌事業年度以降の益金とすることができます（法基通2－1－29）。

　消費税については、利子を対価とする金銭の貸付（借入）取引、土地の貸付取引は原則として非課税です（消法6①、別表第1第1号・第3号、消令10①、消基通6－3－1）。

11. 完成工事補償引当金

[1] 勘定科目の概要

　完成工事補償引当金とは、引渡しを完了した工事にかかる瑕疵担保責任に対する引当金をいいます（勘定科目分類）。

　建設業においては、工事の引渡し後の一定期間において工事の補修を無償で行うことが契約で決められています。この場合、収益計上した事業年度ではなく、その後の事業年度で補修費が発生しますので、収益と費用を対応させるため、翌期以降に発生が予想される補修費を見積もり、当期の費用として完成工事補償引当金に計上しなければなりません。

　ただし、収益認識基準では、契約における履行義務を識別し履行義務ごとに収益を認識するため、契約における保証の内容に留意が必要です。

保証サービスの内容が契約で合意された仕様や機能に対しての品質保証のみ
であれば、履行義務は識別されず、完成工事補償引当金として処理します（収
益認識適用指針34）。

しかし、瑕疵担保責任の範囲に加えて追加のサービスを提供する保証の場合
には、工事とは別個の履行義務として識別し、工事価格を施工部分と保証サー
ビス部分に配分することが必要になります（収益認識適用指針35）。

[2] 会計処理

過去の事業年度における完成工事高に対する実際の補修費の発生割合を求
め、当事業年度の完成工事高にこの割合を乗じた金額が完成工事補償引当金と
なります。完成工事補償引当金繰入額は、通常は当期の完成工事原価として処
理をします。完成工事補償引当金は、契約上の補償期間に対応して、流動負債
または固定負債の部に表示します。

見積りのための完成工事高及び補修費の実績値の利用では、過去3事業年度
程度の実績数値を基礎とすることが考えられます。

翌事業年度以降、実際に補修費として支出があった場合には、理論的には逐
次完成工事補償引当金勘定を取り崩す方法が考えられます。しかしながら実務
上は、支出のあった事業年度の完成工事原価にて補修費として費用処理し、完
成工事補償引当金はそのままの金額で戻入処理をする会社が多くみられます。
そして、戻入額はその事業年度の繰入額と相殺の上、その差額を完成工事原価
として処理します。

【事例Ⅱ－6－19】完成工事補償引当金の計上及び翌事業年度の処理

① 期末時点において過去3事業年度の完成工事高に対する補修費発生割合を求
めたところ、0.2％であった。当事業年度の完成工事高は5,000,000千円である。
（借方）完成工事補償引当金繰入額　　10,000　　（貸方）完成工事補償引当金　　10,000
完成工事補償引当金＝完成工事高5,000,000千円×補修費発生割合0.2％

$$= 10,000千円$$

② 翌事業年度において、前事業年度完成工事に関する補修費が15,000千円（消費税別）発生した。

（借方）補　　修　　費　　15,000　（貸方）現　金　預　金　16,500
　　　　仮 払 消 費 税 等　　　1,500

［消費税］物件の補修工事は役務の提供にあたるため、課税取引となります。

③ 翌事業年度の完成工事高は4,000,000千円であり、補修費発生割合を0.3%に見直した。

（借方）完成工事補償引当金　　　10,000　（貸方）完成工事補償引当金戻入益　　10,000

（借方）完成工事補償引当金繰入額　12,000　（貸方）完成工事補償引当金　　　12,000

完成工事補償引当金＝完成工事高4,000,000千円×補修費発生割合0.3%

$$= 12,000千円$$

完成工事原価として処理する金額

　＝補修費15,000千円＋完成工事補償引当金繰入額12,000千円－完成工事補償引当金戻入益10,000千円＝17,000千円

[3] 税務処理

完成工事補償引当金は法人税法上の引当金ではないため、完成工事補償引当金繰入額は損金算入できません。よって、法人税申告書上は、繰り入れた事業年度に加算調整をし、工事が完成し引当金を取り崩した事業年度において減算調整することになります。

消費税については、完成工事補償引当金繰入額、戻入額ともに不課税取引になります。ただし、実際の補修支出には、通常は課税取引が含まれます。

12. 工事損失引当金

[1] 勘定科目の概要

建設会社は、工事によって利潤を獲得することを目的としますが、さまざまな理由により、受注した工事が赤字となってしまうことがあります。

工事契約について、工事原価総額等が工事収益総額を超過する可能性が高く、かつ、その金額を合理的に見積もることができる場合には、その超過すると見込まれる額（工事損失）のうち、当該工事契約に関してすでに計上された損益の額を控除した残額を、工事損失が見込まれた期の損失として処理し、工事損失引当金を計上します（収益認識適用指針90）。

工事損失引当金の計上に関しては、収益認識基準等において、廃止された「工事契約に関する会計基準」の処理が引き継がれています。

[2] 会計処理

工事損失引当金の繰入額は完成工事原価に含め、工事損失引当金の残高は、貸借対照表上で流動負債として計上します（勘定科目分類）。このとき、当該工事契約に関してすでに計上された損益がある場合、この金額を控除した残額を計上します（収益認識通用指針90）。

なお、同一の工事契約に関する棚卸資産（未成工事支出金）と工事損失引当金がともに計上されることとなる場合には、貸借対照表の表示上、相殺して表示することができます（収益認識通用指針106−9）。

工事損失引当金計上の要否の判断、及び見積金額の算定は、少なくとも着工時に策定された実行予算を基礎とする必要があります。受注時に算出されるデータは、短期間で見積金額を概括的に算定するため、金額の信頼性や合理性に欠ける場合が多いのに対し、受注後に作成される実行予算は、一般的に当該工事に関する諸条件を具体的に勘案して、合理的な見積もりとなっている場合が多いと考えられるためです。

【事例Ⅱ−6−20】工事損失引当金の計上

① 工事価格1,000,000千円（消費税別）のＡ工事につき実行予算を作成したところ、工事原価総額が1,100,000千円（消費税別）と見積もられた。

（借方）工事損失引当金繰入額　100,000　（貸方）工事損失引当金　100,000

第6章
流動負債

249

工事損失見積額＝工事価格1,000,000千円－工事原価総額1,100,000千円

＝△100,000千円

② 翌期において、上記工事が完成した。

（借方）工事損失引当金　100,000　（貸方）完成工事原価　100,000

【事例Ⅱ－6－21】進捗度に基づき一定の期間にわたり収益を認識する工事の場合

① 工事価格1,000,000千円（消費税別）、工期2年の建設工事を請け負った。工事原価総額を見積もったところ、1,050,000千円（消費税別）と見積もられた。

（借方）工事損失引当金繰入額　　50,000　（貸方）工事損失引当金　　50,000

工事損失見積額＝工事価格1,000,000千円－工事原価総額1,050,000千円

＝△50,000千円

② 着工して初めての決算を迎えた。期末時の工事原価総額の見積額は1,100,000千円、発生原価は330,000千円、当該コストに基づくインプット法による工事進捗度は30％であった。

（借方）完成工事原価　330,000　（貸方）未成工事支出金　330,000

（借方）工事損失引当金繰入額　　20,000　（貸方）工事損失引当金　　20,000

工事損失見積額＝工事価格1,000,000千円－工事原価総額1,100,000千円

＝△100,000千円

当期完成工事高＝工事価格1,000,000千円×工事進捗度30％＝300,000千円

当期損失計上額＝当期完成工事高300,000千円－当期完成工事原価330,000千円

＝△30,000千円

引当追加計上額＝工事損失見込額100,000千円－当初引当額50,000千円－今期損失計上30,000千円＝20,000千円

完成工事原価として処理する金額

＝工事損失引当金繰入額50,000千円＋完成工事原価330,000千円＋工事損失引当金繰入額20,000千円＝400,000千円

③ 翌事業年度において、工事が完成した。この期の発生原価は780,000千円であった。

（借方）完 成 工 事 原 価　　780,000　（貸方）未 成 工 事 支 出 金　　780,000

（借方）工 事 損 失 引 当 金　　70,000　（貸方）工事損失引当金戻入益　　70,000

工事損失引当金の取崩額＝当初引当額50,000千円＋前期追加引当額20,000千円

＝70,000千円

完成工事原価として処理する金額

＝完成工事原価780,000千円－工事損失引当金戻入益70,000千円＝710,000千円

[3]　税務処理

　工事損失引当金は法人税法上の引当金ではないため、工事損失引当金繰入額は損金算入できません。よって、法人税申告書上は、繰り入れた事業年度に加算調整をし、工事が完成し引当金を取り崩した事業年度において減算調整することになります。

　消費税については、工事損失引当金繰入額、戻入益ともに不課税取引になります。

13. その他の引当金（賞与引当金、修繕引当金）

[1]　勘定科目の概要

　退職給付引当金（第Ⅱ部第7章「5．退職給付引当金」（265頁）参照）以外の負債性引当金としては、賞与引当金及び修繕引当金等があげられます。

　賞与引当金とは、翌事業年度の賞与支給見込額のうち、当事業年度の負担とするべき金額を負債計上する科目です。わが国の慣行上、多くの会社で、従業員に対し毎月の給与以外に夏季と冬季の2回賞与を支給しています。

　この賞与については、一般に、支給対象期間と実際の支給日とが、それぞれ異なる事業年度に属する場合が多いといえます。このような場合において、適切な期間損益計算の見地より、当事業年度の負担するべき金額を費用処理するとともに、賞与引当金を負債計上します。

　修繕引当金とは、翌事業年度以降に発生すると見込まれる修繕費につき、当期の負担とするべき金額を負債計上する科目です。会社の有する機械、設備等

につき、定期的に多額の修繕が発生する場合があります。この修繕の原因は、修繕を実施する事業年度のみにおいて発生するものではなく、その使用している事業年度において徐々に発生するものと考えられます。このような場合、適切な期間損益計算の見地より、当事業年度の負担するべき金額を費用処理するとともに修繕引当金として負債計上します。

なお、これらの引当金の会計・税務処理について、建設業に固有の処理は定められていません。

[2] 会計処理

❶ 賞与引当金

翌事業年度に支給される賞与については、その支給金額が支給対象期間に対応して算定されているかどうか、賞与支給金額が確定しているかどうかにより、決算時に次の①～③のように処理をします（日本公認会計士協会「未払従業員賞与の財務諸表における表示科目について」）。

①　支給額が確定しており、支給対象期間に対応して算定されている場合は「未払費用」

②　支給額が確定しており、支給対象期間以外の基準に基づいて算定されている場合は「未払金」

③　支給額が確定していない場合は「賞与引当金」

賞与引当金については、決算時に翌事業年度における賞与の支給見込額を見積もり、そのうち当期の負担に属する金額を算出し、費用処理及び負債計上します。この当期の負担に属する金額は、当事業年度における支給対象期間の割合を日割りや月割りによって求め、支給見込額にこの割合を乗じて算定するのが一般的です。

なお、中小企業については、賞与について支給対象期間の定めのある場合、または支給対象期間の定めのない場合でも慣行として賞与の支給月が決まっているときは、次の1998（平成10）年度改正前法人税法に規定した支給対象期間基準の算式により算定した金額が合理的である限り、この金額を引当金の額と

することができるとされています（中小企業会計指針52、中小企業会計要領11）。

＜参考：1998（平成10）年度改正前法人税法＞

賞与引当金繰入額

$$= \left[\begin{matrix} 前1年間の \\ 1人当たり \\ の使用人等 \\ に対する \\ 賞与支給額 \end{matrix} \times \frac{当期の月数}{12} - \begin{matrix} 当期において期末在職使用人等 \\ に支給した賞与の額で当期に \\ 対応するものの1人当たりの \\ 賞与支給額 \end{matrix} \right] \times \begin{matrix} 期末の在職 \\ 使用人等 \\ の数 \end{matrix}$$

　また、賞与引当金の計上にあたっては、賞与引当金の金額に対応する社会保険料の会社負担額についても費用計上が必要であることに留意してください。

【事例Ⅱ－6－22】賞与引当金の計上と支払時の処理

①　当社の夏季賞与の支給日は6月30日であるが、その支給対象期間は12月1日
～5月31日の6カ月である。期末日（3月31日）において、夏季賞与の支給見込額を6,000千円、夏季賞与にかかる社会保険料は780千円と見積もった。

（借方）賞与引当金繰入額　　4,000　（貸方）賞　与　引　当　金　　4,000
　　　　法　定　福　利　費　　　520　　　　　未　払　費　用　　　520

賞与引当金＝支給見込額6,000千円×4カ月（12月～3月）÷6カ月＝4,000千円
未払費用＝社会保険料見込額780千円×4カ月÷6カ月＝520千円

②　翌事業年度の6月30日に賞与を支給した。支給額は期末時の見込額を500千円上回る6,500千円であった（所得税、法定福利費については省略）。

（借方）賞　与　引　当　金　　4,000　（貸方）現　金　預　金　　6,500
　　　　賞　　　　　　　　与　　2,500

【事例Ⅱ－6－23】賞与引当金の計上（旧法人税法の支給対象期間基準）

　当社（3月決算会社）の夏季賞与の支給日は6月30日と12月10日であるが、その支給対象期間はそれぞれ12月1日～5月30日と6月1日～11月30日の6カ月ずつである。期中の賞与支給実績は、夏季賞与が6,000千円（支給対象者20人、1

人当たり300千円)、冬季賞与が8,800千円(支給対象者22人、1人当たり400千円)であった。いずれの支給対象者も当期末に在職しており、さらに当期末使用人数は24人となっている。

　なお、冬季賞与に係る社会保険料は1,144千円であった。

（借方）賞 与 引 当 金 繰 入 額　　6,000　（貸方）賞 与 引 当 金　　6,000
　　　　法 定 福 利 費　　　　780　　　　　　法 定 福 利 費　　　　780

前1年間の1人当たり賞与支給額＝300千円＋400千円＝700千円

当期の支給対象期間に対応する賞与＝夏季賞与6,000千円×2カ月（4月〜5月）÷6カ月＋冬季賞与8,800千円＝10,800千円

当期の支給対象期間に対応する1人当たり賞与支給額＝10,800千円÷24人＝450千円

賞与引当金＝（700千円−450千円）×24人＝6,000千円

法定福利費（概算）＝1,144千円÷8,800千円×6,000千円＝780千円

❷ 修繕引当金

　将来見込まれる大規模な修繕の時期及び費用を見積もり、そのための費用発生を引当金に繰り入れることで平準化します。大規模修繕の見積りを毎期見直し、必要に応じて繰入額を調整します。

【事例Ⅱ−6−24】修繕引当金の計上と取崩しの処理

①　当社のプラント施設については、10年に1度大規模な修繕が実施されている。これにそなえて毎年均等額を積み立てており、次回の大規模修繕には100,000千円が必要と見積もられている。

（借方）修 繕 引 当 金 繰 入 額　　10,000　（貸方）修 繕 引 当 金　　10,000

修繕引当金繰入額＝100,000千円×1年÷10年＝10,000千円

②　10年目に予定どおりプラントの大規模修繕を実施した。実際に要した費用は105,000千円（消費税別）であった。

（借方）修 繕 引 当 金　　100,000　（貸方）現 金 預 金　　115,500

$$修　繕　費　　5,000$$

$$仮払消費税等　　10,500$$

［消費税］プラントの修繕は役務の提供にあたるため、課税取引となります。

　修繕引当金（引当累計額）＝10,000千円×10年＝100,000千円

　修繕費（引当不足額）＝105,000千円－100,000千円＝5,000千円

[3] 税務処理

　法人税法における引当金は、一定の条件のもとに貸倒引当金のみが認められており、それ以外の引当金については繰入額の損金算入はできません(法法52)。

　したがって、賞与引当金や修繕引当金は法人税法上の引当金とはならず、繰入額は所得計算において加算調整が必要です。そして、取崩時において減算調整をします。

　なお、賞与については、債務が確定していれば未払いの賞与であっても税務上は損金算入が認められます。この要件は次の3点です（法令72の3）。

①　支給額を各人別に、かつ、同時期にすべての支給対象者に通知していること

②　通知日の属する事業年度終了の日の翌日から1カ月以内に支払っていること

③　通知日の属する事業年度で損金処理していること

　また消費税については、賞与引当金繰入額、修繕引当金繰入額ともに、計上及び取崩しにつき不課税取引になります。ただし、実際の修繕費の支払いは課税取引になります。

14. その他流動負債

[1] 勘定科目の概要

　営業外支払手形等、決算期後1年以内に支払いまたは返済すると認められるもので他の流動負債に属さないものは、その他流動負債に分類します（勘定科目分類）。

営業外支払手形とは、会社の事業目的にかかる営業活動において、経常的にまたは短期間に循環して発生する取引における支払いのための手形（支払手形）以外のものであり、例えば固定資産の購入代金の支払いとして振り出した手形をいいます。

　なお、営業外支払手形等の会計・税務処理について、建設業に固有の処理は定められていません。

[2]　会計処理

　例えば、固定資産を購入したことにより発生した取引先に対する債務を、手形を振り出して支払った場合には、振出金額を営業外支払手形に計上します。そして、満期日において手形が決済されたときには、営業外支払手形から減額します。

【事例Ⅱ－6－25】固定資産購入代金の手形払い

---

①　営業所建物を新築した。この建設費は50,000千円（消費税別）であり、全額手形を振り出して支払った。

（借方）建　物　・　構　築　物　　　50,000　（貸方）営業外支払手形　　　55,000
　　　　仮 払 消 費 税 等　　　5,000

［消費税］建物の取得は資産の譲渡にあたるため、課税取引となります。

②　手形満期日において、予定どおり決済された。

（借方）営業外支払手形　　　55,000　（貸方）現　　金　　預　　金　　　55,000

---

[3]　税務処理

　営業外支払手形に関する消費税の取扱いについて、手形の振出し及びその決済は不課税取引となります。ただし、実際の固定資産等の購入取引については、課税取引になります。

第 **7** 章

固定負債

1. 社債

[1] 勘定科目の概要

社債とは、会社が行う割当てにより発生する会社を債務者とする金銭債権で、あらかじめ定められた事項に従って償還されるものをいいます（会社法2二十三、676）。社債の発行会社は、有価証券である社債の発行により、広く一般から大量に資金調達を行うことを目的としています。

社債の発行は、銀行借入と並んで会社が資金を負債として調達する方法の1つです。満期には額面金額で償還し、それまでは定期的に社債利子を支払います。社債発行時の実勢金利と社債利子率との関係により、社債の価格は額面金額を上回ったり下回ったりして流通します。

なお、社債の会計・税務処理について、建設業に固有の処理は定められていません。

また、社債には以下❶～❸のような分類があります。

❶ 普通社債と新株予約権付社債

新株予約権（株式会社に対して行使することにより当該株式会社の株式の交付を受けることができる権利（会社法2二十一））が付与されているか否かによる区分です。付与されている社債が新株予約権付社債であり、それ以外が普通社債となります。

❷ 担保付社債と無担保社債

担保の有無による区分です。担保付社債は、さらに一般担保付社債と物上担

保付社債に区分されます。現在は無担保社債が主流です。

❸ 公募債と私募債

　募集方法による区分です。公募債は不特定かつ多数の者（申込勧誘の対象者が50名程度以上の場合）を対象としており、私募債は特定の少数の縁故を対象として発行されます。

[2] 会計処理

　社債の発行に関して発生する社債発行費については、原則として支出時の費用（営業外費用）として処理しますが、繰延資産に計上することができます。繰延資産に計上した場合は、社債の償還までの期間にわたり利息法により償却するか、継続適用を条件として定額法を適用することができます（第Ⅱ部第5章「5．社債発行費等」（222頁）参照）。

　また、社債を社債金額と異なる価額で発行した場合は、払込みを受けた金額を負債に計上し、償却原価法により社債金額との差額を償還期に至るまで毎期一定の方法で加算または減算するとともに、支払利息または受取利息に計上します（金融商品会計基準26）。その際、原則として利息法によりますが、継続適用を要件として簡便法である定額法を採用することができます（金融商品実務指針70）。

【事例Ⅱ－7－1】社債の発行と償却原価法

　① 社債金額100,000千円の社債（期間5年、利率2％、利払期日9月末・3月末）を95,000千円で発行した。社債発行費（取扱手数料）は3,000千円（消費税別）であり、支出時の費用として処理している。

（借方）普　通　預　金　　95,000　（貸方）社　　　　　　　債　　95,000
　　　　社　債　発　行　費　　3,000　　　　　現　金　預　金　　　3,300
　　　　仮 払 消 費 税 等　　　300

［消費税］取扱手数料は役務の提供にあたるため、課税取引に該当します。

　② 社債利息の支払いを行った。

（借方）社　債　利　息　　1,000　（貸方）現　金　預　金　　1,000

社債利息＝社債金額100,000千円×利率2％×6カ月÷12カ月＝1,000千円

③　決算につき、償却原価法（定額法）を適用した（発行から期末まで6カ月）。

（借方）社　債　利　息　　　500　（貸方）社　　　　　債　　　　500

社債利息＝（社債金額100,000千円−帳簿価額95,000千円）÷5年×6カ月

$$÷12カ月＝500千円$$

　新株予約権付社債については、区分法または一括法により処理を行います。区分法は新株予約権部分と社債部分を区別して認識する方法、一括法は両者を区分しない方法です。

　具体的には、新株予約権の行使時に現金での払込みができる新株予約権付社債については区分法のみが、転換社債型新株予約権付社債には区分法に加えて一括法も認められています。

【事例Ⅱ－7－2】新株予約権付社債の発行（区分法）

①　新株予約権付社債50,000千円を発行した。新株予約権の対価は5,000千円であった。

（借方）現　金　預　金　　50,000　（貸方）社　　　　　債　　45,000
　　　　　　　　　　　　　　　　　　　　　新　株　予　約　権　　5,000

②　代用払込により新株予約権が行使された。

（借方）社　　　　　債　　45,000　（貸方）資　　本　　金　　50,000
　　　　新　株　予　約　権　　5,000

【事例Ⅱ－7－3】転換社債型新株予約権付社債の発行（一括法）

①　転換社債型新株予約権付社債（社債金額80,000千円、払込金額75,000千円、5年間）を期首に発行した。

（借方）現　金　預　金　　75,000　（貸方）社　　　　　債　　75,000

② 決算につき、償却原価法（定額法）を適用した。

（借方）社　債　利　息　　1,000　（貸方）社　　　　　債　　1,000

社債利息＝（社債金額80,000千円－帳簿価額75,000千円）÷5年＝1,000千円

③ 新株予約権が行使された。

（借方）社　　　　　債　　76,000　（貸方）資　　本　　金　76,000

　なお、社債の償還期限が1年以内に到来するものは、流動負債の部に「1年内償還予定の社債」として表示します。

[3] 税務処理

　法人税法上、払込みを受けた金額と社債金額との差額については償却原価法を適用しますが、会計と異なり定額法のみが認められています（法基通2－1－32）。また、償還期限及び償還金額の定めのある有価証券（償還有価証券）について適用されます（法基通2－1－33）。

　したがって、会計上で利息法を採用した場合には、申告調整が必要となります。

2. 長期借入金

[1] 勘定科目の概要

　長期借入金とは、流動負債に記載された短期借入金以外の借入金をいい（勘定科目分類）、具体的には返済までの期間が1年を超える借入金をいいます。

　会社は、さまざまな目的で金融機関等から借入れをしますが、設備投資のための資金調達は返済期間が長期にわたるのが通常であり、証書貸付等による長期借入金となります。

　借入金の範囲及び借入金の形態については、第Ⅱ部第6章「3. 短期借入金」（231頁）を参照してください。

　なお、長期借入金の会計・税務処理について、建設業に固有の処理は定められていません。

[2] 会計処理

借入期間が 1 年を超える借入れをしたときには、長期借入金に計上し、返済をした場合にその元本金額を減額します。

分割返済の定めのある長期借入金につき、返済までの期間が 1 年以内の金額については、「1 年内返済予定の長期借入金」として流動負債に区分掲記します（原則注解16）。ただし会計処理上は、期中は長期借入金のままとし、決算時に表示目的で 1 年以内返済予定の長期借入金とする実務が多いようです。

会社法計算書類上、関係会社からの長期借入金は、「関係会社長期借入金」として区分掲記していない場合には、当該金額の注記が必要です（会計規103六）。また、役員からの借入金については、その金銭債務残高を注記します（会計規103八）。

【事例Ⅱ－7－4】長期借入金の借入れと返済

① 期首において25,000千円を借入期間 5 年で借り入れ、当座預金に振り込まれた。その後毎年度末に5,000千円ずつ分割返済し、その際に 1 年分の利息（年 3 ％）を支払う条件となっている。

（借方）現　金　預　金　　25,000　（貸方）長　期　借　入　金　　25,000

② 第 1 回目の返済日を迎え、返済金5,000千円と利息750千円を当座預金から支払った。

（借方）長　期　借　入　金　　 5,000　（貸方）現　金　預　金　　 5,750
　　　　支　払　利　息　　　 750

支払利息＝借入金残高25,000千円×利率 3 ％＝750千円

③ 決算時に、 1 年内返済金額を流動負債に振り替えた。

（借方）長　期　借　入　金　　 5,000　（貸方）1年内返済予定長期借入金　　 5,000

[3] 税務処理

利子を対価とする金銭の貸付（借入）取引は非課税取引です（消法 6 ①・別表第 1 第 3 号、消令10①、消基通 6 － 3 － 1 ）。

3. リース債務

[1] 勘定科目の概要

　固定負債に計上されるリース債務は、ファイナンス・リース取引におけるもののうち、流動負債に属するもの以外のものをいいます（勘定科目分類）。リース債務は、貸借対照表日後1年以内に支払いの期限が到来するものは流動負債に属するものとし、1年を超えて到来するものは固定負債に属するものとします（リース会計基準17）。

　なお、リース債務の会計・税務処理について、建設業に固有の処理は定められていません。また、リース会計の概要については、第Ⅱ部第2章「6．リース資産　［1］リース会計の概説」（166頁）を参照してください。

[2] 会計処理

　リース債務にかかる会計処理については、第Ⅱ部第2章「6．リース資産［3］会計処理」（169頁）及び同第6章「4．リース債務　［2］会計処理」（233頁）を参照してください。

[3] 税務処理

　リース取引にかかる税務処理については、第Ⅱ部第2章「6．リース資産［4］税務処理」（171頁）を参照してください。

4. 繰延税金負債及び再評価に係る繰延税金負債

[1] 勘定科目の概要

❶ 繰延税金負債

　繰延税金負債は、税効果会計の適用により負債として計上される金額をいいます。対象となる将来加算一時差異の例としては、特別償却準備金、土地建物の圧縮積立金などがあげられます。

　なお、税効果会計の概要については、第Ⅱ部第4章「6．繰延税金資産」（200

頁）を参照してください。

❷ **再評価に係る繰延税金負債**

再評価に係る繰延税金負債とは、「土地の再評価に関する法律」（平成10年法律第34号）に基づき事業用土地の再評価を行ったことにより生じた差額のうち、税効果の対象となる金額をいいます。

土地の再評価は、すべての事業用土地の含み益を貸借対照表に顕在化させることを目的としていました。そのため、再評価した時点において合計ベースで評価損を認識し、繰延税金資産を計上するケースは存在しません。しかし、個々の土地単位では繰延税金資産の回収可能性の判断が求められているため、その判断によっては繰延税金負債の計上額が影響を受けます。

詳細については、第Ⅱ部第8章「9．土地再評価差額金」（296頁）を参照してください。

[2]　会計処理

❶ **繰延税金負債**

期首と期末の将来加算一時差異の異動に基づき、繰延税金負債の計上または取崩しを行います。いずれの場合も、法人税等調整額を通じて損益計算書に反映されます。

貸借対照表の表示に関しては、同一納税主体の繰延税金負債と繰延税金資産は、双方を相殺します。異なる納税主体の繰延税金資産とは相殺できませんので、注意が必要です。

【事例Ⅱ－7－5】繰延税金負債の計上

期末の将来加算一時差異が増加したため、繰延税金負債12,000千円を計上した。

（借方）法 人 税 等 調 整 額　　12,000　（貸方）繰 延 税 金 負 債　　12,000

【事例Ⅱ－7－6】繰延税金負債の取崩し

期末の将来加算一時差異が減少したため、繰延税金負債3,000千円を取り崩した。

（借方）繰　延　税　金　負　債　　　3,000　（貸方）法人税等調整額　　　3,000

---

❷　**再評価に係る繰延税金負債**

再評価に係る繰延税金負債については、土地再評価の対象となった事業用土地について、譲渡されたときまたは減損を実施したときに対応して取り崩します。その際、取崩額は法人税等調整額により損益計算書を経由します。

なお、土地の再評価は時限的な措置であったため、今後追加的に再評価に係る繰延税金負債が計上されることはありません。

【事例Ⅱ－7－7】土地再評価の対象となった土地の売却

過去に土地の再評価を行った土地70,000千円（評価差額30,000千円、土地再評価差額金21,000千円、再評価に係る繰延税金負債9,000千円）を、60,000千円で売却した。

（借方）現　　金　　預　　金　　60,000　（貸方）土　　　　　　　地　　70,000
　　　　固定資産売却損　　10,000
（借方）土地再評価差額金　　21,000　（貸方）土地再評価差額金取崩額　21,000
　　　　再評価に係る繰延税金負債　　9,000　　　　法人税等調整額　　9,000

土地再評価差額金取崩額は、株主資本等変動計算書に計上されます。

再評価に係る繰延税金負債は、繰延税金資産との間で相殺は認められておりませんので、注意が必要です。

[3]　税務処理

税効果会計は税務処理に関して何ら影響を与えません。したがって、会計上

で計上した繰延税金負債及び法人税等調整額などは、すべて申告調整における調整項目となります。

5. 退職給付引当金

[1] 勘定科目の概要

退職給付引当金とは、一定の期間にわたり労働を提供したこと等の事由に基づいて、退職以後に従業員に支給される給付（以下「退職給付」といいます）のうち、決算日までに発生していると認められる金額である退職給付債務を計上する引当金をいいます。

退職給付制度は、まず内部積立としての退職一時金制度と外部積立としての企業年金制度に分けられます。退職一時金制度は、退職時に会社の保有する現預金から退職金を一括して給付する制度です。

一方、企業年金制度は、①従業員に支払われる退職給付額が確定している確定給付型の制度と、②企業が退職給付目的で外部に拠出する金額が確定している確定拠出型制度に大別することができます。企業年金制度においては、年金あるいは一時金として給付されます。

以下、これらについて個別財務諸表での処理を前提に概説します。

❶ 確定給付型制度

就業規則等の定めに基づき、厚生年金基金、確定給付企業年金といった確定給付型の退職給付制度を採用している会社にあっては、従業員に対し法的債務を負っていることになるため、引当金の計上が必要となります。

具体的には、退職により見込まれる退職給付の総額のうち、期末までに発生していると認められる額を割り引いて計算される退職給付債務に、未認識数理計算上の差異及び未認識過去勤務費用を加減した額から、年金資産の額を控除した額を退職給付引当金として負債計上します（過去勤務費用及び数理計算上の差異については後述）（退職給付会計基準16、39）（**図表Ⅱ－7－1参照**）。

この退職給付債務の計算にあたっては、高度な数理計算が必要となることから、通常はその計算を企業外部の年金数理人（直接は信託銀行や生命保険会社な

図表Ⅱ－7－1　退職給付債務及び年金資産と退職給付引当金の関係

ど）に委託するか、あるいは専用のソフトウェアを利用する等の方法で算出します。

❷ 確定拠出型制度

　確定拠出年金制度や中小企業退職金共済制度では、受給額はその運用により増減しますが、会社にとっては掛金は固定されています。このように、掛金の拠出以降に追加的な費用負担が生じない確定拠出型の制度を採用している場合には、当該制度に基づく要拠出額を費用処理するのみで足ります。
　したがって、会社は将来的な債務を負わないため、退職給付引当金が計上されることはありません。

　なお、退職給付引当金の会計・税務処理について、建設業に固有の処理は定められていません。
　ただし建設業界では、建設現場で働く労働者の退職金制度として、確定拠出型制度に属する建設業退職金共済制度が広く利用されています。これは、事業主と独立行政法人勤労者退職金共済機構との退職金共済契約に基づき、建設現場で働く労働者を被共済者として、共済手帳に労働者が働いた日数に応じ共済証紙を貼り、その労働者が建設業界の中で働くことをやめたときに、機構から直接労働者に退職金が支払われるものです。
　事業主は、あらかじめ建設現場ごとの就労予定日数に応じて共済証紙を購入し、労働者に賃金を支払うつど（少なくとも月1回）共済手帳に貼って消印し

ます。労働者は共済手帳に基づいて退職金を請求します。

　事業主の会計処理上は、共済証紙の交付額を費用計上（法人税法上も損金となります）するのみで退職給付債務が生じないため、退職給付引当金の計上も必要ありません。

[2]　会計処理

　確定給付型の制度においては、各期ごとに発生したと認められる退職給付費用の額を退職給付債務の計算に準じて計算し、これを当事業年度の費用とするとともに退職給付引当金に繰り入れます。

　この退職給付費用は、1期間の労働の対価として発生したと認められる退職給付である勤務費用と、割引計算により算定された期首時点における退職給付債務について、期末までの時の経過により発生する計算上の利息である利息費用から構成されます（退職給付会計基準8、9）。

　年金資産を有する制度の場合、年金資産は期末における時価（公正な評価額）によって計算されますが、期首時点において、その運用により得られると予測した期待運用収益は退職給付費用から差し引くことになります。

　退職給付債務や期待運用収益は、種々の仮定に基づく見積計算であるため、その実際の数値とは乖離が生じます。この差異には、①期待運用収益と実際の運用成果との差異や数理計算に用いた見積数値と実績との差異及び見積数値の変更等から生ずる数理計算上の差異と、②退職給付水準の改訂等に起因して発生した退職給付債務の増加または減少部分である過去勤務費用があります（退職給付会計基準11、12）。これらは、原則として各期の発生額について、平均残存勤務期間以内の一定の年数で按分した額を毎期費用処理します（退職従業員に係る過去勤務費用は、他の過去勤務費用と区分して、発生時に全額費用処理することができます）が、数理計算上の差異については、当期の発生額を翌期から費用処理する方法を用いることができます（退職給付会計基準24、25、注7、注10）。

　なお、従業員が300名未満であるなど小規模企業における簡便法として、いくつかの方法が認められています。例えば、会社が退職一時金制度を採用して

いる場合には、退職給付にかかる期末自己都合要支給額を退職給付債務とする
方法、企業年金制度を採用している場合には、直近の年金財政計算上の数理債
務をもって退職給付債務とする方法などがあります（退職給付会計基準26、退職
給付適用指針47・48・50）。

　また、中小企業については、同様に退職一時金制度あるいは確定給付型の企
業年金制度の場合、期末自己都合要支給額をもって退職給付債務とすることが
認められます（中小企業会計指針55、中小企業会計要領11）。

【事例Ⅱ－7－8】退職給付一時金制度と過去勤務費用

① 期首において、当期の勤務費用は3,000千円、利息費用は800千円と算定された。

　（借方）退 職 給 付 費 用　　3,800　（貸方）退職給付引当金　　3,800

　退職給付費用＝勤務費用3,000千円＋利息費用800千円＝3,800千円

② 期中において、自己都合退職した従業員に対し、退職金を2,500千円支払った。

　（借方）退職給付引当金　　2,500　（貸方）現 金 預 金　　2,500

③ 期末において退職給付債務を計算したところ、期首で予測した金額より
200,000千円増加した。この差異は退職給付水準の引上げにより発生したもの
であり（過去勤務費用）、当事業年度から10年で償却するものとする。

　（借方）退 職 給 付 費 用　　20,000　（貸方）退職給付引当金　　20,000

　退職給付費用（過去勤務費用の費用処理）＝200,000千円×1年÷10年
　　　　　　　　　　　　　　　　　　　　＝20,000千円

【事例Ⅱ－7－9】年金資産と数理計算上の差異

① 期首における年金資産残高200,000千円につき、当期の期待運用収益率は2％
と予測された。

　（借方）退職給付引当金　　4,000　（貸方）退 職 給 付 費 用　　4,000

年金資産の増加見込額200,000千円×2％＝4,000千円を退職給付費用及び退職給付引当金から控除します。

② 期中において、年金資産として2,500千円拠出した。

（借方）退職給付引当金　　2,500　（貸方）現　金　預　金　　2,500

年金資産への拠出により退職給付債務自体は減少しないものの、会社内部で積立て（引当て）をしておくべき金額は減少するので、退職給付引当金を減少させます。

③ 期中において、退職者に年金資産から3,000千円の年金（一時金）が支払われた。

（仕訳なし）

これにより年金資産が3,000千円減となりますが、退職給付債務も同額である3,000千円の減となるため特に仕訳の必要はありません。

④ 期末において年金資産残高の時価を算定したところ、205,000千円であった。これは実際の運用収益が期首予測の4,000千円より1,500千円上回ったことによる数理計算上の差異である。会社の採用した会計方針に従い、当期より10年で償却するものとする。

（借方）退職給付引当金　　150　（貸方）退 職 給 付 費 用　　150

計算上の期末年金資産残高＝期首年金資産残高200,000千円＋期待運用収益
4,000千円＋掛金拠出2,500千円－退職金支払
3,000千円＝203,500千円

数理計算上の差異＝期末年金資産205,000千円－203,500千円＝1,500千円

退職給付費用（数理計算上の差異の費用処理）＝1,500千円×1年÷10年
＝150千円

なお、上記の数理計算上の差異の発生額については、当期の発生額を翌期から費用処理する方法を用いることができます（退職給付会計基準注7）。

【事例Ⅱ－7－10】簡便法による計算（退職一時金制度かつ要支給額方式の場合）

① 当社は従業員が300名未満であり、従来より簡便法を適用している。期中に

おいて、定年退職した従業員に期首の引当金計上額から500千円を支給した。

（借方）退職給付引当金　　　500　　（貸方）現　金　預　金　　　500

② 当期末の自己都合要支給額は16,000千円であった。なお、前期末の自己都合
要支給額は15,000千円であった。

（借方）退職給付費用　　　1,500　　（貸方）退職給付引当金　　　1,500

退職給付費用＝自己都合要支給額16,000千円－（前期末要支給額15,000千円－
支給額500千円）＝1,500千円

このうち500千円は、期首の退職給付引当金のうち、期中の退職者に支給した
金額です。結果として、退職給付引当金の期末残高は、期末自己都合要支給額と
同じ16,000千円となります。

【事例Ⅱ－7－11】確定拠出年金制度

① 当社は確定拠出年金制度を採用しており、当月分の掛金として2,500千円を
拠出した。

（借方）退職給付費用　　　2,500　　（貸方）現　金　預　金　　　2,500

② 従業員が退職し、退職金が年金として支払われた。

（仕訳なし）

[3] 税務処理

会計上の退職給付費用は、そのまま税務上の損金として取り扱われるわけで
はありません。法人税法上は、原則として従業員に支給されたときに初めて損
金となります。また外部拠出のある年金制度においては、企業がその掛金を支
払ったときに損金処理できることが多いので、採用している制度設計を確認す
ることが必要です。

これにより、通常の場合、法人税の申告においては退職給付費用（退職給付
引当金の繰入額）は加算調整し、従業員への支給あるいは掛金の拠出にともな
う引当金の取崩時に減算調整することとなります。

なお、消費税については、退職給付費用は給与等を対価とする役務の提供に該当するため不課税取引となります。

6. 資産除去債務

[1] 勘定科目の概要

資産除去債務とは、有形固定資産の取得、建設、開発または通常の使用によって生じ、当該有形固定資産の除去に関して法令または契約で要求される法律上の義務及びそれに準ずるものをいいます。

法律上の義務及びそれに準ずるものには、有形固定資産を除去する義務のほか、有形固定資産の除去そのものは義務でなくとも、有形固定資産を除去する際に当該有形固定資産に使用されている有害物質等を法律等の要求による特別の方法で除去するという義務も含まれます。また、除去とは、売却、廃棄及びリサイクルその他の方法による処分等により有形固定資産を用役提供から除外することをいい、転用や用途変更、遊休状態になる場合は含みません（資産除去債務会計基準3）。

資産除去債務の対象となるものは、例えば、石綿障害予防規則やPCB特別措置法に基づく有害物質の除去や、不動産賃貸借契約における原状回復義務等があげられます。

なお、資産除去債務の会計・税務処理について、建設業に固有の処理は定められていません。

[2] 会計処理

資産除去債務は、有形固定資産の取得、建設、開発または通常の使用によって発生した時に負債として計上し、同額を対応する除去費用として関連する有形固定資産の帳簿価額に加えます。資産計上された資産除去債務に対応する除去費用は、減価償却を通じて、当該有形固定資産の残存耐用年数にわたり各期に配分します（資産除去債務会計基準4、7）。

なお、資産除去債務は、有形固定資産の除去に要する割引前の将来キャッ

シュ・フローを見積もり、割引後の金額で算定します。あわせて、時の経過による資産除去債務の調整を行い、その調整額は発生時の費用として処理します（資産除去債務会計基準6（1）、9）。

　貸借対照表上においては、貸借対照表日後1年以内にその履行が見込まれる場合は流動負債の区分、それ以外は固定負債の区分に表示します。また、損益計算書においては、資産計上された資産除去債務に対応する除去費用に係る費用配分額及び時の経過による資産除去債務の調整額は、当該資産除去債務に関連する有形固定資産の減価償却費と同じ区分に含めて計上します。資産除去債務の履行時に認識される除去費用との差額も原則として同じ区分に計上しますが、当初の除去予定時期よりも著しく早期に除去するなど異常な原因により生じた差額は特別損益として処理します（資産除去債務会計基準13～15、58）。

　なお、中小企業については、資産除去債務に関して中小企業会計指針と中小企業会計要領のいずれにおいても触れられていませんが、通常は適用を想定していないものと考えられます。

【事例Ⅱ－7－12】資産除去債務の計上と決算処理

① 　建物100,000千円を取得するとともに、資産除去債務20,000千円を計上した。

（借方）建　　　　　物　120,000　（貸方）現　金　預　金　100,000
　　　　　　　　　　　　　　　　　　　　資産除去債務　　20,000

② 　時の経過による資産除去債務の増加

（借方）利息費用（雑費）　　400　（貸方）資産除去債務　　　400

資産除去債務の見積りに係る割引率を2％とすると、利息費用＝20,000千円×2％＝400千円

③ 　建物（資産除去債務に対応する除去費用に係る費用配分額を含む）の減価償却

（借方）減　価　償　却　費　　3,000　（貸方）建　　　　　物　　3,000

定額法で耐用年数40年とすると、120,000千円÷40年＝3,000千円

【事例Ⅱ－7－13】資産除去債務の履行

　賃借していたビルの内装（取得原価20,000千円、減価償却累計額18,000千円とする）を原状回復して返還した。資産除去債務4,000千円に対して、原状回復費用は4,800千円発生した。

（借方）	減価償却累計額	18,000	（貸方）	建物附属設備(建物)	20,000
	固定資産除却損	2,000		現 金 預 金	4,800
	資 産 除 去 債 務	4,000			
	履行差額（雑費）	800			

［3］　税務処理

　法人税法において、資産除去債務に関しては何ら規定されていません。したがって、資産除去債務及び資産除去債務に対応する除去費用に係る費用配分額の計上、増減及び取崩しに関してはすべて申告調整における調整項目となります。

7.　その他固定負債

［1］　勘定科目の概要

　長期未払金等1年を超える負債で他の固定負債科目に属さないものは、その他固定負債に分類します（勘定科目分類）。

　長期未払金とは、固定資産や有価証券の購入など、通常の営業取引（商品や材料等の仕入れ）以外の取引により発生した債務のうち、支払期限が1年を超えるものをいいます。

　なお、長期未払金の会計・税務処理について、建設業に固有の処理は定められていません。

［2］　会計処理

　例えば、支払いまでの期間が1年を超える条件で固定資産を購入した場合、長期未払金として計上します。そして、現金や手形による支払いにより、当該

金額を減額します。

【事例Ⅱ－7－14】 固定資産の購入

① 50,000千円（消費税別）の機械設備を導入した。検収は18カ月後とし、支払
　いは設置時に50%、検収時に50%の条件としている。

　（借方）機 械 ・ 運 搬 具　　50,000　（貸方）現　金　預　金　　27,500
　　　　　仮 払 消 費 税 等　　 5,000　　　　　長 期 未 払 金　　27,500

［消費税］機械設備の取得は資産の譲渡にあたるため、課税取引となります。

② 検収日において残額を当座預金から支払った。

　（借方）長 期 未 払 金　　27,500　（貸方）現　金　預　金　　27,500

[3] 税務処理

　法人税法上の取扱いについては、未払金と同様になりますので、第Ⅱ部第6
章「5．未払金　［3］税務処理」（236頁）を参照してください。

第8章

純資産

1. 資本金

[1] 勘定科目の概要

　株式会社における株主は、会社債権者と何ら直接的な法的関係はなく、またその責任も自らの出資額に限定されています（間接有限責任）。そのため、会社債権者の担保となるのは会社財産になります。そこで、会社債権者に対する一定の責任財産を確保するために設けられたのが資本金です。

　資本金は、会社法上、「設立または株式の発行に際して株主となる者が会社に対して払込みまたは給付をした財産の額」と定められています（会社法445①）。また、払込金額の2分の1を超えない額は資本準備金として処理することができます（会社法445②③）。

　資本金は、かつて発行済株式数と密接な関係にありましたが、額面株式が廃止されてからその関連性が薄れ、会社法では完全に切り離されています。なお、最低資本金制度は廃止され、資本金1円でも株式会社を設立することが可能となっています。

　なお、資本金の会計・税務処理について、建設業に固有の処理は定められていません。

[2] 会計処理

　資本金にかかる会計処理は、資本金が増加する取引と資本金が減少する取引に分けることができます。

❶ 資本金増加の会計処理

① 設立

会社は、本店所在地における設立登記をもって設立します（会社法49）。したがって、設立のときをもって資本金を計上します。

【事例Ⅱ－8－1】会社の設立（全額資本金に計上）

設立登記が完了し、発起人より株式払込金（4,000千円）に相当する普通預金の引渡しを受けた。株式払込金の全額を資本金に計上することとする。

（借方）現　金　預　金　　4,000　（貸方）資　　本　　金　　4,000

【事例Ⅱ－8－2】会社の設立（一部を資本準備金に計上）

設立登記が完了し、発起人より株式払込金（5,000千円）に相当する普通預金の引渡しを受けた。株式払込金の2分の1を資本金、2分の1を資本準備金に計上することとする。

（借方）現　金　預　金　　5,000　（貸方）資　　本　　金　　2,500
　　　　　　　　　　　　　　　　　　　　資　本　準　備　金　　2,500

② 株式の交付による増加

株式の交付によって資本金が増加するケースは、大きく3つあります。a. 募集株式の発行等、b. 新株予約権の行使、c. 組織再編にともなう増加です。

このうち、b. 新株予約権の行使については本章「10. 新株予約権」（297頁）で扱います。c. 組織再編については、さらに吸収合併、吸収分割、株式交換の場合に分かれますが（会計規35ほか）、規定が多岐にわたり煩雑となるため、ここではa. 募集株式の発行等のケースを取り上げます。

会社法における「募集株式の発行等」（会社法199）には、新株の発行と自己株式の処分が含まれています。会社は、募集株式の発行等を行う際、財産の払込期日または払込期間を定め（会社法199①四）、その期日が到来するか

その期間中に出資が行われた日をもって資本金を計上します（会社法209）。

　なお、払込期日や払込期間、あるいは募集株式の数や種類及び金額といった募集事項を決定するためには、通常は株主総会の特別決議が必要ですが（会社法309②五、199②）、公開会社の場合には有利発行の場合を除き、取締役会決議で足りるとされています（会社法201①）。

【事例Ⅱ－8－3】募集株式の発行（全額資本金に計上）

① 払込期間中に、株式の対価3,000千円の出資を受けた。

　（借方）現　金　預　金　　　3,000　（貸方）新株式申込証拠金　　3,000
　　　　　（別　段　預　金）

② 払込期日に、新株式申込証拠金3,000千円を資本金に振り替えた。

　（借方）新株式申込証拠金　　3,000　（貸方）資　　本　　金　　3,000
　　　　　現　金　預　金　　　3,000　　　　　現　金　預　金　　3,000
　　　　　　　　　　　　　　　　　　　　　（別　段　預　金）

③　準備金または剰余金の資本組入れ

　会社法では、資本準備金と利益準備金はまとめて「準備金」とされ（会社法445④）、いずれも株主総会の普通決議によって資本金に組み入れることが可能です（会社法448、会計規25①一）。

　また剰余金についても、資本剰余金及び利益剰余金を株主総会の普通決議によって資本金に組み入れることが可能です（会社法450、会計規25①二）。

　資本金が増加する場合には、会社債権者にとっては担保資産が増加するとみることができるため債権者保護手続は不要であり、「効力が生ずる日」をもって資本金を増加させます（会社法448①三、450①二）。

【事例Ⅱ－8－4】 資本準備金の資本金組入れ

株主総会の決議を経て、資本準備金3,000千円の資本組入れの効力が発生した。

(借方) 資 本 準 備 金　　3,000　(貸方) 資　　本　　金　　3,000

❷ 資本金減少の会計処理

　資本金は、会社における意思決定とそれにともなう債権者保護手続を経たあと、効力が生ずる日をもって減額することができます。

　会社における意思決定には、通常は株主総会の特別決議が必要です（会社法309②九、447）。しかし、定時総会において欠損填補を目的とする場合に限り普通決議で足ります（会社法309②九）。さらに、新株発行と同時に実施する減資であって、減資の前後で資本金が減額しない場合には取締役会の決議で足りるとされています（会社法447③）。

　また、債権者保護手続が必要であり、1カ月以上の期間をもって異議申立ての機会を設ける必要があります（会社法449）。

　以上の手続きを経たあと、効力発生日をもって（会社法447①三）、資本金をその他資本剰余金に振り替えます（会計規27①一）。

　会社の意思決定において、減少した資本金を準備金とする旨を同時に決議していた場合には、資本準備金に振り替えます（会社法447①二）。なお、減少した資本金を、利益準備金やその他利益剰余金に振り替えない理由は、資本金は株主から払い込まれた原資であり、勘定科目が変わってもその性質を維持する必要があるためです。

【事例Ⅱ－8－5】 資本金の減少 （その他資本剰余金に振替）

株主総会の特別決議を経て、資本金1,500千円を減資した。

(借方) 資　　本　　金　　1,500　(貸方) その他資本剰余金　　1,500

【事例Ⅱ－8－6】 資本金の減少（資本準備金に振替）

> 株主総会の特別決議で、資本金2,000千円の減資と資本準備金への振替を決議した。
>
> （借方）資　　　本　　　金　　2,000　（貸方）資　本　準　備　金　　2,000

[3] 税務処理

　法人税法上、資本取引は所得金額の計算から除かれており（法法22②）、通常は課税所得に直接の影響はありません。ただし、資本金が１億円以下の中小法人には税務上の優遇措置があり、資本金を増加・減少させる際には留意が必要です。

　法人税法上は、資本金の増加の日についても詳細な定めがありますが（法基通１－５－１）、その内容は会社法の内容と整合しています。なお、法人税法上の資本金等の額は政令で詳細に定められています（法令８）。

　また、消費税について、資本取引は資産の譲渡・貸付及び役務の提供等課税すべき取引にはあたらないため、不課税取引となります。

2. 新株式申込証拠金

[1] 勘定科目の概要

　新株式申込証拠金は、会社が株式の募集等を行い、それに対応して申込期日経過後に財産が払い込まれたものの、いまだ払込期日が到来しないために発生する経過的な勘定です。

　会社法では、募集株式の発行等においては払込期日に効力が発生するため（会社法209）、それ以前に財産が払い込まれたとしても資本金にはなりません。そこで、このような新株式申込証拠金を使用します。

　なお、新株式申込証拠金の会計・税務処理について、建設業に固有の処理は定められていません。

[2] 会計処理

募集株式の発行等にあたり、申込期日経過後に払い込まれた財産を新株式申込証拠金として処理し、払込期日が到来したときに資本金または資本準備金に振り替えます。

新株式申込証拠金はすぐに払込資本となるため、貸借対照表上は資本金の次に区分を設けて表示します（会計規76②）。

【事例Ⅱ－8－7】払込期日の財産の払込み

---

① 申込期日経過後、新株の引受人から現金2,000千円が払い込まれた。

（借方）現　金　預　金　　2,000　（貸方）新株式申込証拠金　　2,000
　　　　（別　段　預　金）

② 払込期日が到来し、①の引受人が株主となった。

（借方）新株式申込証拠金　　2,000　（貸方）資　　　本　　　金　　2,000

　　　　現　金　預　金　　　2,000　　　　　現　金　預　金　　　2,000
　　　　　　　　　　　　　　　　　　　　　　（別　段　預　金）

---

[3] 税務処理

法人税法上、資本取引は所得金額の計算から除かれており（法法22②）、通常は課税所得に直接の影響はありません。ただし、資本金は法人税法上も払込期日に増加するとされていますので留意が必要です（法基通1－5－1）。

また、消費税についても、資本取引は資産の譲渡・貸付及び役務の提供等ではなく課税すべき取引にはあたらないため、不課税取引となります。

3. 資本剰余金

[1] 勘定科目の概要

資本剰余金には、資本準備金とその他資本剰余金の2種類があります。

資本準備金は、株主から払い込まれた財産のうち資本金に組み入れられなかった金額や、剰余金の配当にともなって組み入れられた金額をいいます（会

社法445③）。資本準備金は、利益準備金とともに法定準備金を構成し、資本金とあわせて会社債権者の担保となる財産であるため、継続的に保持されなければなりません。

また、その他資本剰余金から配当する際は、配当金額の10分の1の額を準備金合計額（資本準備金と利益準備金）が資本金の4分の1に達するまで、資本準備金に積み立てる必要があります（会社法445④、会計規22）。これは、資本剰余金と利益剰余金の混同を禁止する企業会計の原則によるものであり（原則第一 三）、準備金組入れの原資もこれに従うことになります。

その他資本剰余金は、資本準備金以外の資本剰余金であり、自己株式を処分した際に発生する処分差額や資本金・資本準備金の減少額などが主な内容になります（会社法446）。

なお、資本剰余金の会計・税務処理について、建設業に固有の処理は定められていません。

[2] 会計処理

資本剰余金の処理は、その多くは資本金の処理と重なります。設立や株式の交付の際には、資本金組入れ額以外は資本準備金として処理することになり、資本金を増加または減少させる場合にも資本剰余金が相手勘定になるケースがあります（本章「1．資本金」（275頁）参照）。

それ以外には、「1．資本金」の項でも述べましたが、組織再編にともなって計上されるケースと、資本準備金及びその他資本剰余金の中で振り替えられるケースがあります。資本準備金とその他資本剰余金を一方からもう一方へ振り替えるためには、株主総会の普通決議が必要となります（会社法448、451）。ただし、資本準備金を減少させてその他資本剰余金に振り替える場合には、定時総会において欠損塡補を目的として準備金のみを減少させる場合を除いて、債権者保護手続き（本章「1．資本金」[2] ❷（278頁）参照）が必要です（会社法449）。

資本準備金とその他資本剰余金の間の振替は、その効力発生日をもって会計

処理をします（会社法448①三、451①二）。

　ほかに、その他資本剰余金から配当する処理がありますが、これは本章「4.
利益剰余金」において解説します。

【事例Ⅱ－8－8】募集株式の発行（2分の1を資本準備金に計上）

①　払込期間中に、株式の対価4,000千円の出資を受けた。

（借方）現　金　預　金　　4,000　（貸方）新株式申込証拠金　　4,000
　　　　（別　段　預　金）

②　払込期日になり、資本金等に振り替えた。

（借方）新株式申込証拠金　　4,000　（貸方）資　　本　　金　　2,000
　　　　　　　　　　　　　　　　　　　　　　資　本　準　備　金　　2,000

　　　　現　金　預　金　　4,000　　　　現　金　預　金　　4,000
　　　　　　　　　　　　　　　　　　　　（別　段　預　金）

【事例Ⅱ－8－9】資本準備金の減少（その他資本剰余金に振替）

株主総会の普通決議を経て、資本準備金1,000千円を減少した。

（借方）資　本　準　備　金　　1,000　（貸方）その他資本剰余金　　1,000

[3]　税務処理

　法人税法上、資本取引は所得金額の計算から除かれており（法法22②）、通
常は課税所得に直接の影響はありません。しかし、法人税法上の資本金等の額
は政令で詳細に定められていますので（法法2十六、法令8）、留意が必要です。

　また、消費税についても、資本取引は資産の譲渡・貸付及び役務の提供では
なく、課税すべき取引にはあたらないため、不課税取引となります。

4. 利益剰余金

[1] 勘定科目の概要

　利益剰余金には、利益準備金とその他利益剰余金の2種類があります。

　利益準備金は、会社が事業によって獲得した利益のうち、準備金として会社債権者の担保となる財産であり、継続的に保持されなければなりません。

　したがって、利益剰余金を配当する際は、配当金額の10分の1を準備金合計額（資本準備金と利益準備金）が資本金の4分の1に達するまで利益準備金に積み立てる必要があります（会社法445④、会計規22）。これは、資本剰余金と利益剰余金の混同を禁止する企業会計の原則によるものであり（原則第一 三）、準備金組入れの原資もこれに従うことになります。

　その他利益剰余金は、利益準備金以外の利益剰余金であり、任意積立金等と繰越利益剰余金から構成されています。任意積立金等は、株主総会決議か法令または定款の規定によって、繰越利益剰余金を原資として積み立てられたものをいいます。

　なお、利益剰余金の会計・税務処理について、建設業に固有の処理は定められていません。

[2] 会計処理

❶ 利益準備金とその他利益剰余金の振替

　利益剰余金は、資本金への組入れが認められています（本章「1．資本金 ［2］会計処理」（275頁）参照）。

　会社法では、資本剰余金と利益剰余金の混同を禁止しているため、欠損を填補するケースを除いて、資本剰余金と利益剰余金の間での振替は認められていません（欠損填補の処理については、本章「1．資本金 ［2］会計処理」（275頁）を参照してください）。

　しかし、利益準備金とその他利益剰余金の中での振替は認められており、株主総会の普通決議が必要とされています（会社法448、451）。ただし、利益準備

金を減少させてその他利益剰余金に振り替える場合には、定時総会において欠損填補を目的として準備金のみを減少させる場合を除いて、債権者保護手続（本章「1．資本金　［2］会計処理」❷（278頁）参照）が必要です（会社法449）。

　利益準備金とその他利益剰余金の間の振替は、その効力発生日をもって会計処理をします（会社法448①三、451①二）。

【事例Ⅱ－8－10】その他利益剰余金の減少（利益準備金に振替）

　　株主総会の普通決議を経て、利益準備金1,200千円を積み立てた。

　　（借方）繰越利益剰余金　　　1,200　（貸方）利 益 準 備 金　　　1,200

❷　任意積立金等の会計処理

　会社法では、任意積立金等（税務上の圧縮積立金や準備金を含みます）を積み立てる場合、原則として株主総会の普通決議が必要となります（会社法452）。ただし、法令または定款の規定による任意積立金等の積立て、取崩しの場合には決議は不要とされ、決算手続において処理します（会計規153②一）。

　そのため、法人税法の規定に基づきその要件を満たして、圧縮積立金や特別償却準備金を積み立てる場合及び取り崩す場合には、決議は必要ありません。また、株主総会の普通決議に基づいて積み立てた任意積立金であっても、目的に沿った取崩しであれば、取崩しの決議は不要とされています。

　なお、固定資産の圧縮記帳や特別償却は、会計と税務における資産計上額の差異となるため、税効果会計の対象となります。

【事例Ⅱ－8－11】圧縮積立金の計上

　　取得した土地について30,000千円の圧縮を行い、期末に圧縮積立金を積み立てた。なお、会社の法定実効税率は30％である。

　　（借方）繰越利益剰余金　　　21,000　（貸方）土 地 圧 縮 積 立 金　　　21,000

|法人税等調整額|9,000|繰延税金負債|9,000|

土地圧縮積立金＝圧縮額30,000千円×（100％－30％）＝21,000千円

繰延税金負債＝圧縮額30,000千円×30％＝9,000千円

❸ 剰余金の配当

　会社法では、利益配当と中間配当の区別を無くし、原資もその他利益剰余金だけでなくその他資本剰余金も使用可能となり、「剰余金の配当」として整理されました（会社法453）。

　剰余金の配当には、原則として株主総会の普通決議が必要ですが（会社法454）、１事業年度にいつでも何度でも行うことができます。また、取締役の任期が１年の会計監査人設置会社等であれば、取締役会の決議によって行うことも可能です（会社法459）。ただし、純資産額が300万円未満の場合には、剰余金の配当を行うことはできません（会社法458）。

　剰余金の配当は、会社財産の流出であり、無制限に認めると会社債権者の担保となる財産が無くなってしまうため、財源規制が詳細に定められています（会社法446・461、会計規156〜158）。財源の基本は、その他資本剰余金とその他利益剰余金になりますが、のれんや繰延資産、各資産の未実現評価益などはこれらに対応する価値を流出させないよう厳しく規制されています。

　なお、剰余金の配当をする場合には、当該配当により減少する剰余金の額に10分の１を乗じた額を、資本金の４分の１を上限として資本準備金または利益準備金として計上しなければなりません（会社法445④、会計規22①）。

　配当は、効力発生日をもって会計上処理を行います（会社法454①三）。

【事例Ⅱ－8－12】剰余金の配当

　その他資本剰余金1,000千円、その他利益剰余金2,000千円を原資として剰余金の配当を行った（準備金合計が資本金の４分の１に達していないケース）。

　（借方）その他資本剰余金　　1,000　（貸方）現　金　預　金　　3,000

|　　　　　繰越利益剰余金　　　　2,000 |

あわせて、準備金を計上する。

|（借方）その他資本剰余金　　　　100 |（貸方）資　本　準　備　金　　　100 |
|　　　　　繰越利益剰余金　　　　200 |　　　　　利　益　準　備　金　　　200 |

資本準備金＝その他資本剰余金による配当1,000千円×10％＝100千円

利益準備金＝その他利益剰余金による配当2,000千円×10％＝200千円

[3] 税務処理

　利益剰余金は、過去に課税された利益であるため、これを直接増減させても課税所得に影響はありません。法人税法上は、利益積立金額として政令で詳細に定められています（法令9）。

　また、消費税についても、資本取引は資産の譲渡・貸付及び役務の提供ではなく、課税すべき取引にはあたらないため、不課税取引となります。

5. 自己株式

[1] 勘定科目の概要

　自己株式は、いわゆる金庫株であり、株式会社が有する自己の株式をいいます（勘定科目分類、会社法113④）。自己株式について、以前は有価証券と同様の扱いがされていましたが、現在では株主資本の控除項目として処理されます（会計規76②）。

　自己株式は、会社法では分配可能額を財源として、取得する株数・価格・期間（1年以内）等について株主総会の普通決議をもって取得することができます（会社法156、461①二）。会社法では、ほかにも自己株式を取得することができるケースを列挙しており、それらの場合に限り取得することができます（会社法155、会施規27）。

　なお、自己株式の会計・税務処理について、建設業に固有の処理は定められていません。

[2] 会計処理

❶ 自己株式の取得

自己株式は、対価を支払うべき日に取得価額をもって純資産の部の株主資本から控除します（自己株式会計基準7、自己株式適用指針5）。

対価を支払うべき日は、例えば単元未満株式の買取請求に応じる場合には自己株式の受渡時点ということになります。通常の有価証券を取得する場合、現行制度では約定日に認識しますが、自己株式の取得はあくまで資本取引と考えられますので、実際の受渡時点に着目します。

なお、取得にかかる手数料等の付随費用は、取得価額には含めず営業外費用として処理します。これは、付随費用が株主との間の資本取引にはあたらないためであり、自己株式の処分や消却の場合も同様です。

【事例Ⅱ−8−13】自己株式の取得

---

① 株主総会決議を経て、証券市場から自己株式を1,200千円で取得した。

（借方）自 己 株 式　　1,200　（貸方）現 金 預 金　　1,200

② 取得の際、証券会社に売買委託手数料100千円（消費税別）を支払った。

（借方）支 払 手 数 料　　100　（貸方）現 金 預 金　　110
　　　　仮 払 消 費 税 等　　　10

［消費税］ 有価証券売買の仲介・代理は役務の提供にあたるため、課税取引となります。

---

❷ 自己株式の処分

自己株式を処分（交付）する際には、自己株式の帳簿価額と対価の差額をその他資本剰余金として処理します（自己株式会計基準9）。

帳簿価額と対価の差額が借方金額となってしまう場合には、その他資本剰余金から減額します。その結果、その他資本剰余金がマイナス残高となってしまう場合には、期末にそのマイナス部分をその他利益剰余金（繰越利益剰余金）に振り替えます（自己株式会計基準10、12）。

このように処分差額をその他資本剰余金として処理するのは、自己株式の処分（交付）が資本取引であり、新株の発行と同じ経済的実態を有するためです。

　募集株式の発行等により自己株式を処分する場合は、対価の払込期日もしくは払込期間中の出資が行われた日に会計上処理をします（自己株式適用指針5）。これも❶同様、自己株式の処分が資本取引であることに由来します。手続き上は、新株の発行と同じく通常は株主総会決議が必要です（本章「1．資本金　［2］会計処理」❶②（276頁）参照）。

　また、処分によって減額する自己株式の帳簿価額は、例えば移動平均法など、会社の定めた計算方法によって株式の種類ごとに算出します（自己株式の消却も同様）。

【事例Ⅱ－8－14】自己株式の処分

> ①　株主総会決議を経て、証券市場で自己株式2,000千円を対価1,800千円で処分
> した。
> （借方）現　金　預　金　　　1,800　（貸方）自　己　株　式　　　2,000
> 　　　　その他資本剰余金　　　200
> ②　上記の結果、マイナス残高となったその他資本剰余金を期末に繰越利益剰余
> 金に振り替える。
> （借方）繰越利益剰余金　　　200　（貸方）その他資本剰余金　　　200

❸　自己株式の消却

　自己株式を消却した場合は、消却手続が完了したときに自己株式の帳簿価額をその他資本剰余金から減額します。その結果、その他資本剰余金がマイナス残高となってしまう場合には、期末にそのマイナス部分をその他利益剰余金（繰越利益剰余金）に振り替えます（自己株式会計基準11、12）。

　なお、取締役会設置会社で自己株式を消却する場合は、消却する株式数について取締役会の決議が必要です（会社法178）。

【事例Ⅱ－8－15】自己株式の消却

> ① 取締役会決議を経て自己株式700千円を消却し、その手続きが完了した。
>
> （借方）その他資本剰余金　　　　700　（貸方）自　己　株　式　　　　700
>
> ② その他資本剰余金残高がマイナス200千円となったため、その他利益剰余金に振り替える。
>
> （借方）その他利益剰余金　　　　200　（貸方）その他資本剰余金　　　　200

[3] 会計処理

　自己株式にかかる取引は、法人税法上資本取引として扱われており、課税所得に直接の影響はありません。

　ただし、自己株式の取得に際して取得時に株主に対して交付した金銭等の額のうち、対応する資本金等の金額分（取得資本金額）については直接「資本金等の額」を減額し、その金額を超える部分については「みなし配当」として利益積立金額を減額します。なお、みなし配当の対象となる部分については、配当所得に対する源泉徴収の対象となります。

　また、消費税法では、自己株式の取得や処分（証券市場での取引を除く）は資産の譲渡等には該当しないとされており、不課税取引となります（消基通5－2－9）。ただし、証券市場を通じて自己株式の取得や処分を行った場合には、通常の有価証券の売買と同様に非課税取引となります。

　なお、取得や処分、消却にかかる付随費用については、通常の課税仕入れとなります。

6. 自己株式申込証拠金

[1] 勘定科目の概要

　自己株式申込証拠金は、自己株式の処分が募集株式の発行等として行われる場合に、申込期日経過後に財産が払い込まれたものの、期末時点でいまだ払込期日が到来しないために発生する経過的な勘定です。

会社法では、募集株式の発行等においては払込期日に効力が発生するため（会社法209）、それ以前に財産が払い込まれたとしても自己株式にはなりません。そのため、自己株式申込証拠金勘定を使用します。

なお、自己株式申込証拠金の会計・税務処理について、建設業に固有の処理は定められていません。

[2] 会計処理

募集株式の発行等にあたり、申込期日経過後に払い込まれた財産を自己株式申込証拠金として処理し、払込期日が到来したときに自己株式に振り替えます。

自己株式申込証拠金は自己株式に対応したものであるため、貸借対照表上は、純資産の部において控除項目とされている自己株式の直後に表示します（会計規76②）。

【事例Ⅱ－8－16】自己株式処分にかかる払込み（募集株式の発行）

---
① 申込期日経過後、自己株式（1,600千円）の引受人から現金1,500千円が払い込まれた。

（借方）現 金 預 金 1,500 （貸方）自己株式申込証拠金 1,500

② 払込期日が到来し、①の引受人が株主となった。

（借方）自己株式申込証拠金 1,500 （貸方）自 己 株 式 1,600
　　　　その他資本剰余金 100
---

[3] 税務処理

法人税法上、自己株式にかかる取引は資本取引として扱われており、課税所得に直接の影響はありません（本章「5．自己株式」（286頁）参照）。

また、消費税法では、自己株式の取得（証券市場での取引を除く）は資産の譲渡等には該当しないとされており、不課税取引となります（消基通5－2－9）。ただし、証券市場を通じて自己株式の取得を行った場合には、通常の有価証券

の売買と同様に非課税取引となります。

なお、取得にかかる付随費用については、通常の課税仕入れとなります。

7. その他有価証券評価差額金

[1] 勘定科目の概要

その他有価証券評価差額金は、時価のあるその他有価証券を期末日の時価により評価替えすることにより生じる差額から、税効果相当額を控除した残額をいいます（勘定科目分類）。その他有価証券は、時価をもって貸借対照表価額とし、評価差額は洗替え方式に基づき処理することになります（金融商品会計基準18）。

なお、その他有価証券評価差額金の会計・税務処理について、建設業に固有の処理は定められていません。

[2] 会計処理

その他有価証券評価差額金を計算する方法として、次の2通りのうちいずれかを採用します（金融商品会計基準18）。

① 全部純資産直入法

評価差額（評価差益及び評価差損）の合計額を純資産の部に計上する方法

② 部分純資産直入法

時価が取得原価を上回る銘柄にかかる評価差額（評価差益）は純資産の部に計上し、時価が取得原価を下回る銘柄にかかる評価差額（評価差損）は当期の損失として処理する方法

原則として全部純資産直入法を適用しますが、継続適用を条件として部分純資産直入法を適用することもできます（金融商品実務指針73）。

【事例Ⅱ−8−17】 その他有価証券評価差額金の計上（評価差益の場合）

① 帳簿価額が1,000千円であるその他有価証券の期末日における時価は1,300千円であった。税効果を認識し、実効税率を30％とする。

（借方）投 資 有 価 証 券　　　300　　（貸方）繰 延 税 金 負 債　　　 90
　　　　　　　　　　　　　　　　　　　　　　　その他有価証券評価差額金　　210

その他有価証券評価差額金
　＝（時価1,300千円−帳簿価額1,000千円）×（100％−30％）＝210千円

② 翌期首に洗替えを行う。

（借方）繰 延 税 金 負 債　　　 90　　（貸方）投 資 有 価 証 券　　　300
　　　　その他有価証券評価差額金　　210

【事例Ⅱ−8−18】 その他有価証券評価差額金の計上（評価差損の場合）

① 帳簿価額が1,000千円であるその他有価証券の期末日における時価は800千円であった（内訳：A株式は帳簿価額700千円、時価400千円、B株式は帳簿価額300千円、時価400千円）。税効果を認識し、実効税率を30％とする。

＜全部純資産直入法＞

（借方）繰 延 税 金 資 産　　　 60　　（貸方）投 資 有 価 証 券　　　200
　　　　その他有価証券評価差額金　　140

その他有価証券評価差額金＝合計評価差損200千円×（100％−30％）＝140千円

＜部分純資産直入法＞

（借方）投 資 有 価 証 券　　　100　　（貸方）繰 延 税 金 負 債　　　 30
　　　　　　　　　　　　　　　　　　　　　　　その他有価証券評価差額金　　 70

（借方）投資有価証券評価損　　　300　　（貸方）投 資 有 価 証 券　　　300

その他有価証券評価差額金＝B株式評価差益100千円×（100％−30％）＝70千円

投資有価証券評価損＝A株式評価差損300千円

② 翌期首に洗替えを行う。

＜全部純資産直入法＞

（借方）投 資 有 価 証 券	200	（貸方）繰 延 税 金 資 産	60
		その他有価証券評価差額金	140

＜部分純資産直入法＞

（借方）繰 延 税 金 負 債	30	（貸方）投 資 有 価 証 券	100
その他有価証券評価差額金	70		
（借方）投 資 有 価 証 券	300	（貸方）投資有価証券評価損	300

[3] 税務処理

　会計上でその他有価証券について全部純資産直入法による時価評価を行っている場合であっても、法人税法上の当該その他有価証券の帳簿価額は、時価評価を行う前の金額になります（法基通2-3-19）。

8. 繰延ヘッジ損益

[1] 勘定科目の概要

　繰延ヘッジ損益は、ヘッジ会計の要件を満たすデリバティブ等の評価損益を繰り延べたものです。

　ここでヘッジ会計とは、相場変動等のリスクにさらされている資産または負債（ヘッジ対象といいます）の相場変動による損益を相殺するか、キャッシュ・フローを固定するために、デリバティブ取引（ヘッジ手段といいます）を行った場合に、そのリスク回避効果を反映させるために行う特別な処理のことをいいます（金融商品会計基準29）。

　ヘッジ対象は、通常は決済に至るまで相場変動等の影響が損益に反映されません。一方、そのリスクを回避するために行うヘッジ手段であるデリバティブ取引は、毎期末に原則として時価評価され、損益が認識されてしまいます（金融商品会計基準25）。そのため、このままではヘッジ対象の相場変動等のリスクをヘッジ手段によってカバーしているという経済的実態が会計上反映されないことになります。

　そこで、ヘッジ手段であるデリバティブ取引がヘッジ対象のリスクをカバー

するために実行されたことが客観的に認められるなどの要件を満たす場合には、その効果を会計に反映させるための特別な処理であるヘッジ会計が認められています。

ヘッジ会計の手法には、繰延ヘッジと時価ヘッジの2種類があります。そのうち、ヘッジ手段であるデリバティブ取引の損益を、ヘッジ対象にかかる損益が認識される時点まで繰り延べる方法である繰延ヘッジが原則とされています（金融商品会計基準32）。この際に繰り延べられるヘッジ手段に係る損益は、純資産の部の評価・換算差額等の区分に繰延ヘッジ損益として計上されます（財規67、会計規76⑦）。

また、ヘッジ対象にかかる損益を毎期末損益に認識してヘッジの効果を反映させる時価ヘッジは、現状ではその他有価証券に対してのみ適用することが可能です（金融商品実務指針160）。

なお、繰延ヘッジ損益の会計・税務処理について、建設業に固有の処理は定められていません。

[2] 会計処理

繰延ヘッジ損益は、毎期末にヘッジ手段であるデリバティブ取引にかかる評価損益をヘッジ対象にかかる損益が認識されるまで純資産の部に計上します。それらは、損益計算を経由せずに純資産の部に加減算されますが、その際には税効果会計を適用し、繰延ヘッジ利益であれば繰延税金負債を、繰延ヘッジ損失であれば回収可能性を検討のうえ繰延税金資産を控除して計上する必要があります（税効果適用指針12）。

また、税率の変更や回収可能性を見直した結果、繰延税金資産・負債の金額を修正した場合には、その修正額は繰延ヘッジ損益で直接行うとされています。

繰延ヘッジ損益は、ヘッジ対象にかかる損益が認識された場合には、その時点でヘッジ対象にかかる損益と同一区分の損益として処理します（金融商品実務指針176）。

【事例Ⅱ－8－19】金利スワップ取引の繰延ヘッジ処理

　　長期借入金の金利リスクをカバーするため、変動金利を固定金利に変換する金
　利スワップを行った（契約締結時の時価500千円、期末時価700千円）。なお、ヘッ
　ジ会計の要件を満たしており、法定実効税率は30％である。

　（借方）金利スワップ（資産）　　　200　（貸方）繰延ヘッジ損益　　　　　140
　　　　　　　　　　　　　　　　　　　　　　　　繰　延　税　金　負　債　　　　60

　繰延ヘッジ損益＝時価（700千円－500千円）×（100％－30％）＝140千円

　繰延税金負債＝時価（700千円－500千円）×30％＝60千円

【事例Ⅱ－8－20】為替予約取引の繰延ヘッジ処理

　　翌期実行される輸出取引について、当期中に為替予約を行った（契約締結時の
　時価900千円、期末時価800千円）。なお、輸出取引は実行可能性がきわめて高く、
　ヘッジの要件を満たしている。法定実効税率は30％であり、繰延税金資産の回収
　可能性は問題ない。

　（借方）繰　延　ヘ　ッ　ジ　損　益　　　70　（貸方）為　　替　　予　　約　　　100
　　　　　繰　延　税　金　資　産　　　30

　繰延ヘッジ損益＝時価（800千円－900千円）×（100％－30％）＝△70千円

　繰延税金負債＝時価（800千円－900千円）×30％＝△30千円（繰延税金資産）

［3］　税務処理

　法人税法上、デリバティブ取引の評価損益は期末に益金・損金に算入するこ
とが認められており（法法61の5）、ヘッジ会計についても認められているため
（法基通2－3－59）、会計と大きな差異はありません。

　消費税については、評価損益の計上は消費とは性質が異なり、資産の譲渡等
にはあたらないため不課税取引となります。

9. 土地再評価差額金

[1] 勘定科目の概要

　土地再評価差額金は、「土地の再評価に関する法律」（平成10年法律第34号）に基づき事業用土地の再評価を行ったことにより生じた差額のうち、税効果相当額を除いた残額をいいます。もともとは不良債権の処理に苦しんでいた金融機関の自己資本比率維持のための救済が目的でしたが、その後大会社等に対象が広げられ、4年間の時限的な措置として帳簿価額を時価により改定することが認められました。

　なお、土地再評価差額金の会計・税務処理について、建設業に固有の処理は定められていません。

[2] 会計処理

　土地の再評価は時限的な措置であったため、現在では再評価自体は認められません。また、土地再評価差額金が増減するのは以下の場合に限られます。

- ・再評価の対象となった土地について売却等の処分を行った場合
- ・再評価の対象となった土地の減損処理を行った場合
- ・税制改正等により法定実効税率が変更になった場合
- ・再評価にかかる繰延税金資産の回収可能性の判断に変化があった場合

　なお、土地再評価差額金の取崩額は当期純利益（損益計算書）には反映されず、その他利益剰余金（株主資本等変動計算書）に直接計上します。

【事例II−8−21】土地再評価の対象となった土地の売却

　過去に土地の再評価を行った土地70,000千円（評価差額30,000千円、土地再評価差額金21,000千円、再評価に係る繰延税金負債9,000千円）を、60,000千円で売却した。

　（借方）現　金　預　金　　60,000　（貸方）土　　　　　　地　　70,000

	固定資産売却損	10,000			
（借方）	土地再評価差額金	21,000	（貸方）	土地再評価差額金取崩額	21,000
	再評価に係る繰延税金負債	9,000		法人税等調整額	9,000

【事例Ⅱ－8－22】土地再評価の対象となった土地の減損

　過去に土地の再評価を行った土地50,000千円（評価差額10,000千円、土地再評価差額金7,000千円、再評価に係る繰延税金負債3,000千円）を、時価である20,000千円まで減損処理を行った（法定実効税率は30％）。

（借方）	減　損　損　失	30,000	（貸方）	土　　　　　地	30,000
	再評価に係る繰延税金負債	3,000		法人税等調整額	9,000
	繰延税金資産	6,000			
（借方）	土地再評価差額金	7,000	（貸方）	土地再評価差額金取崩額	7,000

減損損失＝帳簿価額50,000千円－時価20,000千円＝30,000千円

　当該土地の法人税法上の帳簿価額は、土地の再評価をしていなかったとみなしますので、40,000千円となります。土地の税務上と会計上の簿価の差額は20,000千円となり、繰延税金資産＝20,000千円×法定実効税率30％＝6,000千円となります。

[3]　税務処理

　土地の再評価は税務処理に関して何ら影響を与えません。したがって、会計上で計上した土地、土地再評価差額金及び再評価に係る繰延税金負債（資産）は、すべて申告調整における調整項目となります。

10. 新株予約権

[1]　勘定科目の概要

　新株予約権は、会社に対して行使することにより会社株式の交付を受けることができる権利をいいます（会社法2二十一）。すなわち、新株予約権を権利行

使した場合に、決められた価格で会社が新株予約権者に対して発行した新株、または新株発行に代えて会社が保有する自己株式を取得する権利となります。

新株予約権は、それ自体単独で発行することが可能であり、新株の代わりに自己株式を移転することもできるようになっています。また、ストック・オプションも新株予約権の一種であり、役員や従業員に対して業務執行や労働の報酬として新株予約権を低廉な価格（無償を含む）で付与したものをいいます（ストックオプション会計基準2（2））。

新株予約権は、権利行使の有無によって払込資本になる可能性がありますが、失効すると利益になり、その性格は最終的に権利行使の有無が確定するまで不確定のままです。そのため、以前は仮勘定として負債の部に計上されていました。しかしながら、現行制度上は返済義務のある負債ではないことを考慮して、純資産の部に新株予約権の区分を設けて記載されます（純資産会計基準7、22）。

新株予約権の発行には、原則として株主総会の特別決議が必要です（会社法238②、309②）。

なお、新株予約権の会計処理について、建設業に固有の処理は定められていません。

[2] 勘定科目の概要

❶ 発行時の会計処理

新株予約権は、発行時に払込金額を純資産の部に計上します（会社法238①三、複合金融商品会計処理4）。

【事例Ⅱ－8－23】新株予約権の発行

> 株主総会の特別決議を経て、新株予約権6,000千円を発行した（新株予約権は60千個、発行価格は100円／個、行使価格は500円／株である。
>
> （借方）現　金　預　金　　6,000　（貸方）新　株　予　約　権　　6,000

第Ⅱ部
勘定科目別の会計処理

❷ 権利行使時の会計処理

　新株予約権が権利行使された場合は、それに応じて新株を発行する場合と自己株式を処分する場合で会計処理が異なります。

　新株を発行する場合には、権利行使された新株予約権の払込金額（❶参照）と発行される新株にかかる払込金額（会社法236①二）を、資本金または資本準備金に振り替えます（複合金融商品会計処理5（1））。

　それに対して、自己株式を処分（交付）する場合は、募集株式の発行等により処分する場合に準じて処理します（複合金融商品会計処理5（2））。すなわち、自己株式の帳簿価額と対価（自己株式の処分にかかる払込金額と対応する新株予約権の払込金額の合計）の差額をその他資本剰余金として処理します（本章「5.自己株式」[2] ❷（287頁）参照）。

【事例Ⅱ－8－24】新株予約権の権利行使（新株を発行）

　事例Ⅱ－8－23の新株予約権の取得者が、その3分の1（20千個）を権利行使し払込みを行った。その際、会社は新株を発行し、全額を資本金に計上した。

　（借方）現 金 預 金　10,000　（貸方）資 本 金　12,000
　　　　　新 株 予 約 権　2,000

　資本金＝新株予約権20千個×行使価格500円＋新株予約権2,000千円
　　　　＝12,000千円

【事例Ⅱ－8－25】新株予約権の権利行使（自己株式を処分）

　事例Ⅱ－8－23の新株予約権の取得者が、3分の1（20千個）を権利行使し払込みを行った。その際、会社は自己株式11,000千円を処分しこれにあてた。

　（借方）現 金 預 金　10,000　（貸方）自 己 株 式　11,000
　　　　　新 株 予 約 権　2,000　　　　その他資本剰余金　1,000

❸ 失効時の会計処理

新株予約権が、権利行使期間中に権利行使されず失効した場合には、失効が確定したときに利益（原則として特別利益）として処理します（複合金融商品会計処理6）。

【事例Ⅱ－8－26】新株予約権の失効

事例Ⅱ－8－23の新株予約権の取得者が、権利を行使せず失効した。

（借方）新　株　予　約　権　　6,000　（貸方）新株予約権戻入益　　6,000

---

❹ ストック・オプションの会計処理

ストック・オプションは、本項「［1］勘定科目の概要」（297頁）で述べたとおり、報酬としての性質を持ち、廉価（無償）で付与される点に特徴があります。

ストック・オプションは通常、権利を付与してから権利が確定するまでに期間があり、その後権利行使期間が到来します。これは、権利が付与された時点から確定するまでの期間（対象勤務期間）に、ストック・オプションが業務執行や労働のインセンティブ（動機付け）として機能し、勤労の報酬として権利が確定すると考えられます。

そこで、権利を付与した時点で、権利確定時におけるストック・オプションの公正な評価額を見積もり、その価額とストック・オプションの発行価額との差額を、対象勤務期間にわたって費用として計上し、対応する金額を新株予約権に計上します（ストックオプション会計基準4）。これにより、権利確定時においてはストック・オプションが公正な評価額で新株予約権として計上されることになります。

公正な評価額は、ブラックショールズモデルなど株式オプションの価格算定に用いられる複雑な算定技法が利用され、一度確定すると行使価格の変更等がない限り、見直しは行いません（ストックオプション会計基準6）。

なお、ストック・オプションの会計処理は、さまざまな仮定や見積りを前提としているため、それらを変更した場合には再度計算を行う必要があります（ストックオプション基準10～12）。

　権利確定時以降の会計処理は先に述べた❷、❸と同様です。

【事例Ⅱ－8－27】ストック・オプションの処理（権利確定日まで）

① （付与時）会社役員に対して、X1年6月末開催の株主総会でストック・オプションを無償で付与した（権利確定日 X3年7月1日、ストック・オプションの公正な評価額7,000千円）。

（仕訳なし）

② X2年3月31日に、当期の費用（9カ月分）を計上した。

（借方）株 式 報 酬 費 用　　2,625　（貸方）新 株 予 約 権　　2,625
　株式報酬費用＝ストック・オプション評価額7,000千円×9カ月÷24カ月
　　　　　　　＝2,625千円

[3] 税務処理

　法人税法上は、特に新株予約権にかかる定めがなく、したがって課税所得の計算には影響がありません。ただし、ストック・オプションにかかる費用については、通常は権利行使時に損金に算入することができます（法法54の2）。しかしながら、税制適格ストック・オプションに該当する場合には、権利行使時の課税は繰り延べられ、株式売却時に売却価額と権利行使価額との差額に対して譲渡所得として課税されます（措法29の2）。

　消費税については、新株予約権にかかる取引は不課税取引となります。

11. 株式引受権

[1] 勘定科目の概要

　株式引受権は、取締役または執行役がその職務の執行として株式会社に対して提供した役務の対価として当該株式会社の株式の交付を受けることができる

権利（新株予約権を除く）をいいます（会計規2③三、四）。

　会社法第202条の2に基づいて、上場会社の取締役等の報酬等として金銭の払込み等を要しないで株式の発行等をする取引のうち、契約上、株式の発行等について権利確定条件が付されており、権利確定条件が達成された場合に株式の発行等が行われる「事後交付型」といわれる取引を行う際に計上されます（取締役の報酬等として株式を無償交付する取引に関する取扱い4（1）、（8））。返済義務のある負債ではないため、新株予約権と同じく純資産の部に株式引受権の区分を設けて記載されます（純資産会計基準7、22）。

　取締役等の報酬等として金銭の払込み等を要しないで株式の発行等をする場合には、対象となる株式の数（種類株式発行会社にあっては、募集株式の種類及び種類ごとの数）の上限その他法務省令で定める事項を定款もしくは株主総会の普通決議によって定めることが必要です（会社法361①三）。

　なお、株式引受権の会計処理について、建設業に固有の処理は定められていません。

[2]　会計処理

　株式引受権が計上される事後交付型の取引は、インセンティブ効果を期待して自社の株式または株式オプションが付与される点や、対象勤務期間中に費用計上し、対象勤務期間後に株式の発行等を行う特徴がストック・オプションと同様です。

　そのため、費用の認識や測定についてはストック・オプション会計基準の定めに準じることとしているほか、報酬費用の相手勘定についても、ストック・オプションにおける新株予約権と同様に、貸借対照表の純資産の部の株主資本以外の項目に株式引受権として計上することとしています（取締役の報酬等として株式を無償交付する取引に関する取扱い38、49）。

第9章

売上高及び
売上原価

1. 完成工事高

[1] 勘定科目の概要

　完成工事高とは、工事進行基準により収益を計上する場合における期中出来高相当額及び工事完成基準により収益を計上する場合における最終総請負高（請負高の全部または一部が確定しないものについては、見積計上による請負高）または会社が顧客との契約の義務の履行の状況に応じて当該契約から生ずる収益を認識する場合における工事契約に係る収益をいいます（勘定科目分類）。

　収益認識基準等では、一定の期間にわたり収益を認識する場合、工事の進捗度を見積もり、その進捗度に応じた出来高相当額を完成工事売上高として計上します。

　ただし、契約における取引開始日から完全に履行義務を充足すると見込まれる時点までの期間がごく短い場合には、工事が完成してその目的物の引き渡しが完了した時点で、請負金相当額を完成工事高として計上することができます。

　なお、JV工事の場合には、請負契約価額に対して自社の出資割合を乗じた金額または分担した工事相当金額となります（勘定科目分類）。

　収益認識会計基準による完成工事高の認識についての詳細は、第Ⅰ部第3章第2節（43頁）を参照してください。

[2] 会計処理

　建設業においては、原則として個別に工事の損益計算を行います。

進捗度に基づき一定の期間にわたり完成工事高を計上する場合、工事の進捗度を合理的に見積もり、進捗度に基づいて完成工事高を算出します。工事の進捗度は、総工事原価に対する当期の発生原価の割合による原価比例法（インプット法）等の適切な方法により算出し、総請負金額に進捗率を乗じた金額を当期の完成工事高として計上します。

工事の進捗度を合理的に見積もることができないが工事にかかる発生費用の回収が見込まれる場合には、進捗度を合理的に見積もることができる時まで、原価回収基準により回収できると見込まれる費用を完成工事高として計上します（収益認識会計基準45）。

また、契約における取引開始日から完全に履行義務を充足すると見込まれる時点までの期間がごく短い工事契約の場合は、完全に履行義務を充足した時点である工事の完成引渡しが完了した期に、請負金額を完成工事高として計上することができます（収益認識適用指針95）。

いずれの場合でも、JV工事の場合には、請負契約価額に対して自社の出資割合を乗じた金額または分担した工事相当金額となります。

なお、完成引渡した工事で、完成引渡した日を含む事業年度の末日までに請負金額の全部または一部が未確定の場合には、事業年度の末日の状況により未確定部分の金額について適正に見積計上する必要があります。この場合、請負金額の確定により発生する増減差額については、確定の日を含む事業年度の完成工事高に加減算します。

収益認識基準では、顧客との契約から生じる収益に関する重要な会計方針として、主要な事業における主な履行義務の内容、収益を認識する通常の時点、その他重要な会計方針に含まれると判断した事項を注記する必要があります。また、顧客との契約から生じる収益及びキャッシュ・フローの性質、金額、時期及び不確実性を財務諸表利用者が理解できるようにするための十分な情報を企業が開示するために、収益認識に関する注記が求められています（収益認識会計基準80－2～80－9）。

会社計算規則及び省令様式においても収益認識基準への対応が図られてお

り、収益の計上基準及び会社が顧客との契約に基づく義務の履行の状況に応じて当該契約から生ずる収益を認識するときは主な義務の内容、収益を認識する通常の時点、その他の重要な会計方針に含まれると判断したものについて重要な会計方針として注記表に記載する必要があります（会計規101、省令様式第17号の2）。

【事例Ⅱ－9－1】完成工事高の計上

・工事価格2,000,000千円（消費税別）、工期Ｘ1年5月1日～Ｘ4年3月31日の工事を受注した。

・当初工事総原価は1,800,000千円（消費税別）と見積もられた。

・2度目の決算時に工事価格増額200,000千円（消費税別）、工事総原価増額180,000千円（消費税別）となった。

＜進捗度に基づき一定の期間にわたり収益を認識する工事の会計処理＞

① 工事着手にあたり、前受金として200,000千円が入金となった。

（借方）現　金　預　金　200,000　（貸方）未成工事受入金　200,000

② Ｘ2年3月31日（決算日）において、完成工事高を計上する。当工事の発生工事原価は540,000千円（消費税別）である。

（借方）未成工事受入金　200,000　（貸方）完　成　工　事　高　600,000
　　　　完成工事未収入金　460,000　　　　仮　受　消　費　税　等　60,000

［消費税］当事例では、工事進行基準による完成工事高計上時に資産の譲渡を行ったとしています。

工事進捗度＝発生工事原価540,000千円÷工事総原価1,800,000千円＝30％

完成工事高＝工事価格2,000,000千円×工事進捗度30％＝600,000千円

③ Ｘ3年3月31日（決算日）において、完成工事高を計上する。当工事の発生工事原価は1,188,000千円（消費税別）である。

（借方）完成工事未収入金　792,600　（貸方）完　成　工　事　高　720,000
　　　　　　　　　　　　　　　　　　　　　仮　受　消　費　税　等　72,000

［消費税］当事例では、工事進行基準による完成工事高計上時に資産の譲渡を行ったとしています。

工事進捗度＝発生工事原価1,188,000千円÷工事総原価（1,800,000千円＋180,000千円）＝60％

完成工事高＝工事価格（2,000,000千円＋200,000千円）×工事進捗度60％－前期完成工事高600,000千円＝720,000千円

④　Ｘ４年３月31日（竣工時）に当初の予定期日どおり、施主に物件を引き渡した。

（借方）完成工事未収入金　968,000　（貸方）完　成　工　事　高　880,000
　　　　　　　　　　　　　　　　　　　　　　　仮　受　消　費　税　等　　88,000

［消費税］工事の完成引渡しは資産の譲渡にあたるため、課税取引となります。

完成工事高＝工事価格2,200,000千円－過年度完成工事高（600,000千円＋720,000千円）＝880,000千円

＜完成引渡しが完了した時点で収益を認識する工事の会計処理＞

①　工事着手にあたり、前受金として200,000千円が入金となった。

（借方）現　金　預　金　200,000　（貸方）未成工事受入金　200,000

②　Ｘ２年３月31日（決算日）において、当工事の発生工事原価は540,000千円（消費税別）であるが、完成工事高は認識しない。

（仕訳なし）

③　Ｘ３年３月31日（決算日）において、当工事の発生工事原価は1,188,000千円（消費税別）であるが、完成工事高は認識しない。

（仕訳なし）

④　Ｘ４年３月31日（竣工時）に当初の予定期日どおり、施主に物件を引き渡した。

（借方）未成工事受入金　　200,000　（貸方）完　成　工　事　高　2,200,000
　　　　完成工事未収入金　2,220,000　　　　　仮　受　消　費　税　等　220,000

［消費税］工事の完成引渡しは資産の譲渡にあたるため、課税取引となります。

【事例Ⅱ－9－2】完成工事高の計上（JV スポンサー）

・工事価格1,000,000千円（消費税別）、工期 X１年５月１日～X３年３月31日の工事を JV で受注した。当社の出資比率は60％でスポンサーである。
・JV 全体の工事総原価は900,000千円（消費税別）と見積もられた。

＜進捗度に基づき一定の期間にわたり収益を認識する工事の会計処理＞

① 工事着手にあたり、JV 前受金として200,000千円が入金された。

（借方）現 金 預 金 200,000 （貸方）未 成 工 事 受 入 金 120,000
預 り 金 80,000

未成工事受入金＝前受金200,000千円×出資比率60％＝120,000千円

② X２年３月31日（決算日）において、完成工事高を計上する。当工事の JV 発生工事原価は360,000千円（消費税別）である。

（借方）未 成 工 事 受 入 金 120,000 （貸方）完 成 工 事 高 240,000
完 成 工 事 未 収 入 金 144,000 仮 受 消 費 税 等 24,000

［消費税］当事例では、工事進行基準による完成工事高計上時に資産の譲渡を行ったとしています。

工事進捗度＝発生工事原価360,000千円÷工事総原価900,000千円＝40％
完成工事高＝工事価格1,000,000千円×工事進捗率40％×出資比率60％
＝240,000千円

③ X３年３月31日（竣工時）に当初の予定期日どおり、施主に物件を引き渡した。

（借方）完 成 工 事 未 収 入 金 396,000 （貸方）完 成 工 事 高 360,000
仮 受 消 費 税 等 36,000

［消費税］工事の完成引渡しは資産の譲渡にあたるため、課税取引となります。

完成工事高＝工事価格1,000,000千円×出資比率60％－前期完成工事高240,000千円＝360,000千円

＜完成引渡しが完了した時点で収益を認識する工事の会計処理＞

① 工事着手にあたり、JV 前受金として200,000千円が入金された。

第9章
売上高及び売上原価 307

（借方）現　金　預　金　200,000　（貸方）未成工事受入金　120,000

預　　り　　金　　80,000

未成工事受入金＝前受金200,000千円×出資比率60％＝120,000千円

②　X2年3月31日（決算日）において、当工事のJV発生工事原価は360,000千円（消費税別）であるが、工事完成基準によれば仕訳は不要である。

（仕訳なし）

③　X3年3月31日（竣工時）に当初の予定期日どおり、施主に物件を引き渡した。

（借方）未成工事受入金　120,000　（貸方）完　成　工　事　高　600,000

完成工事未収入金　540,000　　仮　受　消　費　税　等　　60,000

完成工事高＝工事価格1,000,000千円×出資比率60％＝600,000千円

［消費税］工事の完成引渡しは資産の譲渡にあたるため、課税取引となります。

【事例Ⅱ－9－3】完成工事高の計上（JVサブ）

・工事価格400,000千円（消費税別）、工期X1年12月1日～X2年9月30日の工事をJVで受注した。当社の出資比率は20％でJVサブである。

・工事総原価は360,000千円（消費税別）と見積もられた。

＜進捗度に基づき一定の期間にわたり収益を認識する工事の会計処理（JVスポンサーから進捗割合等報告）＞

①　工事着手にあたり、JV前受金として150,000千円が入金されたとの報告を受けた。

（借方）未　　収　　入　　金　　30,000　（貸方）未成工事受入金　　30,000

未成工事受入金＝前受金150,000千円×出資比率20％＝30,000千円

②　X2年3月31日（決算日）において、完成工事高を計上する。当工事のJV発生工事原価は108,000千円（消費税別）との報告を受けている。

（借方）未成工事受入金　26,400　（貸方）完　成　工　事　高　24,000

仮　受　消　費　税　等　　2,400

［消費税］当事例では、工事進行基準による完成工事高計上時に資産の譲渡を行っ

たとしています。

工事進捗度＝発生工事原価108,000千円÷工事総原価360,000千円＝30％

完成工事高＝工事価格400,000千円×工事進捗度30％×出資比率20％
　　　　　＝24,000千円

③　X2年9月30日（竣工時）に当初の予定期日どおり、施主に物件を引き渡したとの報告を受けた。

（借方）未 成 工 事 受 入 金　　3,600　（貸方）完 成 工 事 高　　56,000

　　　　完成工事未収入金　58,000　　　　　仮 受 消 費 税 等　　5,600

［消費税］工事の完成引渡しは資産の譲渡にあたるため、課税取引となります。

完成工事高＝工事価格400,000千円×出資比率20％−前期完成工事高24,000千円
　　　　　＝56,000千円

＜完成引渡しが完了した時点で収益を認識する工事の会計処理（JV予算未承認のため総原価の見積りが不能な状態）＞

①　工事着手にあたり、JV前受金として150,000千円が入金されたとの報告を受けた。

（借方）未　　収　　入　　金　　30,000　（貸方）未 成 工 事 受 入 金　　30,000

未成工事受入金＝150,000千円×出資比率20％＝30,000千円

②　X2年3月31日（決算日）において、当工事のJV発生工事原価は108,000千円（消費税別）との報告を受けたが、完成工事高は認識しない。

（仕訳なし）

③　X2年9月30日（竣工時）に当初の予定期日どおり、施主に物件を引き渡したとの報告を受けた。

（借方）未 成 工 事 受 入 金　　30,000　（貸方）完 成 工 事 高　　80,000

　　　　完成工事未収入金　58,000　　　　　仮 受 消 費 税 等　　8,000

［消費税］工事の完成引渡しは資産の譲渡にあたるため、課税取引となります。

完成工事高＝工事価格400,000千円×出資比率20％＝80,000千円

[3] 税務処理

工事進行基準及び JV 工事における税務上の取扱いについては、第 I 部第 3 章「第 4 節　税務上の取扱い」(56頁) 及び第 II 部第 1 章「4．完成工事未収入金」(124頁) を参照してください。

請負による資産の譲渡等の時期は、別途定めがある場合を除いて、物の引渡しを要する請負契約においては当該目的物の全部を完成して引き渡した日とされています。

ここで、完成工事における完成引渡しの概念としては、建設工事等の種類及び性質、契約の内容等に応じその引渡しの日として合理的であると認められる日のうち、法人が継続して収益計上を行うこととしている日によるものとされ、次の①〜④の例示がなされています (法基通 2 − 1 −21の 7・2 − 1 −21の 8、消基通 9 − 1 − 6)。

①　作業の結了した日

②　相手方の受入場所へ搬入した日

③　相手方が検収を完了した日

④　相手方において使用収益ができることとなった日

また、特殊な工事収益の認識方法として部分完成基準があります。

なお、所得税または法人税の申告にあたって、工事進行基準により経理処理を行わなければならない長期大規模工事においても、消費税法においては実際の資産の譲渡等のときを基準として申告することが認められています(消法17、消基通 9 − 4 − 1 、所法66、法法64)。

〈部分完成基準〉

部分完成基準とは、次の①または②のような事実がある場合には、建設工事等の全部が完成していなくとも、その事業年度において引き渡した建設工事等の量または完成した部分に区分した単位ごとに、工事収益を完成工事高として計上するものです (法基通 2 − 1 − 1 の 4 、消基通 9 − 1 − 8)。

①　1 つの契約で同種の建設工事等を多量に請け負ったような場合で、その引渡量に従い工事代金を収入する旨の特約または慣習がある場合

② 1個の建設工事等であっても、その建設工事等の一部が完成し、その完成した部分を引き渡した都度その割合に応じて工事代金を収入する旨の特約または慣習がある場合

そのほか部分完成基準の詳細については、第Ⅰ部第3章「第4節 税務上の取扱い」(56頁) を参照してください。

【事例Ⅱ－9－4】部分完成基準による完成工事高の計上

- 電柱1,000本を1本当たり200千円(消費税別)で設置する契約を締結している。
- 当期中の完成引渡分は600本で、期末に500本分の代金を受領済みである。
- 工事原価は1本当たり160千円(消費税別)を要する。

① 工事が完了した部分のうち、工事代金の一部が入金となった。

(借方) 現 金 預 金　100,000　(貸方) 未成工事受入金　100,000

② 期末決算において、完成引渡し分について完成工事高及び完成工事原価を計上する。

(借方) 未成工事受入金　100,000　(貸方) 完 成 工 事 高　120,000
　　　　完成工事未収入金　 32,000　　　　　仮 受 消 費 税 等　 12,000
(借方) 完 成 工 事 原 価　 96,000　(貸方) 未成工事支出金　 96,000

[消費税] 工事の完成引渡しは資産の譲渡にあたるため、課税取引となります。

完成工事高＝200千円×600本＝120,000千円

完成工事原価＝160千円×600本＝96,000千円

2. 兼業事業売上高

[1] 勘定科目の概要

兼業事業売上高とは、建設業以外の事業をあわせて営む場合における当該事業の売上高をいいます (勘定科目分類)。

建設会社の行う兼業事業には、主に不動産販売業務、不動産仲介業務、不動産賃貸・管理業務及び技術役務の提供業務があげられます。

兼業事業の詳細は、第Ⅰ部「第6章　兼業事業の概要」(98頁) を参照してください。

❶ 不動産販売業務

不動産販売業務とは、土地建物を仕入れて販売する業務（販売業務）と、土地を仕入れて造成し、さらに建物を建てて販売する業務（開発業務）をいいます。開発業務は、物件の付加価値を高めるとともに施工実績になるため、建設業の場合には多いと思われます。

❷ 不動産仲介業務

不動産仲介業務とは、不動産の売買、貸借、交換の代理もしくは仲介を行う業務をいいます。仲介業務を業として行うためには、宅地建物取引業法による免許を受けなければなりません。

❸ 不動産賃貸・管理業務

不動産賃貸・管理業務とは、自社所有のビルなどを賃貸し、あるいは他の者の有する物件の賃貸の管理を行うことをいいます。

❹ 技術・役務の提供業務

技術・役務の提供業務とは、建設工事に関連する業務で、調査、企画、設計、施工管理及びコンサルタント業務等があります。請負契約として人的役務の提供や施工管理を行います。

[2]　会計処理

❶ 不動産販売業務

不動産販売業務は、引渡基準に基づき収益を計上します。

【事例Ⅱ－9－5】不動産販売（開発業務）にかかる売上計上

---

① 土地を造成販売するために200,000千円で取得した。

（借方）開 発 事 業 支 出 金　200,000　（貸方）現　金　預　金　200,000

② 造成工事を実施し、80,000千円を要した。

（借方）開 発 事 業 支 出 金　 80,000　（貸方）現　金　預　金　 80,000

③　当該土地を310,000千円で建売業者に販売した。

（借方）現　金　預　金　　310,000　（貸方）兼業事業売上高　　310,000

　　　　兼業事業売上原価　　280,000　　　　　開発事業支出金　　280,000

❷　不動産仲介業務

　不動産に関しては、引渡時期が必ずしも明確でない場合があるので留意が必要です。不動産仲介業務は、原則としてその売買等にかかる契約の効力が発生した日の属する事業年度において収益を計上します。

【事例Ⅱ−9−6】不動産仲介にかかる売上計上

① 　不動産仲介にかかる広告500千円（消費税別）を行うとともに、物件の現地調査のための交通費50千円（消費税別）を支払った。

（借方）広　告　宣　伝　費　　　500　（貸方）現　金　預　金　　　605

　　　　旅　費　交　通　費　　　 50

　　　　仮　払　消　費　税　等　　55

［消費税］広告宣伝及び旅客運送は役務の提供にあたるため、課税取引となります。

② 　不動産の売買にかかる仲介手数料として4,000千円（消費税別）を受領した。

（借方）現　金　預　金　　4,400　（貸方）兼業事業売上高　　　4,000

　　　　　　　　　　　　　　　　　　　　　仮　受　消　費　税　等　　400

［消費税］不動産売買の仲介は役務の提供にあたるため、課税取引となります。

③ 　仲介にかかる広告宣伝費と交通費を、販売費及び一般管理費から原価に振り替えた。

（借方）兼業事業売上原価　　　550　（貸方）広　告　宣　伝　費　　　500

　　　　　　　　　　　　　　　　　　　　　旅　費　交　通　費　　　 50

❸　不動産賃貸・管理業務

　不動産賃貸業務は、不動産賃貸借契約に基づいて、対象期間分を発生ベースで収益を計上します。また、不動産管理業務は、管理の対象期間の終了したと

き（例えば毎月）に収益を計上します。

❹ 技術・役務の提供業務

技術・役務の提供業務は、請負契約になりますので、原則として役務の全部の提供を完了したときに収益を計上します。

兼業事業の財務諸表における表示については、その内容を示す適当な名称をもって記載することができます。

また、兼業事業売上高（2以上の兼業事業を営む場合においては、これらの兼業事業の売上高の総計）の売上高に占める割合が軽微な場合においては、売上高、売上原価、売上総利益（売上総損失）を建設業と兼業事業とに区分して記載することを要しないとされています（業施規別記様式第16号）。

[3] 税務処理

❶ 不動産販売業務

不動産の販売にかかる引渡し時期について、代金の完済時に引渡しを行い、かつ所有権の移転登記が行われるのが慣例になっています（法基通2－1－1、2－1－2）。

なお、現在は適用停止措置期間中ですが、不動産の販売に関してはいわゆる法人の土地重課制度があります。これは、法人が所有している土地等を譲渡した場合には、通常の法人税とは別途で譲渡益について課税が行われるものです（措法62の3、63）。

❷ 不動産仲介業務

不動産の仲介については、その売買等にかかる契約の効力発生時の益金とするのが原則ですが、継続適用を条件として取引の完了時の益金とすることが認められます（法基通2－1－21の9）。

❸ 不動産賃貸・管理業務

不動産賃貸における保証金・敷金の償却費収入について、期間の経過その他賃貸借契約等の終了前における一定の事由の発生により返還しないこととなる

部分の金額は、その返還しないこととなった日の属する事業年度の益金の額に算入します（法基通2－1－41）。

一方、礼金については、契約または慣習によりその支払いを受ける日の属する事業年度の益金の額に算入します（法基通2－1－29）。

❹ 技術・役務の提供業務

技術・役務の提供契約において、役務提供が部分的に完了の都度報酬の額の確定と支払いを受ける事実がある場合には、建設工事（部分完成基準）と同様に部分確定の都度収益を計上します（法基通2－1－1の5）。

3. 完成工事原価

[1] 勘定科目の概要

建設業においては、計上された完成工事高に対応する原価は、完成工事原価として計上し、個別原価計算により算定します。すなわち、工事原価を契約単位等の各工事単位で未成工事支出金として記録・集計し、収益の実現時に完成工事原価に振り替えます。

[2] 会計処理

完成工事原価は計上された完成工事高に対応する発生費用で、進捗度に基づき一定の期間にわたり完成工事高を計上する場合は、期中発生相当額が完成工事原価として計上されます。期間がごく短い工事契約で、完成引渡しが完了した期に請負金額を完成工事高として計上する場合は、当該工事にかかる未成工事支出金を完成工事原価として計上します。

JV工事の場合には、総原価及び期中発生原価に対して自社の出資割合を乗じた金額または分担した原価相当額が完成工事原価になります。

なお、工事原価の全部または一部の金額が未確定のまま工事が施工され、工事の完成引渡しが済んでしまうことがあります。その場合、完成引渡した日を含む事業年度末日の状況により、工事原価を適正に見積計上する必要があります。

このとき、当該未確定費用が完成工事原価となるべき費用であるか否かは、

契約内容、費用の性質等を勘案して合理的に判断する必要があります。工事に関連して発生する費用であっても、事後費用の性格を有するものは除外します。

　また、金額確定時に発生する見積額との差額は、確定した日を含む事業年度の完成工事原価に含めて記載することになります。

　なお、工事原価の見積計上については恣意性が入らないように、計上する内容、方法等について明確な自社の処理基準を決めておく必要があります。

　以下に、見積計上が必要となるようなケースを例示します(第Ⅱ部第1章「6.未成工事支出金　[3] 税務処理」(136頁) 参照)。

❶ 仮設材料の撤去費用

　工事の完成引渡し完了後、現場に残された仮設材料の撤去費用については、工事原価として処理する必要があります。仮設材料の撤去費用には、運搬費や人件費等が含まれ、同一種類の工事における過去の実績や実行予算策定時に客観的に見積もった数値等が妥当と考えられます。

❷ 工事残務整理費用

　工事の完成引渡し後、現場での残務整理費用については、工事原価として処理する必要があります。残務整理費用としては、人件費、借用地の原状回復費用等が含まれます。これらについては、同一規模の工事における過去の実績や、下請業者からの見積り等に基づいて計上することが必要となります。

❸ 単価未決定によるもの

　資材の購入単価や外注工事の施工単価が、未確定となっているような場合があります。このようなときは、同一規模の工事における過去の実績や、物価情報等を参考にして未確定の工事原価について適正に見積計上することが必要となります。

❹ 一部作業の未了によるもの

　軽微な付帯工事等について、一部未施工であるものの、本体工事等主要な部分の完成引渡し時点で実質的に完成引渡しをしたものとして完成工事高を計上している場合、当該未施工の工事にかかる工事原価を見積計上する必要があります。

【事例Ⅱ－9－7】完成工事原価の計上

・工事価格2,200,000千円（消費税別）、工期Ⅹ1年5月1日～Ⅹ4年3月31日の工事を受注した。

・工事総原価は1,840,000千円（消費税別）と見積もられた。そのうち、Ⅹ2年3月31日時点で完了済みの足場工事においてⅩ2年3月決算において単価が未確定であったが、同規模の他工事から原価を20,000千円（消費税別）と想定し、見積計上した。

・消費税の取扱いについては、簡略化のため未成工事支出金の全額が課税仕入れ等に該当するとみなしている。そのため、個々の仕訳に消費税の取扱いを付記していない。

<進捗度に基づき一定の期間にわたり収益を認識する工事の会計処理>

① Ⅹ2年3月期（期中）において、当期中に発生した工事原価480,000千円（消費税別）は未成工事支出金に計上済みである。

（借方）未成工事支出金　480,000　（貸方）現　金　預　金　528,000
　　　　仮払消費税等　　　48,000

② Ⅹ2年3月31日（決算日）における未確定原価について、見積計上した。

（借方）未成工事支出金　　20,000　（貸方）工　事　未　払　金　22,000
　　　　仮払消費税等　　　　2,000

③ Ⅹ2年3月31日（決算日）において、②を含む未成工事支出金を完成工事原価に計上する。当工事の発生工事原価は500,000千円（消費税別）である。

（借方）完　成　工　事　原　価　500,000　（貸方）未成工事支出金　500,000

④ Ⅹ3年3月期（期中）において、当期中に発生した工事原価600,000千円（消費税別）は未成工事支出金に計上済みである。

（借方）未成工事支出金　600,000　（貸方）現　金　預　金　660,000
　　　　仮払消費税等　　　60,000

⑤ Ⅹ3年3月31日（決算日）において、当期中に発生した未成工事支出金を完成工事原価に計上する。当期中の当工事にかかる発生工事原価は600,000千円

（消費税別）である。

（借方）完 成 工 事 原 価　　600,000　（貸方）未成工事支出金　　600,000

⑥　X4年3月期（期中）において、当期中に発生した工事原価700,000千円（消費税別）は未成工事支出金に計上済みである。

（借方）未成工事支出金　　700,000　（貸方）現　金　預　金　　770,000
　　　　仮 払 消 費 税 等　　 70,000

⑦　X4年3月31日（竣工時）において、完成工事原価を計上する。工事原価総額は見積りを60,000千円（消費税別）超過し、1,900,000千円（消費税別）となった。そのうち100,000千円（消費税別）が未払いである。

（借方）完 成 工 事 原 価　　800,000　（貸方）未成工事支出金　　700,000
　　　　仮 払 消 費 税 等　　 10,000　　　　工 事 未 払 金　　110,000

完成工事原価＝工事総原価1,900,000千円－過年度完成工事原価（500,000千円
　　　　　　　＋600,000千円）＝800,000千円

＜完成引渡しが完了した時点で収益を認識する工事の会計処理＞

①　X2年3月期（期中）において、当期中に発生した工事原価480,000千円（消費税別）は未成工事支出金に計上済みである。

（借方）未成工事支出金　　480,000　（貸方）現　金　預　金　　528,000
　　　　仮 払 消 費 税 等　　 48,000

②　X2年3月31日（決算日）における未確定原価の見積計上は不要である。

（仕訳なし）

③　X3年3月期（期中）において、当期中に発生した工事原価600,000千円（消費税別）は未成工事支出金に計上済である。

（借方）未成工事支出金　　600,000　（貸方）現　金　預　金　　660,000
　　　　仮 払 消 費 税 等　　 60,000

④　X4年3月期（期中）において、当期中に発生した工事原価770,000千円（消費税別）は未成工事支出金に計上済である。

（借方）未成工事支出金　　700,000　（貸方）現　金　預　金　　770,000
　　　　仮 払 消 費 税 等　　 70,000

⑤ Ｘ４年３月31日（竣工時）において、未払いの工事原価120,000千円（消費税別）の計上及び完成工事原価を認識する。

（借方）未 成 工 事 支 出 金 　 120,000 　 （貸方）工 事 未 払 金 　 132,000
　　　　仮 払 消 費 税 等 　 12,000
（借方）完 成 工 事 原 価 1,900,000 　 （貸方）未成工事支出金 1,900,000
完成工事原価＝未成工事支出金（480,000千円＋600,000千円＋700,000千円
　　　　　　　　＋120,000千円＝1,900,000千円）

【事例Ⅱ－9－8】完成工事原価の計上（JVスポンサー）

・工事価格1,000,000千円（消費税別）、工期Ｘ１年５月１日〜Ｘ３年３月31日の工事をJVで受注した。
・工事総原価は900,000千円（消費税別）と見積もられた。当社の出資比率は60％でスポンサーである。
・消費税の取扱いについては、簡略化のため未成工事支出金の全額が課税仕入れ等に該当するとみなしている。そのため、個々の仕訳に消費税の取扱いを付記していない。

＜進捗度に基づき一定の期間にわたり収益を認識する工事の会計処理＞

① 工事着手にあたり、JV前受金として200,000千円が入金された。

（借方）現 　 金 　 預 　 金 　 200,000 　 （貸方）未 成 工 事 受 入 金 　 120,000
　　　　　　　　　　　　　　　　　　　　　　　　預 　 　 り 　 　 金 　 80,000
未成工事受入金＝前受金200,000千円×出資比率60％＝120,000千円

② Ｘ２年３月31日（決算日）において、当期中の支払済みのJV発生工事原価300,000千円（消費税別）を完成工事原価に計上する。

（借方）未 成 工 事 支 出 金 　 180,000 　 （貸方）現 　 金 　 預 　 金 　 330,000
　　　　仮 払 消 費 税 等 　 18,000
　　　　未 　 収 　 入 　 金 　 132,000
（借方）完 成 工 事 原 価 　 180,000 　 （貸方）未 成 工 事 支 出 金 　 180,000

完成工事原価（未成工事支出金）

　　　＝当期発生工事原価300,000千円×出資比率60％＝180,000千円

③　X3年3月31日（竣工時）に、施主に物件を引き渡した。当期中の支払済みのJV発生工事原価は500,000千円（消費税別）であり、100,000千円（消費税別）が未払いであった。

（借方）未 成 工 事 支 出 金　　360,000　　（貸方）工 事 未 払 金　　110,000

　　　　仮 払 消 費 税 等　　 36,000　　　　　　現 金 預 金　　550,000

　　　　未 収 入 金　　264,000

（借方）完 成 工 事 原 価　　360,000　　（貸方）未 成 工 事 支 出 金　　360,000

完成工事原価＝（総工事原価900,000千円－前期発生工事原価300,000千円）

　　　　　　　×出資比率60％＝360,000千円

＜完成引渡しが完了した時点で収益を認識する工事の会計処理＞

①　工事着手にあたり、JV前受金として200,000千円が入金された。

（借方）現 金 預 金　　200,000　　（貸方）未 成 工 事 受 入 金　　120,000

　　　　　　　　　　　　　　　　　　　　　　預 り 金　　 80,000

未成工事受入金＝前受金200,000千円×出資比率60％＝120,000千円

②　X2年3月期（期中）において、当期中のJV発生工事原価300,000千円（消費税別）は未成工事支出金等に計上済みである。

（借方）未 成 工 事 支 出 金　　180,000　　（貸方）現 金 預 金　　330,000

　　　　仮 払 消 費 税 等　　 18,000

　　　　未 収 入 金　　132,000

未成工事支出金＝当期発生工事原価300,000千円×出資比率60％＝180,000千円

③　X3年3月期（期中）において、当期中のJV発生工事原価500,000千円（消費税別）は未成工事支出金等に計上済みである。

（借方）未 成 工 事 支 出 金　　300,000　　（貸方）現 金 預 金　　550,000

　　　　仮 払 消 費 税 等　　 30,000

　　　　未 収 入 金　　220,000

未成工事支出金＝当期発生工事原価500,000千円×出資比率60％＝300,000千円

④ X3年3月31日（竣工時）に施主に物件を引き渡したので、未払いの工事原価100,000千円（消費税別）の計上及び完成工事原価を認識する。

（借方）未 成 工 事 支 出 金　　60,000　　（貸方）工 事 未 払 金　　110,000
　　　　仮 払 消 費 税 等　　　6,000
　　　　未　収　入　金　　44,000
（借方）完 成 工 事 原 価　　540,000　　（貸方）未 成 工 事 支 出 金　　540,000

未成工事支出金＝当期発生未払工事原価100,000千円×JV比率60％
　　　　　　　　＝60,000千円
完成工事原価＝未成工事支出金（180,000千円＋300,000千円＋60,000千円）
　　　　　　　＝540,000千円

【事例Ⅱ－9－9】完成工事原価の計上（JVサブ）

・工事価格400,000千円（消費税別）、工期X1年12月1日～X2年9月30日の工事をJVで受注した。

・工事総原価は360,000千円（消費税別）と見積もられた。当社の出資比率は20％でJVサブである。

・消費税の取扱いについては、簡略化のため未成工事支出金の全額が課税仕入れ等に該当するとみなしている。そのため、個々の仕訳に消費税の取扱いを付記していない。

＜進捗度に基づき一定の期間にわたり収益を認識する工事の会計処理（JVスポンサーから進捗割合等報告）＞

① 工事中間金として、JV前受金150,000千円が入金されたとの報告を受けた。
（借方）未　収　入　金　　30,000　　（貸方）未 成 工 事 受 入 金　　30,000
未成工事受入金＝前受金150,000千円×出資比率20％＝30,000千円

② X2年3月31日（決算日）において、工事進行基準により完成工事原価を計上する。当期中のJV発生工事原価は120,000千円（消費税別）との報告を受けた。
（借方）未 成 工 事 支 出 金　　24,000　　（貸方）工 事 未 払 金　　26,400

仮 払 消 費 税 等　　 2,400

（借方）完 成 工 事 原 価　　24,000　（貸方）未 成 工 事 支 出 金　　24,000

完成工事原価＝発生工事原価120,000千円×出資比率20％＝24,000千円

③　X2年9月30日（竣工時）において、当期中のJV発生工事原価240,000千円
（消費税別）をもって予定期日どおり竣工引渡しが完了したとの報告を受けた。

（借方）未 成 工 事 支 出 金　　48,000　（貸方）工 事 未 払 金　　52,800

仮 払 消 費 税 等　　 4,800

（借方）完 成 工 事 原 価　　48,000　（貸方）未 成 工 事 支 出 金　　48,000

完成工事原価＝発生工事原価240,000千円×出資比率20％＝48,000千円

＜完成引渡しが完了した時点で収益を認識する工事の会計処理（JV予算未承認のため総原価の見積りが不能な状態）＞

①　工事中間金として、JV前受金150,000千円が入金されたとの報告を受けた。

（借方）未 　収 　入 　金　　30,000　（貸方）未 成 工 事 受 入 金　　30,000

未成工事受入金＝前受金150,000千円×出資比率20％＝30,000千円

②　X2年3月31日（決算日）において、当工事のJV発生工事原価は120,000千
円（消費税別）との報告を受けたため、未成工事支出金を計上する。

（借方）未 成 工 事 支 出 金　　24,000　（貸方）工 事 未 払 金　　26,400

仮 払 消 費 税 等　　 2,400

未成工事支出金＝発生工事原価120,000千円×出資比率20％＝24,000千円

③　X2年9月30日（竣工時）において、当期中のJV発生工事原価240,000千円
（消費税別）をもって予定期日に竣工引渡しが完了したとの報告を受けた。

（借方）未 成 工 事 支 出 金　　48,000　（貸方）工 事 未 払 金　　52,800

仮 払 消 費 税 等　　 4,800

（借方）完 成 工 事 原 価　　72,000　（貸方）未 成 工 事 支 出 金　　72,000

未成工事支出金＝発生工事原価240,000千円×出資比率20％＝48,000千円

完成工事原価＝未成工事支出金（24,000千円＋48,000千円）＝72,000千円

[3] 税務処理

工事原価には、工事の完成のために要した材料費、労務費、外注費及び経費の額の合計額のほか、その受注または引渡しをするために直接要したすべての費用の額が含まれます。この場合、建設業を営む法人が建設工事等の受注にあたり前渡金保証会社に対して支払う保証料は、前渡金を受領するための費用であり、当該建設工事等にかかる工事原価の額に算入しないことができます（法基通2－2－5）。

工事原価に関する個別論点については、第Ⅱ部第1章「6．未成工事支出金［3］税務処理」(136頁) で述べたとおりですが、見積計上部分については以下の取扱いとなります。

完成引渡した工事で、当該決算期において工事原価の全部または一部が未確定のときは、費用収益対応の原則の観点から、完成引渡した日を含む事業年度末日の状況により、当該金額を適正に見積計上します（法基通2－2－1）。

この場合、当該未確定費用が完成工事原価となるべき費用であるか否かは、契約内容、費用の性質等を勘案して合理的に判断する必要があり、たとえ工事に関連して発生する費用であっても、単なる事後費用の性格を有するものは含まれません。

また、金額確定時に発生する見積額との差額は、確定した日を含む事業年度の完成工事原価に含めます。

上記の場合に、見積額との差額は、その確定した日の属する課税期間における課税仕入れにかかる支払対価の額に加算し、または当該課税仕入れにかかる支払対価の額から控除します（消基通11－4－5）。

4. 兼業事業売上原価

[1] 勘定科目の概要

兼業事業売上原価とは、建設業以外の事業をあわせて営む場合における当該事業の売上高（兼業事業売上高）に対応して計上される売上原価をいいます（勘定科目分類）。

兼業事業の詳細は、第Ⅰ部「第6章　兼業事業の概要」(98頁) を参照してください。

❶ 不動産販売事業にかかる原価

不動産販売業務は、いわゆる販売業務と開発業務で原価の範囲が異なります。販売業務にかかる原価は、購入の対価（購入のための付随費用を含む）の額と、資産を消費しまたは販売の用に供するために直接要した費用の額の合計額となります。

開発業務にかかる原価は、製造等のために要した原材料費、労務費及び経費の額と、資産を消費しまたは販売の用に供するために直接要した費用の額の合計額となります。特に前者について、販売用不動産ごとに個別原価計算が必要となります。

❷ 不動産仲介業務にかかる原価

不動産仲介業務にかかる原価は、仲介物件ごとに業務に必要とした直接費（支払仲介手数料、広告宣伝費、案内交通費）を原価に計上します。

❸ 不動産賃貸・管理業務

不動産賃貸業務にかかる原価は、賃貸の対象としている物件にかかる直接原価（人件費、租税公課、水道光熱費、減価償却費など）を発生基準に基づいて計上します。

不動産管理業務については、直接的な原価はほとんど発生しないと考えられます。

❹ 技術・役務の提供業務にかかる原価

技術・役務の提供業務にかかる原価は、契約ごとに個別原価計算により集計を行い、売上計上時に原価を計上します。

[2] 会計処理

兼業事業売上原価は、兼業事業売上高とあわせて計上します。会計処理にかかる事例については、本章「2．兼業事業売上高　[2] 会計処理」(312頁) を参照してください。

[3] 税務処理

❶ 不動産販売業務

販売用不動産の取得原価について、付随費用の合計額がおおむね３％以内である場合には、取得原価に算入しないことができます（法基通５－１－１）。

また、取得原価には、不動産取得税、地価税（適用停止中）、固定資産税及び都市計画税、特別土地保有税、登録免許税その他登記または登録のために要する費用の額、借入金の利子の額を算入しないことができます（法基通５－１－１の２）。

❷ 技術・役務の提供業務

技術・役務の提供業務にかかる原価について、継続して技術役務の提供のために要する費用を、支出時に損金とすることが認められます。対象は、次の①と②のとおりです（法基通２－２－９）。

① 固定費（作業量の増減にかかわらず変化しない費用）の性質を有する費用

② 変動費（作業量に応じて増減する費用）の性質を有する費用のうち一般管理費に属するもので、その額が多額でないもの及び相手方から収受する支度金、着手金等に対応するもの

第**10**章

販売費及び
一般管理費

1. 役員報酬

[1] 勘定科目の概要

　役員報酬は、役員（取締役、監査役等）に対し、委任契約に基づいてその職務執行の対価として支給される報酬をいい、役員賞与、あるいは役員賞与引当金繰入額を含みます。

　役員報酬の額は、①定款にて具体的に定めるか、②株主総会の決議により、報酬等の額またはその具体的な算定方法を定める方法により決定されます（会社法361、387）。これらの方法のうち、②を選択するのが一般的です。

　従来、役員報酬については職務執行の対価として費用に計上される一方、役員賞与は利益処分項目として取り扱われていました。しかし、2006（平成18）年の会社法施行を契機として、職務執行の対価としての性格は報酬と変わらないという観点から、役員賞与は役員報酬とともに発生した会計期間の費用として処理することになりました（役員賞与に関する会計基準3）。

　なお、役員報酬の会計・税務処理について、建設業に固有の処理は定められていません。

[2] 会計処理

❶ 役員報酬

　役員報酬については、当事業年度に発生したものにつき費用処理をします。なお、役員報酬は会社の業務執行に関する包括的な委任（会社法330）の対価で

あり日割計算がなじまないことから、未払費用計上の対象としません。

❷ 役員賞与、役員賞与引当金繰入額

　役員賞与に関する事項を翌事業年度に開催される株主総会の決議事項としている場合には、その支給は株主総会の決議が前提となるため、期末日時点で確定させることができません。よって、原則として期末日時点における支給見込額を役員賞与引当金繰入額として計上することとなります（役員賞与に関する会計基準13）。

【事例Ⅱ－10－1】使用人兼務役員に対する給与と報酬の支払い

　使用人兼務役員である取締役支店長に、給与500千円と役員報酬200千円を支払った。

　（借方）給　与　手　当　　　　500　（貸方）現　金　預　金　　　　　700
　　　　　役　員　報　酬　　　　200

【事例Ⅱ－10－2】役員賞与引当金の計上と支払時の処理

　①　役員賞与30,000千円の支給につき、株主総会の決議事項とする予定である。
　　（借方）役員賞与引当金繰入額　　30,000　（貸方）役員賞与引当金　　30,000
　　（注）この仕訳は、決算日の日付で起票・処理されます。
　②　株主総会において議案どおりに決議され、同日全額を支給した。
　　（借方）役員賞与引当金　　30,000　（貸方）現　金　預　金　　30,000

[3]　税務処理

　法人税法では、役員報酬と役員賞与は区別なく「役員給与」として取り扱っています。

　役員給与として損金算入するためには、以下①～③のいずれかを満たす必要があります（法法34）。

　①　定期同額給与

その支給時期が１カ月以下の一定の期間ごとであり、かつ、その事業年度の各支給時期における支給額が同額であるもの

② 事前確定届出給与

その役員の職務につき、所定の時期に確定額を支給する旨の定めに基づいて支給する給与で、事前に納税地の所轄税務署長に届出をしているもの

③ 業績連動給与

業務執行役員に対して支給する業績連動給与で、一定の要件を満たすもの

なお、上記の要件を満たす給与であっても、不相当に高額である部分の金額や、事実を隠ぺいしまたは仮装して支給した部分の金額は、損金の額に算入されません（法法34②③）。不相当に高額な部分については、次のａとｂの基準により判断することになります。

a. 実質的基準（法令70一イ）

その役員の職務に対する対価として相当であると認められる金額を超える場合、その超える部分の金額が損金不算入となります。実務的には、いくらが適正であるかの判断は難しいですが、同業他社との比較といった見地から、税務調査等で是否認が行われることになります。

b. 形式的基準（法令70一ロ）

定款または株主総会等の決議により役員に対する給与として支給することのできる限度額を超えている場合、その超える部分の金額が損金不算入となります。

役員賞与については、上記①の定期同額給与の要件を満たさないことから損金算入できないのが通常ですが、②の事前確定届出給与の要件を満たしている場合には損金算入が可能です。ただし、役員賞与引当金繰入をした事業年度においては損金不算入となり、翌事業年度の支給時において損金算入が可能となります。

消費税については、役員報酬は給与等を対価とする役務の提供に該当し、不課税となります（消法２①十二、消基通11－１－２）。

2. 従業員給与手当

[1]　勘定科目の概要

　従業員給与手当とは、従業員に対して給与規定・賃金規定等に基づいて支給される給料、賃金、手当及び賞与などをいいます。また、使用人兼務役員に対する使用人分の給与も含まれます。

　従業員への給与支給時には、各従業員の給与支給額から所得税及び住民税を源泉徴収して、定められた日に国または地方自治体に納付をすることとされています。また、社会保険料等の従業員負担分についても、給与支給時に各従業員の給与支給額から控除することとなっています（本章「4．法定福利費」（335頁）参照）。

　なお、従業員給与手当の会計・税務処理について、建設業に固有の処理は定められていません。

[2]　会計処理

　従業員給与手当については、その発生額により費用計上します。給与計算期間との関係上、例えば20日締め翌月10日支払いなど費用計上日と支給日が決算日の前後となる場合には、給与計算開始日から決算日までの給与を日割計算したうえで、未払費用として計上する必要があります。

　出向者や転籍者がいる場合、出向規定・労働協約等に基づいて当該従業員に対する指揮命令権が出向先・転籍先法人に移転することから、原則として当該出向者・転籍者の給与は出向先・転籍先法人の負担すべき給与となります。また、出向者が出向先で役員となる場合は出向先の役員報酬となります。

　源泉徴収した従業員の所得税、社会保険料等については預り金として計上し、所定の納付日に取り崩します。徴収した雇用保険料については、会社が納付時に計上した立替金もしくは仮払金を取り崩す処理を行います。

第**10**章
販売費及び一般管理費　　　329

【事例Ⅱ－10－3】 従業員給与手当の会計処理

① 当社は、給与手当の取扱いにつき月末締め・翌月10日支給としている。3月
発生の給与手当総額は40,000千円、社会保険料会社負担分は4,000千円と計算
された。

（借方）従業員給与手当　　40,000　（貸方）未　払　費　用　　44,000
　　　　法 定 福 利 費　　 4,000

② 翌月4月10日となり、従業員に対して給与手当を支給した。支給の際、所得
税1,500千円、住民税1,200千円を源泉徴収し、社会保険料3,000千円、労働保
険料800千円を控除した。

（借方）未　払　費　用　　40,000　（貸方）現　金　預　金　　33,500
　　　　　　　　　　　　　　　　　　　　　預　　り　　金　　 5,700
　　　　　　　　　　　　　　　　　　　　　立　替　　金　　　　800

③ 月末に会社負担分（社会保険料3,000千円、労働保険料1,000千円）と合わせ
て納付した。

（借方）預　　り　　金　　 3,000　（貸方）現　金　預　金　　 7,800
　　　　立　替　　金　　　　800
　　　　未　払　費　用　　 4,000

【事例Ⅱ－10－4】 給与帳端分の計上

決算において、給与帳端分を計上する。給与計算の締日は毎月20日、支給日は
翌月5日である。決算月の翌月の給与支給額は31,000千円であった。

（借方）従業員給与手当　　11,000　（貸方）未　払　費　用　　12,400
　　　　法 定 福 利 費　　 1,400

従業員給与手当＝支給額31,000千円×11日（21日～31日）÷31日＝11,000千円

なお、給与帳端分の未払費用計上にあたっては、対応する社会保険料の会社
負担額についても費用計上が必要であることに留意してください。

【事例Ⅱ－10－5】出向社員に対する給与較差分の支出

従業員を関係会社に出向させている。しかし出向先の給与水準は当社と比して低いため、較差補填として毎月100千円を出向先の会社に支払っている。

（借方）従業員給与手当　　　　100　（貸方）現　金　預　金　　　　100

[3] 税務処理

従業員に対する給料、賃金及び諸手当は、原則として損金となります。使用人兼務役員の使用人分の給与については、定款または株主総会の決議等で、役員給与の支給限度額等に使用人兼務役員の使用人分の給与を含めていない旨を定めている場合は、適正額について損金算入となります（法基通9－2－23）。

所得税法は、給与所得の範囲を「俸給、給料、賃金、歳費及び賞与並びにこれらの性質を有する給与に係る所得をいう」と定めています（所法28）。したがって、従業員給与手当の勘定科目ではなく、通信交通費や福利厚生費等の勘定科目で計上されているものについても給与所得に該当し、源泉徴収の対象となるものがあるので、留意する必要があります。

なお、賞与にかかる法人税法上の取扱いについては、第Ⅱ部第6章「13. その他の引当金」（251頁）を参照してください。

消費税の取扱いについては、従業員給与手当は給与等を対価とする役務の提供に該当し、不課税となります（消法2①十二、消基通11－1－2）。

＜出向者にかかる給与＞

出向者の給与については、出向先法人が出向者に対し直接支給する場合、あるいは出向元法人が出向者に対して給与を支払い、出向先法人が出向元法人に給与負担金を支払う場合は、出向先法人における出向者に対する給与として取り扱われます（法基通9－2－45）。

一方、出向元法人が出向者に対して給与を支給し、出向先法人が給与負担金を支払わない場合、あるいは出向先法人が出向者に対して給与を支給後、出向

元法人に給与相当額を請求する場合など、出向先法人が給与を実質的に出向者に支給していない場合は、出向先法人への寄付金とみなされます。また、出向元法人が出向先法人との給与格差を補填するために出向者に支給した給与は、出向元法人の損金に算入されます（法基通9－2－47）。

出向者が出向先法人で役員となる場合に、次の①と②のいずれにも該当し、かつ「役員給与」としての損金算入できるための「定期同額給与」あるいは「事前確定届出給与」の要件を満たす場合には、出向先法人が支出する給与負担金は役員給与となります（法基通9－2－46）。

① 当該役員にかかる給与負担金につき、出向先での株主総会などで決議されていること

② 出向契約等において出向期間及び給与負担金の額があらかじめ定められていること

3. 退職金

[1] 勘定科目の概要

退職金は、一定の期間にわたり労働を提供したこと等の事由により、退職金規定等に基づいて従業員の退職時に支払われるものをいいます。

「退職給付に関する会計基準」を適用した場合には、退職給付費用等の適切な勘定を使用することとされています（勘定科目分類）。この具体的な内容については、第Ⅱ部第7章「5．退職給付引当金」（265頁）を参照してください。

役員に対する退職金については、通常は役員退職慰労金という勘定科目を使用します。役員退職慰労金の支給については、株主総会においてその支給を決議しますが、具体的な金額、方法及び時期については取締役会に一任するのが一般的です。

なお、退職金の会計・税務処理について、建設業に固有の処理は定められていません。

[2] 会計処理

❶ 退職金

退職金を支払う場合、退職者が退職給付引当金の設定対象者であった場合には、支払時に退職給付引当金を取り崩します。一方、退職者が引当金の設定対象者ではなかった場合には、退職金勘定にて処理します。

なお、確定した退職金が、退職日後に支給される場合には未払金への計上が必要です。

【事例Ⅱ－10－6】退職金支給にかかる未払計上

> 期末日において従業員2名が退職し、2週間後に支払う予定である。1名は退職給付引当金の設定対象者であり7,500千円、1名は勤続2年で退職金の支給条件を満たしていないが、餞別として200千円支給する。
>
> （借方）退 職 給 付 引 当 金　　　7,500　（貸方）未　　払　　金　　　7,700
> 　　　　退　　職　　金　　　　　 200

❷ 役員退職慰労金

役員退職慰労金についても、引当金計上済み以外の金額については、役員が退職した期間の費用として処理します。損益計算書上における表示区分は、通常は販売費及び一般管理費となります。

なお、以下①と②の要件をいずれも満たす場合は、毎期末において役員退職慰労引当金として計上しなければならないことに留意してください（日本公認会計士協会「租税特別措置法上の準備金及び特別法上の引当金又は準備金並びに役員退職慰労引当金等に関する監査上の取扱い」）。

① 役員退職慰労金の支給に関する内規に基づき支給見込額が合理的に算出されること
② 当該内規に基づく支給実績があり、このような状況が将来にわたって存続すること

この役員退職慰労引当金の計上額は、期末日における内規等に基づく要支給額とすることが一般的になっています。

【事例Ⅱ－10－7】役員退職慰労金の会計処理

> ①　当社においては、役員退職慰労金に関する内規が整備されており、従来から役員退職慰労引当金を計上している。この内規に基づく前期末に計上済みの役員退職慰労引当金残高は120,000千円であり、当期末における要支給額は150,000千円である。
>
> （借方）役員退職慰労引当金繰入額　　30,000　（貸方）役員退職慰労引当金　　30,000
>
> 役員退職慰労引当金繰入額＝要支給額150,000千円－引当金残高120,000千円
>
> 　　　　　　　　　　　　　　＝30,000千円
>
> ②　株主総会において、退任取締役Aへの退職慰労金の支給が決議され、1カ月後に取締役Aに対し支給をした。内規による支給額は20,000千円であり、このうち前期末に計上されている役員退職慰労引当金の額は18,000千円である。
>
> （借方）役員退職慰労引当金　　18,000　（貸方）現　金　預　金　　20,000
>
> 　　　　退　職　金　　2,000
>
> 　　　　（役員退職慰労金）
>
> 退職金＝支給額20,000千円－引当金残高18,000千円＝2,000千円

[3]　税務処理

　法人税法上、従業員に支給される退職金については、退職金支給時に損金算入が可能となります。退職給付引当金を計上した時点では、損金算入はできません。

　役員退職慰労金については、退職した役員に対する退職給与の額の損金算入の時期は、株主総会の決議等によりその額が具体的に確定した事業年度の損金となります。ただし、退職金を実際に支払った事業年度において損金経理をした場合は、その支払った事業年度において損金算入が認められます（法基通9

- 2 -28)。

消費税については、退職金、役員退職慰労金ともに給与等を対価とする役務の提供に該当し、不課税となります（消法2①十二、消基通11-1-2）。

4. 法定福利費

[1] 勘定科目の概要

法定福利費とは、健康保険、厚生年金保険、労働保険等の保険料の事業主負担額及び児童手当拠出金をいいます（勘定科目分類）。これらのうち、健康保険、厚生年金保険及び雇用保険については、原則として事業主と従業員の双方が負担します。一方、労災保険料と児童手当拠出金については全額が事業主の負担となります。

健康保険、厚生年金保険については、毎年4月～6月の3カ月間に支払った給与平均額に基づいて、その年の9月分からの標準報酬月額が決定（これを定時決定という）され、その後1年間の保険料が算出されます。

労災保険料、雇用保険料については、年間の賃金見込額によって4月分～3月分の概算保険料を納付し（一定の場合には分割払い可）、翌年の7月に1年間の賃金総額実績に基づいた確定保険料との過不足額の精算を行います。

また、従業員本人が負担する保険料については、給与及び賞与支給時に控除され、事業主が事業主負担分と合わせて納付します。

なお、法定福利費の会計・税務処理について、建設業に固有の処理は定められていません。

[2] 会計処理

健康保険及び厚生年金保険は、事業主負担分を法定福利費として計上し、従業員負担分については給与から控除した際に預り金に計上しておき、事業主負担分と合わせて納付する際に預り金から払い出します。

労災保険及び雇用保険も法定福利費として計上します。ただし、雇用保険については従業員が負担する分がありますので、給与支払時に立替金または仮払

金として計上しておき、本人からの徴収に応じて取り崩します。また、労災メリット還付金が発生する場合、法定福利費のマイナスか営業外収益として計上することが考えられます。

【事例Ⅱ－10－8】健康保険料、厚生年金保険料の会計処理

① 3月末日において、3月分の会社負担の健康保険料、厚生年金保険料360千円を計上した。

（借方）法 定 福 利 費 　　360 　（貸方）未 　払 　費 　用 　　360

② 4月25日は給与支給日であるため（給与総額3,000千円）、従業員負担分の健康保険料、厚生年金保険料360千円を控除して支給した（源泉所得税等は考慮しない）。

（借方）従 業 員 給 与 手 当 　　3,000 　（貸方）現 　金 　預 　金 　　2,640
　　　　　　　　　　　　　　　　　　　　　　　　　　　　　預 　　り 　　金 　　360

③ 4月30日に社会保険料を納付した。

（借方）未 　払 　費 　用 　　360 　（貸方）現 　金 　預 　金 　　720
　　　　預 　　り 　　金 　　360

【事例Ⅱ－10－9】労働保険料にかかる会計処理

① 7月10日に雇用保険料及び労災保険料について、会社負担分120千円、従業員負担分90千円を概算納付した。

（借方）法 定 福 利 費 　　120 　（貸方）現 　金 　預 　金 　　210
　　　　立 　　替 　　金 　　90

② 8月25日の給与支給時に従業員負担分の雇用保険料を控除して支給した。この支給額に関する雇用保険料は、料率表に基づき7千円と算定された。

（借方）従 業 員 給 与 手 当 　　1,000 　（貸方）現 　金 　預 　金 　　993
　　　　　　　　　　　　　　　　　　　　　　　　　　　　　立 　　替 　　金 　　7

[3] 税務処理

健康保険料、厚生年金保険料の事業主負担分については、納付時または計算対象月に全額損金算入となります。労災保険料及び雇用保険料の概算保険料のうち、事業主負担分は1年以内の短期前払費用に該当することから、納付時の損金とすることができます。

なお、概算保険料と確定保険料の過不足精算額は、申告書を提出した日または納付した日に損金算入もしくは益金算入となります（法基通9－3－3）。

消費税については、法定保険料（労働保険料を含む）を対価とする役務の提供は非課税となります（消法6①、別表第1第3号）。

5. 福利厚生費

[1] 勘定科目の概要

福利厚生費とは、従業員等の福利厚生のために支出する費用で、企業内の医療体制、保健施設に要する費用、社内運動会や社員旅行などの慰安に要する費用、結婚や出産等の祝い金等の慶弔費用などがあります。

なお、福利厚生費の会計・税務処理について、建設業に固有の処理は定められていません。

[2] 会計処理

福利厚生費は発生した期間の費用として計上します。そのため、福利厚生費にかかる支払日が決算日後となる場合には、未払金として処理する必要があります。

【事例Ⅱ－10－10】 健康診断の実施

従業員及び役員全員に対して健康診断を実施し、費用は1,000千円（消費税別）を要した。

（借方）福 利 厚 生 費　　　1,000　（貸方）現　金　預　金　　　1,100
　　　　仮 払 消 費 税 等　　　 100

［消費税］健康診断の実施は役務の提供にあたるため、課税取引となります。

[3] 税務処理

　法人税の取扱い上、福利厚生費と交際費、あるいは給与との区別が困難な場合があり、たとえ会社が福利厚生費として処理していても、税務上は交際費や給与とみなされることがあります。

　福利厚生費として損金算入が認められるためには、①従業員の福利厚生のためのものであること、②金額についての社会通念上の相当性、③その金額が社内規定等の範囲内であること、④支出対象者が特定の者に限定されないことが必要です。

6. 修繕維持費

[1] 勘定科目の概要

　修繕維持費は、固定資産の維持管理または原状回復のための支出を処理する費用科目です。

　修繕維持には、毎期経常的あるいは単発的に発生するものと、何年かに1度定期的に発生する大規模なものの2種類があります。機械装置の移設費用やソフトウェアの保守料などは前者に該当し、発生時に費用として処理します。後者も発生時の費用として処理することができますが、その原因は毎期の営業活動によって摩耗、損傷及び汚損することにあるため、収益と対応する費用を適切に把握する観点からは修繕引当金を計上し、毎期引当金繰入額を計上する処理が妥当といえます。

　修繕維持費に関連する項目として、資本的支出があります。資本的支出は、固定資産に関して支出したものという共通点はありますが、こちらは固定資産の価値を高めるための支出であり、費用ではなく対応する固定資産の簿価に加算する必要があります（「第Ⅱ部第2章「1．有形固定資産の概説」(155頁) 参照）。

　なお、修繕維持費の会計・税務処理について、建設業に固有の処理は定められていません。

[2] 会計処理

修繕維持費は、発生時に費用として処理します。1つの取引の中に資本的支出や他の費用項目が混在している場合には、取引の内容を詳細に検討し、該当する勘定科目で処理する必要があります。

【事例Ⅱ－10－11】機械装置の移転費用

> 機械装置を同じ工場内で移設するために1,200千円（消費税別）を支払った。
>
> （借方）修 繕 維 持 費　　1,200　（貸方）現 金 預 金　　1,320
> 　　　　仮 払 消 費 税 等　　　120
>
> ［消費税］機械装置の移設は役務の提供にあたるため、課税取引となります。

【事例Ⅱ－10－12】建物の修繕工事

> 建物の修繕工事のために20,000千円（消費税別）を支払い、その結果、耐用年数が15年から20年に伸びた（この場合には、耐用年数の延長＝5年分を資本的支出とします）。
>
> （借方）修 繕 維 持 費　　15,000　（貸方）現 金 預 金　　22,000
> 　　　　建　　　　　　物　　 5,000
> 　　　　仮 払 消 費 税 等　　 2,000
>
> 建物（資本的支出）＝工事費20,000千円×5年÷20年＝5,000千円
>
> ［消費税］修繕工事は役務の提供、建物の取得は資産の譲渡にあたるため、課税取引となります。

[3] 税務処理

修繕維持費と資本的支出について、法人税法では課税の公平性を確保するためにさまざまな例を示し、容易に判断ができない場合の形式的基準を設けています（法令132、法基通7－8－1～7－8－9）。

以下の①と②は、法人税法における資本的支出と修繕費の例示です。

第**10**章
販売費及び一般管理費

① 資本的支出の例示（法基通7－8－1）

・建物の避難階段など物理的に付加した部分にかかる費用

・用途変更のための改造・改装に直接要した費用

・機械部品を品質または性能の高いものと取り替えた場合に、通常の取替費用を上回る額

② 修繕費の例示（法基通7－8－2）

・建物の移えいまたは解体移設にかかる費用（ただし、旧資材の70％以上を再利用できる場合等）

・機械装置の移設に要した費用

・地盤沈下の回復のための地盛り費用（資本的支出となるケースあり）

・土地の水はけを良くする等のために行う砂利、砕石等の敷設に要した費用

修繕維持費は、法人税法上損金となりますが、資本的支出と修繕費の形式的基準による判断(法基通7－8－3～7－8－6)については、第Ⅱ部第2章「1.有形固定資産の概説」(155頁)の図表Ⅱ－2－1を参照してください。

また消費税については、通常、修繕維持は資産の譲渡または役務の提供に該当するため課税仕入れとなります。

7. 事務用品費

[1] 勘定科目の概要

事務用品費とは、事務用消耗品費、固定資産に計上しない事務用備品費、新聞及び参考図書等の購入費をいいます（勘定科目分類）。具体的には、コピー用紙、トナー、文房具、電池、電球、書籍や新聞などの費用に加えて、固定資産に計上しない少額の資産を費用として処理します。

なお、事務用品費の会計・税務処理について、建設業に固有の処理は定められていません。

［2］ 会計処理

　事務用品費は、原則的にはその物品を消費したときに費用として計上すべきです。しかし、実際には消しゴムや電球の使用を1つ1つ管理するのは煩雑であるため、購入時に費用とするのが一般的です。また、固定資産に計上しない少額資産の範囲は、会計の観点からは各企業がその基準を個別に定めるべきですが、実際には多くの企業が法人税法上の規定に沿って処理しています。

【事例Ⅱ－10－13】消耗品の購入

　文房具、コピー用紙等の消耗品50千円（消費税別）を購入した。

（借方）事 務 用 品 費　　　　50　（貸方）現 　金 　預 　金　　　　55
　　　　仮 払 消 費 税 等　　　　 5

［消費税］消耗品の購入は資産の譲渡にあたるため、課税取引となります。

【事例Ⅱ－10－14】少額資産の購入

　事務所用備品（机、椅子）を150千円（消費税別）で購入した。

（借方）事 務 用 品 費　　　150　（貸方）現 　金 　預 　金　　　165
　　　　仮 払 消 費 税 等　　　 15

［消費税］事務所用備品の購入は資産の譲渡にあたるため、課税取引となります。

［3］ 税務処理

　法人税法では、取得価額が10万円未満のものは事業に供した日に全額損金算入が認められます（法令133）。また、中小企業者等（資本金の額または出資金の額が1億円以下の法人または農業協同組合等で、常時使用する従業員の数が500人以下の法人、ただし大規模法人との支配関係がある場合を除く）においては、30万円未満のものについて2024（令和6）年3月31日までに取得し事業供用した場合には、その期において300万円を上限として固定資産に計上せず、少額の減価償却資産として損金処理することができます（措法67の5、措令39の28）。

なお、少額の減価償却資産の判定は1個、1組または1そろいごとに行うとされています（法基通7－1－11）。また、事務用品費は、毎期おおむね一定量を購入し経常的に使用するものであれば、購入時に全額損金に算入することができます（法基通2－2－15）。

　消費税については、通常、事務用品の取得は資産の譲渡等に該当するため、課税仕入れとなります。

8. 通信交通費

[1] 勘定科目の概要

　通信交通費は、通信費、交通費及び旅費をいいます（勘定科目分類）。具体的には、通信費として電話料金、データ通信料金や郵便料金など、交通費として通勤のための定期券代、業務のための近距離の移動にかかる運賃及びタクシー代など、旅費として遠隔地に出張した際にかかる運賃、高速道路の通行料、宿泊費及び日当などがあります。

　なお、通信交通費の会計・税務処理について、建設業に固有の処理は定められていません。

[2] 会計処理

　通信交通費は、発生時に費用として処理します。

　法人税法上は、その支出の内容によっては給料として扱われる場合があり、その場合には所得税の源泉徴収の対象となりますので、留意が必要です。

【事例Ⅱ－10－15】旅費規程に基づく旅費の支給

> 　支店長の本店への出張に際して、旅費規程に基づき82千円（消費税込）を支払った（旅費規程の金額は、通常必要と認められる範囲である）。
>
> （借方）通 信 交 通 費　　　75　（貸方）現　金　預　金　　　82
> 　　　　仮 払 消 費 税 等　　　 7
> ［消費税］旅客運送は役務の提供にあたるため、課税取引となります。

【事例Ⅱ－10－16】通勤定期代の支給

従業員に通勤のための定期代6カ月分143千円（消費税込）を支払った。

（借方）通 信 交 通 費 　 　130 （貸方）現 金 預 金 　 　143

仮 払 消 費 税 等 　 　13

［消費税］旅客運送は役務の提供にあたるため、課税取引となります。

[3] 税務処理

通信交通費は、通常全額損金に算入されます。しかしながら、以下に述べるものについて、通常必要と認められる範囲から外れたものについては、給与として扱われることとなります。また、役員にかかるものであれば損金不算入となる場合もあります。

遠隔地に出張した場合の経費である旅費については、通常必要と認められる範囲内であれば、通信交通費として損金の額に算入され、また受け取った個人の所得税の対象にはなりません（所基通9－3）。実務上は、旅費規程を定め地位等に応じた一定額を支給していれば、その一定額が通常必要と認められる範囲内のものである限り、全額が通信交通費として認められます。

通勤にかかる交通費は、電車などの公共交通機関を利用する場合には、月額15万円までは所得税法上非課税とされ、それを超える分については給与としての扱いになります（所令20の2）。その他、税務上は自家用車を利用する場合等の取扱いが詳細に規定されています。

また、海外渡航費についても通常必要と認められる範囲内であれば全額通信交通費として認められますが、それ以外のものは給与扱いとなります（法基通9－7－6～9－7－10）。

消費税の取扱いとしては、法人税と同じく通常必要と認められる範囲内であれば課税仕入れですが、それを超えるものは給与として不課税になります。海外出張にかかる旅費、宿泊費及び日当等は、原則として課税仕入れに該当しません（消基通11－2－1、11－2－2）。

第10章
販売費及び一般管理費

9. 動力用水光熱費

[1] 勘定科目の概要

　動力用水光熱費とは、電力、水道、ガス等の費用で工事に要したもの以外をいいます（勘定科目分類）。具体的には、上下水道料金、冷暖房費及び灯油その他の燃料費をいいます。

　なお、動力用水光熱費の会計・税務処理について、建設業に固有の処理は定められていません。

[2] 会計処理

　動力用水光熱費は、原則として発生時に費用として処理します。しかしながら、電力や水道などはメーターの検針等を経て使用料を確定するため、請求書の受領あるいは口座引落しの事実をもって継続して費用処理をしているケースが多いと思われます。もちろん、自社でメーター等を確認の上で未払計上することが最も合理的です。

【事例Ⅱ－10－17】電気料金の支払い

> 　電気料金300千円（消費税別）が預金口座より引き落とされた。
>
> （借方）動力用水光熱費　　　　300　（貸方）現　金　預　金　　　330
> 　　　　仮払消費税等　　　　　 30
>
> ［消費税］電気の利用は役務の提供にあたるため、課税取引となります。

【事例Ⅱ－10－18】灯油代の支払い

> 　冬に備えて灯油を購入し、代金100千円（消費税別）を支払った。
>
> （借方）動力用水光熱費　　　　100　（貸方）現　金　預　金　　　110
> 　　　　仮払消費税等　　　　　 10
>
> ［消費税］灯油の購入は資産の譲渡にあたるため、課税取引となります。

[3] 税務処理

法人税法上、動力用水光熱費は全額損金に算入されます。

消費税については、通常は課税仕入れとなります。ただ、車両用の軽油を動力用水光熱費で処理する場合、対価のうち軽油引取税は税金であり不課税となります。

10. 調査研究費

[1] 勘定科目の概要

調査研究費とは、技術研究、開発等の費用をいい（勘定科目分類）、現在は研究開発費として処理されるのが一般的です。

研究開発費における「研究」とは、新しい知識の発見を目的とした計画的な調査及び探求、「開発」とはその知識の具体化である新しい製品の設計等、と定義されています（研究開発会計基準一1）。

研究開発費は、原材料費や人件費といった発生の形態に着目した勘定ではなく、研究開発という目的＝機能に焦点を当てた勘定科目です。そのため、その内容としては原材料費、人件費及び減価償却費等さまざまな形態別の費目を含むことになります。

なお、調査研究費（研究開発費）の会計・税務処理について、建設業に固有の処理は定められていません。

[2] 会計処理

調査研究費（研究開発費）は、発生時に費用として処理します（研究開発会計基準三）。これは、費用の発生時点では、当該研究開発によって将来収益を獲得できるかどうかはいまだ不明確であるためです。

研究開発活動を外部に委託した場合でも、その成果を検収し利用可能となった段階で費用処理する必要があります。したがって、契約金等は前渡金として処理し、役務の提供を受けたことが確定した時点で費用処理することとなります（研究開発実務指針3）。

研究開発費の会計処理には、次の2つの方法があります。

① 期中から研究開発活動にかかる費用を研究開発費として計上する方法

② 期中はすべて形態別に費用を計上しておき、期末に研究開発活動に関する部分を抽出して研究開発費に振り替える方法

また、特定の研究開発目的にのみ使用され、他の目的に使用できない機械装置や特許権等を取得した場合には、その取得価額を全額研究開発費として処理します（研究開発実務指針5）。

【事例Ⅱ－10－19】開発研究所の人件費

期末に、開発研究所の人件費12,000千円を調査研究費に振り替える。

（借方）調 査 研 究 費　　12,000　（貸方）従 業 員 給 料 手 当　　9,600

法 定 福 利 費　　1,300

福 利 厚 生 費　　1,100

【事例Ⅱ－10－20】研究開発目的の機械装置の購入

当社の研究開発活動に利用するため、専用の機械装置48,000千円（消費税別）を購入した。

（借方）調 査 研 究 費　　48,000　（貸方）現 　 金 　 預 　 金　　51,840

仮 払 消 費 税 等　　 3,840

［消費税］機械装置の購入は資産の譲渡にあたるため、課税取引となります。

[3]　税務処理

研究開発費は、原材料費や人件費などと異なり、その機能に着目した分類であるため、法人税法上はそれぞれの発生形態に立ち返って処理を検討する必要があります。例えば、特定の研究開発目的専用の固定資産を購入し、会計上は取得時に全額費用処理していたとしても、法人税法上は固定資産の取得として扱わなければなりません。

さらに、試験研究費の総額にかかる税額控除（措法42の４）や開発研究用減価償却資産の耐用年数の特例（耐用年数令２②）など、さまざまな規定があります。

消費税については、法人税同様に発生形態を検討して、課税仕入れに該当するか否かを慎重に見極める必要があります。

11. 広告宣伝費

[1]　勘定科目の概要

広告宣伝費とは、広告、公告または宣伝に要する費用をいい（勘定科目分類）、不特定多数の人に対して会社や製品、商品またはサービスの広告や宣伝を目的として支出する費用をいいます。

なお、広告宣伝費の会計処理について、建設業に固有の処理は定められていません。

[2]　会計処理

広告宣伝費は、発生時に費用として処理します。

ただし、ある一定の期間を定めて看板を設置する場合や電車の車内広告を行う場合で、その期間が翌期にまたがるケースでは、翌期にかかる費用を前払費用として処理する必要があります。

【事例Ⅱ－10－21】新聞広告の費用

新聞に会社の広告を載せたため、その費用300千円（消費税別）を支払った。

（借方）広　告　宣　伝　費　　　　300　（貸方）現　金　預　金　　　　330
　　　　仮 払 消 費 税 等　　　　 30

［消費税］新聞広告の掲載は役務の提供にあたるため、課税取引となります。

【事例Ⅱ－10－22】広告宣伝用資産の贈与

　　販売店に、当社の製品名の入った陳列棚150千円（消費税別）を無償で提供し
た。

　（借方）広 告 宣 伝 費　　　　　150　（貸方）現 　金 　預 　金　　　　165
　　　　　仮 払 消 費 税 等　　　　 15
［消費税］陳列棚の提供は資産の譲渡にあたるため、課税取引となります。
　　なお、法人税法上は、陳列棚の提供はその効果が1年を超えると考えられるた
め繰延資産に該当しますが、本事例においては金額が20万円未満のため費用処理
しています（下記参照）。

[3]　税務処理

　広告宣伝費は、通常は全額損金に算入することができます。しかしながら、
以下のように資産として計上されるケースもありますので留意が必要です。

　まず、野立看板や広告塔、ネオンサインなどを設置するために支出した金額
は、構築物や器具備品などの固定資産になります（耐用年数令別表第一「（三）
構築物」「（六）器具及び備品」参照）。ただし、10万円未満の少額資産は発生時
に全額費用として処理し、法人税法上も全額損金に算入することができます
（法令133）。

　青色申告を行っている中小企業者等（資本金の額または出資金の額が1億円以
下の法人または農業協同組合等で、常時使用する従業員の数が500人以下の法人、た
だし大規模法人との支配関係がある場合を除く）であれば、30万円未満のものを
少額資産として扱うことも可能です（措法67の5、措令39の28）。

　次に、看板やネオンサイン、広告宣伝用のどん帳、陳列棚、自動車などの資
産を特約店等に無償で提供し、または廉価で販売した場合には、当該資産の取
得価額または取得価額と販売価額の差額を長期前払費用または無形固定資産と
して処理します。これは、法人税法上の繰延資産として認められている項目で
すが（法令14①六ニ、法基通8－1－8）、会計上の繰延資産は項目を限定して
認めているため（繰延資産会計処理2（2））、実務上は長期前払費用等に計上さ

れます。ただし、20万円未満のものは発生時に全額費用として処理し、法人税法上も全額損金に算入することができます（法令134）。

なお、得意先や仕入先など事業と関係のある人を対象として広告宣伝活動を行う場合には、法人税法上交際費となる可能性があります。

消費税については、通常は課税仕入れとなりますが、広告宣伝活動においてプリペイドカード等を配布する場合には物品切手等に該当し非課税となります（消基通6－4－4）。

12. 貸倒引当金繰入額

[1] 勘定科目の概要

貸倒引当金繰入額とは、営業取引に基づいて発生した受取手形、完成工事未収入金等の債権に対して設定した貸倒引当金にかかる繰入額（異常なものを除く）をいいます（勘定科目分類）。

企業の営業取引から生じた完成工事未収入金等の金銭債権のうち取立不能のおそれのある債権については、事業年度の末日においてそのときに取り立てることができないと見込まれる額を控除しなければなりません（会計規5④）。

したがって、各事業年度の末日において金銭債権にかかる回収可能性を検討し、貸倒見積額を貸倒引当金繰入額として計上します。

なお、貸倒引当金繰入額の会計・税務処理について、建設業に固有の処理は定められていません。

[2] 会計処理

具体的な貸倒見積額の算定については、「金融商品に関する会計基準」に従って、債権を区分したうえで債権ごとに行います。詳細は第Ⅱ部第1章「13. 貸倒引当金」（149頁）を参照してください。

貸倒引当金繰入額の表示について、通常の取引に基づく債権を対象とする場合には、異常なものを除き販売費として表示し、通常の取引以外の取引に基づく債権を対象とする場合は営業外費用として表示します（財規87、93）。

【事例Ⅱ－10－23】 貸倒引当金の計上（個別引当）

　　当社が完成工事未収入金の残高を有する A 社が会社更生法の適用を申請したため、貸倒引当金を設定した。完成工事未収入金50,000千円のうち、5,000千円については回収が見込まれる。

　　（借方）貸倒引当金繰入額　　 45,000　（貸方）貸 倒 引 当 金　　 45,000

　　貸倒引当金繰入額＝完成工事未収入金50,000千円－回収見込額5,000千円
　　　　　　　　　　　＝45,000千円

【事例Ⅱ－10－24】 貸倒引当金の計上（貸倒実績率）

　　営業債権残高1,200,000千円に対して、過去3年の貸倒実績率の平均値(0.5％)により貸倒引当金を計上する。

　　（借方）貸倒引当金繰入額　　 6,000　（貸方）貸 倒 引 当 金　　 6,000

　　貸倒引当金繰入額＝債権残高1,200,000千円×貸倒実績率0.5％＝6,000千円

［3］ 税務処理

　税務上の基本的な取扱いについては、第Ⅱ部第1章「13. 貸倒引当金　［3］税務処理」(152頁) 及び第4章「7. 貸倒引当金　［3］税務処理」(205頁) を参照してください。

　貸倒引当金その他法に規定する引当金につき、当該事業年度の取崩額と繰入額との差額を損金の額または益金の額に算入している場合、確定申告書に添付する明細書でその相殺前の繰入れ等であることを明らかにしているときは、相殺前の金額による繰入れ及び取崩しとして取り扱われます(法基通11－1－1)。

　また、法人が貸倒引当金への繰入れではなく取立不能見込額として表示した場合においても、当該取立不能見込額の表示が財務諸表の注記等により確認でき、かつ、貸倒引当金勘定への繰入れであることが総勘定元帳及び確定申告書において明らかなときは、当該取立不能見込額は、貸倒引当金勘定への繰入額と同様に取り扱われます (法基通11－2－1)。

13. 貸倒損失

［1］ 勘定科目の概要

　貸倒損失とは、営業取引に基づいて発生した受取手形、完成工事未収入金等の債権に対する回収不能額をいいます（勘定科目分類）。具体的には、民事再生、会社更生や破産等により回収可能性がほとんどない（認められない）と判断された場合に損失として計上します。

　なお、貸倒損失の会計・税務処理について、建設業に固有の処理は定められていません。

［2］ 会計処理

　「回収可能性がほとんどない」とは、次の①〜③のような場合を指します（法基通9－6－1〜9－6－3）。

①　債権の全部または一部が法律上消滅する場合

②　債務者の資産状態、支払能力等からみて回収不能となった場合

③　取引停止後一定期間弁済がないため、または回収費用が債権の額を超えるため貸倒れとする場合

①においては民事再生・会社更生等の認可通知書、債権放棄通知書等、②においては債務者の財産目録、破産等の通知書等、③においては売掛債権の帳簿等により処理の妥当性を確認することとなります。

　上記①〜③により、回収可能性がほとんどないと判断された場合には、次のa〜cのような方法により処理します。

a.　貸倒損失は債権金額から直接減額する。

b.　貸倒損失と貸倒対象債権にかかる前期末貸倒引当金残高のいずれか少ない金額で、貸倒引当金を取り崩す。貸倒損失による貸倒引当金の取崩しは、グルーピングした債権とそれに対応する貸倒引当金ごとに行う。

c.　貸倒損失と貸倒引当金戻入益を相殺する。

対象債権の貸倒引当金が不足した場合、不足した原因が当期中の状況変化によるものである場合、通常の取引に基づいて発生した債権（受取手形、完成工事未収入金、前渡金等）であれば貸倒損失を販売費に計上し、その他の債権であれば、営業外費用に計上します。

【事例Ⅱ－10－25】貸倒損失の計上

期中竣工した工事にかかる完成工事未収入金78,000千円について、施主が破綻したため回収不能となった（期中に生じた債権のため、貸倒引当金は設定されていない）。

（借方）貸　　倒　　損　　失　　　78,000　（貸方）完成工事未収入金　　　78,000

【事例Ⅱ－10－26】貸倒損失の計上

① 業況の悪化している貸付先に対する長期貸付金100,000千円につき、担保である土地の評価額40,000千円を除く60,000千円に個別引当金を計上している。

（借方）貸倒引当金繰入額　　60,000　（貸方）貸　倒　引　当　金　　60,000

② 貸付先が破綻し、担保処分を行ったが、35,000千円しか回収できなかった。

（借方）現　金　預　金　　35,000　（貸方）長　期　貸　付　金　100,000
　　　　貸　倒　引　当　金　　60,000
　　　　貸　倒　損　失　　　5,000

［3］ 税務処理

法人税法においては、債権について評価減は認められていません（法法33）が、以下❶～❸のような事実が生じた場合には、貸倒損失として損金に算入されます。

❶ 金銭債権の全部または一部が法的手続により切り捨てられた場合（法基通9－6－1）

① 会社更生法、金融機関等の更生手続の特例等に関する法律の規定による

更生計画の認可の決定または民事再生法の規定による再生計画の認可の決定があった場合において、これらの決定により切り捨てられることとなった部分の金額

② 会社法の規定による特別清算にかかる協定の認可があった場合において、この決定により切り捨てられる金額

③ 法令の規定による整理手続によらない債権者集会の協議決定及び行政機関または金融機関等の第三者の斡旋による協議で、合理的な基準によって切り捨てられる金額（合理的な基準とは、債権者集計で一律何％切捨てと決定された場合であり、一部の者の債権を切り捨てるのは合理的な基準とはいえません）

④ 債務者の債務超過の状態が相当期間継続し、その金銭債権の弁済を受けることができない場合に、その債務者に対し書面で明らかにした債務免除額

❷ 金銭債権の全額が回収不能となった場合（法基通9－6－2）

債務者の資産状況、支払能力等からその全額が回収できないことが明らかになった場合は、その明らかになった事業年度において貸倒れとして損金処理することができます。ただし、担保物があるときは、当該担保物を処分したあとでなければ、貸倒れ処理できません。また、保証債務は現実に履行したあとでなければ貸倒れの対象とすることはできません。

❸ 一定期間取引停止後弁済がない場合（法基通9－6－3）

次の①または②に掲げる事実が発生した場合には、その債務者に対する売掛債権（貸付金等は含まれません）について、当該売掛債権の額から備忘価額を控除した残額を貸倒れとして損金処理することができます。

① 継続的な取引を行っていた債務者の資産状況、支払能力等が悪化したため、当該債務者との取引を停止した場合に、取引停止のときと最後の弁済のときなどのうち、もっとも遅いときから1年以上経過したとき。ただし、その売掛債権について担保物がある場合は除く

② 同一地域の債務者に対する売掛債権の総額が取立てに要する費用（交通費等）より少なく、支払いを督促しても弁済がない場合

14. 交際費

[1] 勘定科目の概要

　交際費は、得意先、来客等の接待費、慶弔見舞及び中元歳暮品代等とされています（勘定科目分類）。

　建設業においては、特定の工事に関連して交際費が支出される場合がありますが、その場合は工事原価の経費として集計されることに留意が必要です。

[2] 会計処理

　交際費は、販売費及び一般管理費または完成工事原価で処理されます。

　例えば、通常の接待に要する費用は、支出先に役員や従業員を含んでいた分も交際費となります。社内の行事の際に支出される費用や、従業員やその親族に支出した祝い金または香典などは福利厚生費として処理されます。

【事例Ⅱ－10－27】創立40周年記念パーティーの開催

　会社創立40周年記念パーティーを取引先、同業関係者、従業員等を招いて開催した。そのときの費用は会場費1,000千円（消費税別）、飲食費600千円（消費税別）であり、消費税を含めて支払った。

　（借方）交　　際　　費　　1,600　（貸方）現　金　預　金　　1,760
　　　　　仮 払 消 費 税 等　　 160

［消費税］会場の賃借及び飲食は資産の貸付及び役務の提供にあたるため、課税取引となります。

【事例Ⅱ－10－28】ロータリークラブの会費支払い

　ロータリークラブの法人会員として、会費500千円を支払った。

　（借方）交　　際　　費　　 500　（貸方）現　金　預　金　　 500

　会社のロータリークラブに対する入会金または会費は、法人税法上は交際費と

して処理されます。

[3] 税務処理

❶ 概要

　交際費には、交際費、接待費及び機密費その他の費用で、法人が、その得意先、仕入先その他事業に関係のある者等に対する接待、供応、慰安及び贈答その他これらに類する行為のために支出する費用が含まれます（措法61の4⑥）。

　なお、飲食その他これに類する行為のために要する費用であって、その支出する金額を基礎として、1人当たり5,000円以下の費用については、交際費から除かれます。ただし、費用の支出に関する書類を保存している場合に限られます（措法61の4⑥、措令37の5①）。

　なお、棚卸資産などの取得価額に交際費を含めたため、当該事業年度の損金の額に算入されていない金額（原価算入額）がある場合において、当該交際費等のうちに損金不算入額がある場合、一定限度まで棚卸資産等の取得価額等を減額することができます（措通61の4（2）－7）。

$$\begin{matrix} \text{取得価額から} \\ \text{減額できる金額} \end{matrix} = \begin{matrix} \text{交際費等の} \\ \text{損金不算入額} \end{matrix} \times \frac{\text{取得価額に含まれている交際費等の金額}}{\text{支出交際費等の金額}}$$

　例えば、棚卸資産1,000千円の取得価額に交際費相当額が200千円含まれており、当事業年度の交際費支出額1,200千円、損金不算入額1,080千円の場合、法人税の申告調整において180千円減算することができます。

　取得価額から減額できる金額＝1,080千円×200千円÷1,200千円＝180千円

❷ 損金不算入額

　期末の資本金の額または出資金の額が1億円超の法人は、従来は交際費等の全額が損金不算入でしたが、税制改正により2024（令和6）年3月31日までの間に開始する各事業年度において支出する交際費の金額のうち「接待飲食費」の額の50％に相当する金額は、損金の額に算入されるようになりました（措法

61の4①)。

なお、「接待飲食費」とは、「交際費等のうち飲食その他これに類する行為のために要する費用であって、法人税法上で整理・保存が義務付けられている帳簿書類に所要の事項を記載することにより飲食費であることが明らかにされているもの」とされています（措法61の4⑥、租税特特別措置法施行規則21の18の4）。

中小法人（期末の資本金の額または出資金の額が1億円以下である普通法人のうち、資本金5億円以上の大会社の子会社のような完全支配関係がある場合等を除く）の交際費等の損金不算入額は、定額控除限度額（800万円に該当事業年度の月数を乗じ、これを12で除して計算した金額）を超える金額と、上記「接待飲食費」の額の50％を超える金額のいずれか有利な金額を事業年度ごとに選択適用できます（措法61の4②）。

15. 寄付金

[1] 勘定科目の概要

寄付金とは、名義のいかんや業務の関連性の有無を問わず、贈与または無償で供与した資産または経済的利益をいいます。言い換えると、反対給付をともなわないで支払った支出をいいます。

建設業においては、特定の工事に関連して寄付金が支出される場合がありますが、そのような寄付金は工事原価の経費として集計されることに留意が必要です。

[2] 会計処理

寄付金は、金銭や物品の寄付や役務の無償提供、資産の低廉譲渡あるいは高価購入などを行った際に計上します。

【事例Ⅱ－10－29】 災害義捐金の寄付

日本赤十字社に被災地に対する災害義捐金として50,000千円を寄付した。

（借方）寄　　付　　金　50,000　（貸方）現　金　預　金　50,000

【事例Ⅱ－10－30】 資産の低廉譲渡（帳簿価額で譲渡した場合）

A社は、子会社S社に対して、土地（帳簿価額5,000千円、時価6,000千円）を帳簿価額で譲渡した。

＜A社の会計処理＞

（借方）現　金　預　金　5,000　（貸方）土　　　　　　地　5,000
　　　　寄　　付　　金　1,000　　　　　固定資産売却益　1,000

上記資産譲渡は原則的には時価により取引を行う必要があり、時価と帳簿価額との差額は譲渡益及び寄付金で処理されることになります。

＜S社の会計処理＞

（借方）土　　　　　　地　6,000　（貸方）現　金　預　金　5,000
　　　　　　　　　　　　　　　　　　　固定資産受贈益　1,000

子会社においては時価で譲渡資産を受け入れ、支出額と時価との差額は受贈益として利益計上する必要があります。

［3］ 税務処理

❶ 概要

寄付金は、金銭、物品その他経済的利益の贈与または無償の供与であるとされています。一般的に寄付金、拠出金及び見舞金と呼ばれるものは寄付金に含まれますが、これらの中で、交際費等、広告宣伝費及び福利厚生費などとされるものは寄付金から除かれます。

寄付金の法人税法上の取扱いは、寄付の相手先により次の4つに区分されます（法法37）。

①　国または地方公共団体への寄付金

② 指定寄付金

　公益社団法人、公益財団法人その他公益を目的とする事業を行う法人等に対して行う寄付金であり、財務大臣が指定したもの

③ 特定公益増進法人に対する寄付金

　公共法人、公益法人等のうち、教育または科学の振興、文化の向上、社会福祉への貢献その他公益の増進に著しく寄与するものとして政令で定めるものに対する寄付金

④ 一般寄付金

　寄付金は実際に支出した時点を基準としますので、未払金として計上した場合、法人税法上は現実に支出するまでは寄付金として取り扱われません。また、各事業年度に仮払金等で処理した場合においては、法人税法上支払年度において寄付金として処理します。

❷ 損金算入限度額

　各種の寄付金について、損金算入限度額は次の①～④のとおりです。

① 国または地方公共団体への寄付金…その期に支出した金額

② 指定寄付金…その期に支出した金額

③ 一般寄付金…所得基準と資本基準の合計額の4分の1

　・所得基準 ＝ (事業年度の所得金額 ＋ 損金経理の寄付金) $\times \dfrac{2.5}{100}$

　・資本基準 ＝ (資本金等の額) $\times \dfrac{月数}{12} \times \dfrac{2.5}{1000}$

④ 特定公益増進法人に対する寄付金

　　　…所得基準と資本基準の合計額の2分の1

　・所得基準 ＝ (事業年度の所得金額 ＋ 損金経理の寄付金) $\times \dfrac{6.25}{100}$

　・資本基準 ＝ (資本金等の額) $\times \dfrac{月数}{12} \times \dfrac{3.75}{1000}$

❸ その他

　上記のほかに、再建支援等により損失を負担した場合において、寄付金の取

扱いが問題となります。

　再建支援等事案における損失負担等の額について、寄付金ではなく損金算入が認められる相当な理由がある場合として、次の①と②があげられます。

　①　再建支援等をしなければ今後より大きな損失を蒙ることが明らかな場合（法基通9－4－1）

　②　子会社等の倒産を回避するためにやむを得ず行うもので合理的な再建計画に基づく場合（法基通9－4－2）

16. 地代家賃

[1]　勘定科目の概要

　地代家賃は、事務所、寮及び社宅等の借地借家料をいいます(勘定科目分類)。地代家賃の会計・税務処理において、建設業に固有の処理は定められていませんが、建設業では現場作業所等の賃借が頻繁に発生するため、当該科目について多くの取引が生じます。

[2]　会計処理

　地代家賃については、販売費及び一般管理費または経費として会計処理しますが、現場作業所にかかる地代家賃は工事原価として会計処理します。

【事例Ⅱ－10－31】地代の支払い（支出時に費用処理し、決算時に前払費用計上）

---

　①　駐車場用地として賃借した土地の地代として2,000千円を1年分まとめて支払った。

　　（借方）地　代　家　賃　　2,000　（貸方）現　金　預　金　　2,000

　②　決算時に前払いとなっている6カ月分を前払費用に計上した。

　　（借方）前　払　費　用　　1,000　（貸方）地　代　家　賃　　1,000

【事例Ⅱ−10−32】 現場作業所にかかる家賃

① Ａ工事現場の現場作業所として、現場近くのマンションを月額200千円で賃
借した。

（借方）地　代　家　賃　　　200　（貸方）現　金　預　金　　　220
　　　　仮 払 消 費 税 等　　　 20

［消費税］建物の賃借は資産の貸付にあたるため、課税取引となります。

② 地代家賃を工事原価へ振り替えた。

（借方）未 成 工 事 支 出 金　　200　（貸方）地　代　家　賃　　　200

[3] 税務処理

　地代家賃について、前払いを行うと前払費用として資産計上されますが、そ
の支払った日から１年以内に提供を受ける役務にかかるものを支払った場合に
おいて、継続してその支払った日の属する事業年度の損金に算入している場合
には税務上損金算入が認められます（法基通２−２−14）。ただし未成工事支出
金に計上したものは、完成工事原価に振り替えたときに損金算入されます。

　消費税に関して、土地または土地の上にある権利の譲渡または貸付けは非課
税となります（消法６①、別表第１第１号）。ただし、貸付期間が１カ月未満の
場合は除かれます（消令８）。

17. 減価償却費

[1] 勘定科目の概要

　資産の取得価額は、資産の種類に応じた費用配分の原則によって、各事業年
度に配分しなければならない（原則第三 五）とされており、これにより会計処
理される費用を減価償却費といいます。

　固定資産は、その使用にともなって物質的に劣化、あるいは機能的に陳腐化
します。このような価値の減少を財務諸表に反映させるのが減価償却であり、
原則として毎期一定の減価償却の方法により行います。

　なお、減価償却費の会計・税務処理について、建設業に固有の処理は定めら

れていません。

[2] 会計処理

　減価償却費の計上にあたっては、適切な減価償却方法及び耐用年数の見積り
が重要な要素となります。

　会計上、これらは個々の資産の使用状況や設置される環境等に応じて個別に
決定することとなっています。しかしながら、多くの企業が法人税法に定めら
れた耐用年数を用いており、また同様に残存価額の設定についても、多くの企
業が法人税法の規定に従っているのが現状であることを鑑み、法人税法に規定
する普通償却限度額等を正規の減価償却費として処理する場合においては、企
業の状況に照らし、耐用年数または残存価額に不合理と認められる事情のない
限り、妥当なものとして取り扱うことができるとされています（減価償却に関
する当面の監査上の取扱い24）。

❶ 減価償却の方法

　固定資産の減価償却の方法としては、次の①～④のようなものがあります（原
則注解20）。

① 　定額法：固定資産の耐用期間中、毎期均等額の減価償却費を計上する方法
② 　定率法：固定資産の耐用期間中、毎期期首未償却残高に一定率を乗じた
　　　　　　減価償却費を計上する方法
③ 　級数法：固定資産の耐用期間中、毎期一定の額を算術級数的に逓減した
　　　　　　減価償却費を計上する方法
④ 　生産高比例法：固定資産の耐用期間中、毎期当該資産による生産または
　　　　　　用役の提供の度合に比例した減価償却費を計上する方法

　なお、同種の物品が多数集まって全体を構成し、老朽品の部分的取替を繰り
返すことによって全体が維持されるような固定資産については、部分的取替に
要する費用を収益的支出として処理する方法（取替法）を採用できます。

❷ 耐用年数

　耐用年数とは、固定資産を取得時当初の目的に従って使用したときに使用可

能な期間をいい、資産の取得価額を減価償却により規則的、合理的に費用化する際の期間をいいます。

【事例Ⅱ－10－33】定額法による減価償却

8月に本社ビル（鉄筋コンクリート造）が落成し、同月中に使用を開始した。取得価額は600,000千円(消費税別)、耐用年数は税法に従って50年(償却率0.020)で償却する。当社の決算日は3月31日である。

（借方）減 価 償 却 費　　8,000　（貸方）減価償却累計額　　8,000

減価償却費＝取得価額600,000千円×償却率0.020×8カ月（8月～3月）

÷12カ月＝8,000千円

【事例Ⅱ－10－34】定率法による減価償却

10月にブルドーザー1台を2,000千円（消費税別）で購入した。耐用年数は税法に従って6年（償却率0.417）で償却する。当社の決算日は3月31日である。

（借方）減 価 償 却 費　　　417　（貸方）減価償却累計額　　　417

減価償却費＝取得価額2,000千円×償却率0.417×6カ月（10月～3月）

÷12カ月＝417千円

［3］ 税務処理

❶ 税務上認められる減価償却の方法

税務上の法定償却方法は、**図表Ⅱ－10－1**のとおりです。法定償却方法以外を選択するためには所轄税務署長への届出が必要です（法法31、法令48・48の2・51・53）。

2008（平成20）年3月31日以前契約分のリース資産について、賃貸人においては、2008（平成20）年4月1日以後に終了する事業年度から旧リース期間定額法を適用することも認められています。

図表Ⅱ-10-1　税務上の法定償却方法（鉱業権、鉱業用減価償却資産を除く）

資産の種類	2007（平成19）年3月31日以前取得の資産	2007（平成19）年4月1日以後取得の資産	2016（平成28）年4月1日以後取得の資産
建物（建物付属設備を除く）	旧定額法（1998（平成10）年3月31日以前取得の建物については旧定率法）	定額法	定額法
建物（建物附属設備）	旧定率法	定率法	定額法
構築物	旧定率法	定率法	定額法
上記以外の有形減価償却資産	旧定率法	定率法	定率法
無形固定資産	旧定額法	定額法	定額法

資産の種類	2008（平成20）年3月31日以前契約分	2008（平成20）年4月1日以後契約分
リース資産		リース期間定額法

❷ 旧定額法・旧定率法と定額法・定率法の違い

　2007（平成19）年度の税制改正において減価償却制度の見直しが行われ、2007（平成19）年4月1日以後取得の資産については残存価額が廃止され備忘価額（1円）まで償却が可能となりました。定率法については、定額法の償却率を2.5倍した率を償却率とします（250％定率法）。ただし、定率法により算出された償却額が償却保証額（取得価額×保証率）を下回った事業年度からは、改定償却率を使用することにより備忘価額まで残存年数による均等償却を行います（法令48・48の2・56・61、耐用年数令4・別表第七）。

　さらに、2012（平成24）年4月1日以後取得の資産については、定額法の償却率を2倍した率を償却率とするよう改正がなされています（200％定率法）。

　なお、2007（平成19）年3月31日以前取得の資産については、残存価額に至るまでは改正前の償却方法（旧定額法・旧定率法）を継続して適用し、残存価

第10章
販売費及び一般管理費

363

額については５年間で備忘価額まで均等償却を行います。ここで、残存価額とは、取得価額に省令で定める所定の残存割合を乗じた金額です（耐用年数令６、別表第十一）。

❸ 特別償却について

　特別償却とは、租税特別措置法により、一定の要件を満たす固定資産について、通常の減価償却以外の償却額を損金として認める制度です。

　特別償却には、次の２つがあります。

① 　特別償却：資産を取得・事業供用した初年度に取得価額の一定割合を初
　　　　　　　期償却として認めるもの

② 　割増償却：資産を取得・事業供用した初年度から一定期間にわたって各
　　　　　　　年度の普通償却限度額に一定割合を割増して償却を認めるも
　　　　　　　の

　①の特別償却については、正規の減価償却と認められないため、会計上はこれを費用とせず剰余金処分方式により特別償却準備金として積み立て、翌期以降７年で取り崩すことが求められます（措法42の６・52の３・53、措令27の４・27の６）。

　②の割増償却については、これが資産の使用状況等に照らして不合理でない限り正規の減価償却と考えられ、妥当なものとして取り扱うことができます。

❹ 中古資産の耐用年数

　中古資産を取得して事業の用に供した場合には、原則として事業供用日以後の使用可能期間を見積もり、これを取得後の耐用年数として減価償却を実施します。

　ただし、残存使用可能期間を見積もることが困難である場合には、以下の方法により取得後の耐用年数を決定することが認められています（耐用年数令３、耐用年数通達１－５－１～１－５－６）。

① 　資本的支出の額≦取得価額×50％の場合

　　・法定耐用年数の全部を経過したもの：法定耐用年数×20％

　　・法定耐用年数の一部を経過したもの：（法定耐用年数－経過年数）＋経過

年数×20%

② 取得価額×50％＜資本的支出の額≦再取得価額×50％の場合

$$\frac{\text{中古資産本体の取得価額 ＋ 資本的支出の額}}{\dfrac{\text{中古資産本体の取得価額}}{\text{aによる見積耐用年数}} ＋ \dfrac{\text{資本的支出の額}}{\text{法定耐用年数}}}$$

③ 再取得価額×50％＜資本的支出の額の場合

　法定耐用年数による。

（注）　算出された年数の１年未満の端数は切り捨て、その年数が２年未満のときは２年とします。

18. 開発費償却

[1]　勘定科目の概要

　開発費償却とは、繰延資産に計上した開発費にかかる償却費をいいます（勘定科目分類）。

　開発費は、繰延資産の１つであり、新しい技術や経営組織の採用、資源の開発または市場の開拓等のために支出した費用のうち、経常的に発生するもの及び「研究開発費等に係る会計基準」における「研究開発費」を除いたものです（第Ⅱ部第５章「６．開発費」（224頁）参照）。

　開発費は、原則として支出時に費用として処理しますが、繰延資産として資産に計上することも認められており、その償却額が開発費償却となります。

　なお、開発費償却の会計・税務処理について、建設業に固有の処理は定められていません。

[2]　会計処理

　資産として計上された開発費は、支出のときから５年以内の効果が及ぶ期間にわたり定額法その他合理的な方法により償却するとされており（繰延資産会計処理３（５））、その償却額を開発費償却として費用処理します。

　なお、償却期間は支出の原因となった新技術や資源の利用可能期間が５年よ

り短い場合にはそれに従う必要があります（同上）。

　開発費は、新しい技術や経営組織の採用など企業の営業活動にかかわって支出する項目であるため、開発費償却は売上原価か販売費及び一般管理費として処理します。このうち、建設施工活動にかかる技術導入費などは売上原価として処理すべきですが、それ以外は販売費及び一般管理費と処理します。

【事例Ⅱ－10－35】市場調査にかかる開発費の償却

> 　新規事業の市場調査に関する調査費用を前々期に繰延資産の開発費として36,000千円計上した。償却は 5 年であり、当期分(12カ月)の開発費償却を計上した。
>
> 　(借方) 開 発 費 償 却　　7,200　(貸方) 開　　　発　　　費　　7,200
>
> 　開発費償却＝開発費支出額36,000千円÷60カ月×12カ月＝7,200千円

【事例Ⅱ－10－36】新経営組織採用にかかる開発費の償却

> 　事業本部制を採用するために前期において繰延資産に計上した開発費30,000千円を、 5 年で償却する。
>
> 　(借方) 開 発 費 償 却　　6,000　(貸方) 開　　　発　　　費　　6,000
>
> 　開発費償却＝開発費30,000千円÷60カ月×12カ月＝6,000千円

[3]　税務処理

　開発費は、会計上費用として処理した金額を限度として損金算入が認められています（法基通 8 － 3 － 2 ）。

　消費税については、開発費計上時に一括して課税仕入れとされているため、その償却額は不課税取引となります（消基通11－ 3 － 4 ）。

19. 租税公課

[1]　勘定科目の概要

　租税公課とは、事業税（利益に関連する金額を課税標準として課されるものを除

く）、事業所税、不動産取得税、固定資産税等の租税及び道路使用料、身体障害者雇用納付金等の公課をいいます（勘定科目分類）。

広義の租税公課には、国税、地方税等の租税と、国・地方公共団体から課される租税以外の金銭負担である公課が含まれます。ただし、法人税、住民税（道府県民税、市町村民税及び都民税）及び事業税のうちの所得割部分については、損益計算書上、税引前当期純利益の次に「法人税、住民税及び事業税」として表示し、租税公課勘定には含めません。

なお、租税公課の会計・税務処理について、建設業に固有の処理は定められていません。

[2] 会計処理

事業税のいわゆる外形標準課税部分は租税公課に計上されますが、発生主義に基づいて未払計上する際の債務は、所得割部分と同様に「未払法人税等」に含めて計上されます。

固定資産税は、毎年1月1日現在の固定資産所有者に対して、賦課決定がなされ、4月頃に納税通知書（賦課決定通知書）が送付されます。その他の租税公課で処理する税金等は、賦課決定時または納付日で計上します。

【事例Ⅱ-10-37】 事業税等の計上

決算時に法人税を3,000千円、住民税を400千円、事業税を1,000千円（所得割500千円、付加価値割200千円、資本割300千円）未払計上した。

（借方）租　税　公　課　　　　500　（貸方）未払法人税等　　4,400
　　　　法人税,住民税及び事業税　3,900

租税公課＝付加価値割200千円＋資本割300千円＝500千円

【事例Ⅱ-10-38】 固定資産税の計上

当社が所有する土地・建物について、固定資産税の納税通知書が届いた。第1

第**10**章
販売費及び一般管理費　　367

期納付額の金額は5,000千円であった。

（借方）租　税　公　課　　5,000　（貸方）未　　払　　金　　5,000

【事例Ⅱ－10－39】不動産取得税の計上（固定資産の取得原価に含めない場合）

　本社社屋を建築し、翌年度に納税通知書が届いたため、不動産取得税を2,000千円納付した。

（借方）租　税　公　課　　2,000　（貸方）現　金　預　金　　2,000

【事例Ⅱ－10－40】収入印紙の購入（貯蔵品計上をする場合）

①　各種収入印紙を250千円分購入した。

（借方）租　税　公　課　　250　（貸方）現　金　預　金　　250

②　期末決算時に在庫を確認したところ、44千円分が残っており、貯蔵品に計上する。

（借方）貯　　蔵　　品　　44　（貸方）租　税　公　課　　44

[3]　税務処理

　法人が納税すべき国税及び地方税については以下①〜④のとおり、それぞれ損金算入時期が定められています（法基通9－5－1）。

①　申告納税方式による租税（事業税、事業所税、酒税など）

　納税申告書に記載された税額については当該納税申告書が提出された日の属する事業年度とし、更正または決定にかかる税額については当該更正または決定があった日の属する事業年度とする。

②　賦課決定方式による租税（固定資産税、不動産取得税、自動車税など）

　賦課決定のあった日の属する事業年度とする。ただし、法人がその納付すべき税額について、その納期の開始の日の属する事業年度または実際に納付した日の属する事業年度において損金経理をした場合には、当該事業年度と

する。

③　特別徴収方式による租税（軽油引取税、ゴルフ場利用税など）

　納入申告書にかかる税額についてはその申告の日の属する事業年度とし、更正または決定による不足税額については当該更正または決定があった日の属する事業年度とする。ただし、申告期限未到来のものにつき収入金額のうちに納入すべき金額が含まれている場合については、当該損金経理をした事業年度とする。

④　利子税ならびに地方税法第65条第1項、第72条の45の2第1項または第327条第1項の規定により徴収される延滞金

　納付の日の属する事業年度とする。ただし、法人が当該事業年度の期間にかかる未納の金額を損金経理により未払金に計上したときの当該金額については、当該損金経理をした事業年度とする。

一方、損金算入されない税金の主なものとして、次の①～④の税金等があげられますので留意が必要です（法法38～41・55、法令78の2）。

①　法人税、都道府県民税及び市町村民税の本税

②　各種加算税及び各種加算金、延滞税及び延滞金（地方税の納期限の延長にかかる延滞金は除きます）ならびに過怠税

③　罰金及び科料（外国または外国の地方公共団体が課する罰金または科料に相当するものを含みます）ならびに過料

④　法人税額から控除する所得税及び外国法人税

20. 保険料

[1]　勘定科目の概要

　保険料には、建物や機械装置等の固定資産及び棚卸資産に対する不測の障害に備えるための火災保険料や、運送保険、自動車保険、傷害保険及び盗難保険等にかかる損害保険料を計上します。従業員の健康保険料や厚生年金保険、雇用保険、労災保険等の社会保険料については、保険料ではなく法定福利費また

は福利厚生費勘定に計上します。

なお、保険料の会計・税務処理について、建設業に固有の処理は定められていません。

[2] 会計処理

保険の契約時に原則として費用を認識します。一時に保険料を支払う場合など、保険料が前払いとなるものの重要性が認められない場合には、前払費用処理しないことが認められます。

【事例Ⅱ−10−41】火災保険料の支払い

本社ビルの火災保険料1年分500千円を支払った。

（借方）保　　　険　　　料　　　500　（貸方）現　金　預　金　　　500

また、保険料に関する支出に関して以下❶〜❸のような場合には、これを資産計上する必要があります。

❶ 損害保険料のうちの積立保険料部分

損害保険契約において、その保険期間が3年以上で、かつ保険期間満了後に満期返戻金を支払う旨の定めがある場合（長期損害保険）には、支払った保険料のうちの積立保険料にあたる金額については、これを保険期間の満了または契約の解除もしくは失効するまで資産計上します（法基通9−3−9）。

❷ 養老保険の支払保険料

保険金の受取人が会社の場合は、これを全額資産に計上します。これに対し受取人が従業員等の場合には、給与または役員報酬として処理するのが原則ですが、月額が300円以下の場合には給与としての課税対象とならない（所基通36−32）ことから、福利厚生費として処理することができます。

また、死亡保険金の受取人を被保険者の遺族、生存保険金の受取人を会社とする場合には、支払保険料の2分の1を資産計上し、2分の1を費用計上しま

す（法基通 9 － 2 － 9・9 － 2 －11・9 － 3 － 4・9 － 3 － 6 の 2、所基通36－31・36－31の 4・76－ 4 ）。

❸ 定期付養老保険の支払保険料

定期付養老保険については、これを養老保険部分と定期保険部分とに分けて処理します。

すなわち、定期保険部分については保険料として処理し、養老保険部分については前述❷に沿って処理します。ただし、定期付養老保険料の額が、養老保険にかかる部分と定期保険にかかる部分とに区分されていない場合には、全体を養老保険にかかるものとして扱い、前述❷で処理しなければなりません（法基通 9 － 2 － 9・9 － 2 －11・9 － 3 － 4 ～ 9 － 3 － 6 の 2、所基通36－31の 3 ～ 4・76－ 4 ）。

【事例Ⅱ－10－42】満期返戻金のある損害保険

当社の工場に対して期間 5 年の損害保険契約を締結した。保険金額は10,000千円、今年分の保険料1,000千円を支払った。なお、保険金2,000千円当たりの保険料中の積立保険料の額は20千円であった。

（借方）保 険 積 立 金　　　100　（貸方）現　金　預　金　　　1,000
　　　　保　　険　　料　　　900

保険積立金＝保険金額10,000千円÷2,000千円×積立保険料20千円＝100千円
保険料＝支払額1,000千円－保険積立金100千円＝900千円

【事例Ⅱ－10－43】養老保険の支払い

死亡保険料の受取人を被保険者の遺族とし、生存保険金の受取人を会社とする養老保険契約を締結し、今年の保険料300千円を支払った。なお、当該養老保険契約は当社の役員のみを被保険者としている。

（借方）保 険 積 立 金　　　150　（貸方）現　金　預　金　　　300
　　　　役　員　報　酬　　　150

保険積立金＝保険料300千円÷2＝150千円

[3] 税務処理

保険料など前払費用の額で、その支払った日から1年以内に提供を受ける役務にかかるものを支払った場合において、その支払った金額を継続してその事業年度の損金の額に算入しているときは、それが認められます（法基通2－2－14）。

養老保険等については、本項「[2] 会計処理」(370頁)で述べたように、支払った保険料について資産計上が求められる場合がありますので留意が必要です。

21. 雑費

[1] 勘定科目の概要

雑費には、その費用の発生が稀である場合や重要性がない場合等、特に勘定科目を設ける必要のない費用をまとめて計上します。一般的に営業費用に該当するものを雑費勘定で処理し、営業外費用に該当するものは雑支出または雑損失勘定で処理します。

なお、雑費の会計・税務処理について、建設業に固有の処理は定められていません。

[2] 会計処理

各企業の所定の勘定科目に合致しない費用が発生した場合に計上します。

【事例Ⅱ－10－44】建設廃材の処分

建設工事で発生した廃材を業者に100千円（消費税別）で処理してもらった。

| (借方) 雑 費 | 100 | (貸方) 現 金 預 金 | 110 |
| 仮 払 消 費 税 等 | 10 | | |

［消費税］廃材処理は役務の提供にあたるため、課税取引となります。

【事例Ⅱ－10－45】社内打合せにかかる支出

　　社内打合せ時のためにペットボトルのお茶25千円（消費税別）を購入した。
　（借方）雑　　　　　　費　　25　（貸方）現　金　預　金　　27
　　　　　仮 払 消 費 税 等　　　2
　［消費税］お茶の購入は資産の譲渡にあたるため、課税取引となります。

[3]　税務上の留意事項

　雑費の中に、税務上の交際費に該当する支出がある場合には、これを交際費に含めて税務上申告調整する必要があります。

第 **11** 章

営業外損益

1. 受取利息及び配当金（受取利息、有価証券利息、受取配当金）

[1] 勘定科目の概要

❶ 受取利息、有価証券利息

　受取利息は、預貯金及び未収入金、貸付金等金融資産に対する利息をいいます。有価証券利息は、公社債等の利息及びこれに準ずるものをいいます（勘定科目分類）。すなわち、国債、地方債等の債券や通常の法人が発行する社債にかかる利息です。

❷ 受取配当金

　受取配当金は、株式利益配当金（投資信託収益分配金、みなし配当を含む）であり（勘定科目分類）、受領した利益の配当、剰余金の分配及び投資信託の収益の分配等をいいます。

　なお、受取利息、有価証券利息及び受取配当金の会計・税務処理について、建設業に固有の処理は定められていません。

[2] 会計処理

❶ 受取利息、有価証券利息

　受取利息は、原則として発生主義により会計処理されます。ただし、金額的重要性が乏しい場合は、現金主義により会計処理することも認められます。

　なお、債務者から契約上の利払日を相当期間経過しても利息の支払いを受けていない債権及び破産更生債権等については、すでに計上されている未収利息

を当期の損失として処理するとともに、それ以後の期間にかかる利息を計上してはなりません（金融商品会計基準注9）。

　未収利息を不計上とする延滞期間は、延滞の継続により未収利息の回収可能性が損なわれたと判断される期間であり、債務者の状況等に応じて6カ月から1年程度が妥当と考えられます（金融商品実務指針119）。

【事例Ⅱ－11－1】受取利息の計上（決算時に未収利息計上、期首にて振戻処理）

① 金利0.3％、1年満期の定期預金100,000千円を預け入れている。決算にあたって半年分の利息を未収計上した。

（借方）未　収　利　息　　　　150　（貸方）受　取　利　息　　　　150

受取利息＝定期預金100,000千円×金利0.3％×6カ月÷12カ月＝150千円

② 期首になり、決算時の未収利息計上を振り戻した。

（借方）受　取　利　息　　　　150　（貸方）未　収　利　息　　　　150

③ 満期を迎え、源泉所得税（国税15.315％）を除く金額が入金された。

なお、源泉所得税は仮払金で処理している。

（借方）現　金　預　金　　　　254　（貸方）受　取　利　息　　　　300

　　　　仮　　払　　金　　　　 46

受取利息＝定期預金100,000千円×金利0.3％＝300千円

【事例Ⅱ－11－2】未収利息の不計上（貸付金利息の未収計上から1年以上経過した）

　貸付金にかかる未収利息を前期200千円、当期300千円計上したが、1年以上延滞したため不計上とすることにした。貸倒引当金が300千円設定されているため目的使用を行う。

（借方）受　取　利　息　　　　300　（貸方）未　収　利　息　　　　500

　　　　貸　倒　引　当　金　　200

　前期以前に計上した未収利息の不計上分は、貸倒損失または貸倒引当金の目的使用として処理されます。また、簡便法として、受取利息から控除する方法も認められます。

第11章
営業外損益

375

有価証券利息も発生主義に基づいて収益を計上します。既発債券の購入時には、前保有者の保有期間に対応する利息は経過利息として支払い、会社の保有期間に対応する利息計上となるよう調整します。

【事例Ⅱ－11－3】国債の取得と償還

① 満期日が10カ月後の国債100,000千円を99,000千円で取得した（手数料は考慮しない）。経過利子として200千円を支払った。

（借方）有 価 証 券	99,000	（貸方）現 金 預 金	99,200
前払有価証券利息	200		

② 満期日が到来し、額面100,000千円と利息500千円が入金された。

（借方）現 金 預 金	100,500	（貸方）有 価 証 券	99,000
		有 価 証 券 利 息	1,300
		前払有価証券利息	200

❷ 受取配当金

その他利益剰余金の処分による株式配当金で配当財源が金銭である場合、市場価格のある株式、市場価格のない株式について会計処理が定められています（金融商品実務指針94）。

① 市場価格のある株式

各銘柄の配当落ち日（配当権利付き最終売買日翌日）をもって、前回の配当実績または公表されている1株当たり予想配当額に基づいて未収配当金を見積計上します。その後、配当金の見積計上額と実際配当額とに差異が判明した場合には、判明した事業年度に修正します。ただし、配当金は、市場価格のない株式と同様の処理によることも継続適用を条件として認められます。

② 市場価格のない株式

発行会社の株主総会、取締役会、その他決定権限を有する機関において行われた配当に関する決議の効力が発生した日の属する事業年度に計上します。ただし、決議の効力が発生した日のあと、通常要する期間内に配当を受

けるものであれば、その支払いを受けた日の属する事業年度に認識すること
も継続適用を条件に認められます。

【事例Ⅱ－11－4】受取配当金の計上（継続的に入金時に処理）

A株式1,000株について、6月28日の株主総会で金銭による1株当たり配当10
千円が決議され、後日に源泉所得税2,000千円を控除した残額8,000千円が入金さ
れた。

（借方）現　金　預　金　　8,000　（貸方）受　取　配　当　金　　10,000
　　　　仮　　払　　金　　2,000

[3]　税務処理

　消費税法上は、金銭の貸付等の金融取引は非課税取引であり、利息や配当金
についても同様の取扱いになります（消基通6－3－1、5－2－8）。

　また、預金利息や配当金は源泉所得税が発生しますので、その処理について
留意する必要があります。

　なお、受取配当金に関しては、法人が内国法人から受けた配当について、法
人税法上益金不算入となります。すなわち、会計上は収益として計上されるも
のの、法人税法上は益金に算入されず、課税所得の計算上控除されます。これ
は、配当金はその支払法人において課税後の利益から支払われるものであり、
これに対して課税すると二重課税になるためです。

　益金不算入額は、以下①～④の各株式等の区分に従って算出されます(法法23)。

①　完全子法人株式等(配当等の額の計算期間の初日から末日まで継続して内国法
　　人と他の内国法人との間に完全支配関係があった場合の他の内国法人の株式等
　　（法令22の2①））

　　　…受取配当等の額

②　関連法人株式等（内国法人（完全支配関係のある他の法人を含む）が他の内国
　　法人の発行済株式等の3分の1超の株式等を、配当等の額の計算期間の初日か

ら末日まで引き続き有している場合における他の内国法人の株式等（法令22①））

　　…受取配当等の額－負債利子の額

③　その他の株式等（完全子法人株式等、関連法人株式等及び非支配目的株式等のいずれにも該当しない株式等）

　　…受取配当等の額の50％

④　非支配目的株式等（内国法人（完全支配関係のある他の法人を含む）が他の内国法人の発行済株式等の5％以下の株式等を、配当等の額の支払いに係る基準日において有する場合における他の内国法人の株式等（法令22の3①））

　　…受取配当等の額の20％

2. その他営業外収益（有価証券売却益、雑収入）

[1] 勘定科目の概要

　その他営業外収益は、受取利息及び配当金以外の営業外収益であり、有価証券売却益や雑収入があげられます（勘定科目分類）。

　有価証券売却益とは、株式や公社債等の売却による利益をいいます。雑収入にはほかの営業外収益科目に属さないものを計上しますが、代表的なものには、受取地代、満期による保険等の返戻金及び生命保険金の受取り等があります。

　なお、有価証券売却益、雑収入などのその他営業外収益の会計・税務処理について、建設業に固有の処理は定められていません。

[2] 会計処理

　建設業法施行規則では、その他営業外収益のうち営業外収益の総額の10分の1を超えるものについては、当該収益を明示する科目を用いて掲記することになっています（業施規様式第16号記載要領）。

❶ 有価証券売却益

　以下①～③の売却益等が通常は営業外収益に計上されます（金融商品Q＆A Q68）。

①　売買目的有価証券の売却益（純額）

第Ⅱ部
勘定科目別の会計処理

② 満期保有目的の債券の保有意思を否定されない合理的な理由による売却益

③ その他有価証券の売却益のうち、臨時的なもの以外の売却益

なお、上記③に関して、純投資の目的で所有した有価証券の売却についてある程度経常性が認められれば、営業外収益に計上されることになります。

【事例Ⅱ－11－5】売買目的有価証券の売却

売買目的有価証券に区分されるA株式25,000千円について、約定金額26,000千円、売買委託手数料100千円（消費税別）で売却した。

（借方）現 金 預 金 　25,890　（貸方）有 価 証 券 　25,000
　　　　仮 払 消 費 税 等 　　　10　　　　　有価証券売却益 　　　900

［消費税］有価証券売買の仲介・代理は役務の提供にあたるため、課税取引となります。

有価証券売却益＝約定価格26,000千円－帳簿価額25,000千円－売買委託手数料
　　　　　　　　100千円＝900千円

❷ 保険金の受取り

損害保険や生命保険等に関して保険金や解約返戻金を受領した場合、入金時に収益を計上します。

【事例Ⅱ－11－6】保険返戻金の受取り（積立金の取崩しも発生している場合）

従業員を被保険者として養老保険に加入していた。毎期資産計上して300千円積み立てていたが、当期に満期を迎え、350千円入金された。

（借方）現 金 預 金 　　　350　（貸方）保 険 積 立 金 　　　300
　　　　　　　　　　　　　　　　　　　　　雑 　 収 　 入 　　　　50

【事例Ⅱ－11－7】団体生命保険料の受取り

従業員を被保険者として団体生命保険に加入している。事故により従業員Ａが死亡し、保険金5,000千円が入金された（受取人は会社である）。

（借方）現　金　預　金　　5,000　（貸方）雑　　　収　　　入　　　5,000

[3]　税務処理

養老保険など保険積立金の法人税法上の取扱いについては、第Ⅱ部第4章「9．その他投資　[3]税務処理」(213頁) を参照してください。

3.　支払利息（支払利息、社債利息）

[1]　勘定科目の概要

借入金に関する利息は支払利息、社債及び新株予約権付社債に関する利息は社債利息といいます（勘定科目分類）。

会社は、運転資金や設備資金等、さまざまな目的で金融機関等から借入れをし、また社債を発行します。この資金調達については当然にコストがかかりますが、このコストが利息です。

支払利息等の支払額（利率）や支払時期については、金銭消費貸借契約書等で定められていますが、会計処理上は発生主義により認識することになります。なお、受取手形を金融機関で割り引いた際の割引料は、支払利息勘定ではなく手形売却損勘定で処理をします。

なお、支払利息の会計・税務処理について、建設業に固有の処理は定められていません。

[2]　会計処理

利息の計算方法につき、元本に対する利率によっている場合、決算時に計上すべき利息額は次のように求めます。

$$支払利息＝元本×利率×その期間の日数÷365日$$

　借入期間が決算対象年度内（会計期間）に収まっていれば計算は容易ですが、むしろ、借入期間と会計期間がずれている、あるいは借入期間が1年を超えているといったケースが多いといえます。このような場合、当期中に実施した利払いと、決算上計上すべき利息とが一致しないということになるため、費用の見越計上、あるいは繰延処理が必要となります。

　その具体的な処理は、以下①〜③のとおりです。

①　前払いした利息がある場合

　決算時に翌期以後の前払分がある場合には、前払費用（前払利息）勘定に振り替えます（原則注解5）。

②　支払日が到来していない利息がある場合

　当期の負担額のうち、まだ支払日が到来してない金額については、未払費用（未払利息）を計上します（原則注解5）。

③　未払いの利息がある場合

　支払日が到来しているのに未払いの利息がある場合には、未払金で処理をします。

　なお、①及び②については、金額的に重要でない場合は、毎期継続して行うことを条件に、前払費用あるいは未払費用に計上しないこともできます（原則注解1）。また、これらの取扱いは社債利息についても同様です。

【事例Ⅱ－11－8】利息の前払い

①　5,000千円を借り入れ（借入期間3カ月）、借入期間の利息200千円を控除した金額が、当座預金に振り込まれた。

（借方）現　金　預　金　　4,800　（貸方）短　期　借　入　金　　5,000
　　　　支　払　利　息　　　200

②　3カ月後に約定どおり全額返済した。

（借方）短　期　借　入　金　　5,000　（貸方）現　金　預　金　　5,000

第11章
営業外損益

381

【事例Ⅱ－11－9】支払日が到来していない利息

① A銀行より10,000千円を年利5％で借り入れている。利払日は12月31日及び6月30日の年2回であり、決算日（3月31日）に未払費用を計上した。

（借方）支 払 利 息　　123　（貸方）未 払 費 用　　123

支払利息＝元本10,000千円×5％×90日（1月1日〜3月31日）÷365日
　　　　＝123千円

② 利払日である6月30日に利息を支払った。

（借方）支 払 利 息　　124　（貸方）現 金 預 金　　247
　　　　未 払 費 用　　123

支払利息＝元本10,000千円×5％×91日（4月1日〜6月30日）÷365日
　　　　＝124千円

[3] 税務処理

　支払利息にかかる前払費用の額は、原則として当該事業年度の損金の額に算入されません。しかし、1年以内に役務の提供を受ける前払費用について、支払ったときの損金とする処理を継続している場合には、原則として損金として認められます（法基通2－2－14）。

　消費税については、利子を対価とする金銭の貸付（借入）取引は非課税取引となります（消法6①・別表第1第3号、消令10①、消基通6－3－1）。

4. 貸倒引当金繰入額

[1] 勘定科目の概要

　営業外費用に計上される貸倒引当金繰入額は、営業取引以外の取引に基づいて発生した貸付金等の債権に対する貸倒引当金繰入額をいいます（勘定科目分類）。貸倒引当金繰入額のうち、臨時かつ巨額なものは特別損失で表示されます。貸倒引当金繰入額の概要については、第Ⅱ部第10章「12. 貸倒引当金繰入額」（349頁）を参照してください。

　なお、貸倒引当金繰入額の会計・税務処理について、建設業に固有の処理は

定められていません。

[2] 会計処理

　具体的な貸倒見積額の算定については、「金融商品に関する会計基準」に従って債権を区分した上で、債権ごとに行います。詳細は、第Ⅱ部第1章「13. 貸倒引当金 ［2］会計処理」(149頁) を参照してください。

【事例Ⅱ－11－10】貸付金に対する貸倒引当金の設定

　A社に貸付1,000千円を行っている。決算において、貸倒実績率に基づき債権額の2％を貸倒引当金として繰り入れた。

　（借方）貸倒引当金繰入額　　　　20　（貸方）貸　倒　引　当　金　　　　20

　貸倒引当金繰入額＝元本1,000千円×2％＝20千円

[3] 税務処理

　税務上の基本的な取扱いについては、第Ⅱ部第1章「13. 貸倒引当金 ［3］税務処理」(152頁)、同第4章「7. 貸倒引当金 ［3］税務処理」(205頁) 及び同第10章「12. 貸倒引当金繰入額 ［3］税務処理」(350頁) を参照してください。

5. 貸倒損失

[1] 勘定科目の概要

　営業外費用に計上される貸倒損失は、営業取引以外の取引に基づいて発生した貸付金等の債権に対する貸倒損失をいいますが、異常なものを除きます（勘定科目分類）。

　なお、貸倒損失の会計・税務処理について、建設業に固有の処理は定められていません。

[2]　会計処理

　不良債権について回収不能額を算定し、その金額にまず貸倒引当金を充当します。結果として貸倒引当金が不足し、充当できなかった部分については、貸倒損失として処理します。

【事例Ⅱ－11－11】貸倒損失の処理

　　A社に貸付10,000千円を行っていたが、財務状態が悪化し、債務超過が相当期間継続している。2,000千円を回収可能と認定したが、残債権について免除する旨の覚書を取り交した。従来は5,000千円を貸倒引当金として個別引当していた。

　（借方）貸　倒　損　失　　　3,000　（貸方）長　期　貸　付　金　　　8,000
　　　　　貸　倒　引　当　金　　5,000

[3]　税務処理

　金銭債権について一定の事実が生じた場合には、貸倒損失として損金の額に算入されます。詳細については、第Ⅱ部第10章「13. 貸倒損失　［3］税務処理」（352頁）を参照してください。

6.　その他営業外費用

[1]　勘定科目の概要

　その他営業外費用には、創立費償却、開業費償却、株式交付費償却、社債発行費償却、有価証券売却損、有価証券評価損、雑支出が含まれます（勘定科目分類）。

　創立費償却、開業費償却、株式交付費償却及び社債発行費償却の4つは、それぞれ繰延資産に計上した項目の償却額です（勘定科目分類）。これらの繰延資産は、原則として支出時に費用として処理しますが、資産計上することも認められており、資産計上した場合にはその償却額をその他営業外費用として計上します（第Ⅱ部「第5章　繰延資産」（214頁）参照）。

有価証券売却損は、売買目的有価証券の売却価額と取得価額の差額のうち後者が前者を上回る場合に計上します。有価証券評価損は、売買目的有価証券を期末に時価で評価替えする際に、時価が帳簿価額を下回っている場合に計上します（第Ⅱ部第1章「5．有価証券」(130頁) 参照）。

　また、雑支出は「他の営業外費用に属さないもの」であり（勘定科目分類）、投資固定資産の減価償却費などが計上されると考えられます。

　なお、その他営業外費用の会計・税務処理について、建設業に固有の処理は定められていません。

[2]　会計処理

　建設業法施行規則では、その他営業外費用のうち営業外費用の総額の10分の1を超えるものについては、当該費用を明示する科目を用いて掲記することになっています（業施規様式第16号 記載要領6）。

　資産として計上された繰延資産は、それぞれ次の①～④の期間で償却するとされ、これらの償却額は各繰延資産の償却費として計上します（第Ⅱ部「第5章　繰延資産」(214頁) 参照）。

①　創立費　　：会社成立のときから5年以内
②　開業費　　：開業のときから5年以内
③　株式交付費：株式交付のときから3年以内の効果が及ぶ期間
④　社債発行費：社債の発行から償還までの期間

【事例Ⅱ－11－12】創立費の償却

前期計上した創立費3,000千円を5年で償却する。

（借方）創 立 費 償 却　　　600　（貸方）創　　立　　費　　　600

　有価証券売却損は、株式や公社債等の売却による損失であり、会計処理については本章2.［2］「❶　有価証券売却益」(378頁) をご参照ください。有価

証券評価損は、毎期末、売買目的有価証券を時価に評価替えする際、時価が取得価額を下回っている場合の当該差額であり、営業外費用として処理します。

【事例Ⅱ－11－13】売買目的有価証券の時価評価

売買目的有価証券として保有している A 社株式（簿価13,000千円）が期末に時価12,500千円となった。

（借方）有価証券評価損　　　500　（貸方）有　価　証　券　　　500

また、賃貸不動産などの投資用固定資産は営業活動に供していないため、その減価償却費は営業外費用として処理します。

[3]　税務処理

その他営業外費用のうち、繰延資産の償却費は、償却費以外の科目をもって費用処理した場合でも、会計上費用として処理した金額を限度として損金算入が認められています（法基通 8 － 3 － 2 ）。また、消費税法上は、繰延資産計上時に一括して課税仕入れとされているため、その償却額は不課税となります（消基通11－ 3 － 4 ）。

有価証券売却損は、会計処理と同様に原則として約定日に認識し、当該事業年度の損金として計上します（法法61の 2 ）。また、有価証券の譲渡について消費税法上は非課税とされています（消法 6 ①、別表第 1 第 2 号、消令 9 ）。

営業外費用に計上する有価証券評価損は、通常は売買目的目的有価証券にかかる評価損となりますが、損金の額に算入されます（法法61の 3 ）。また、消費税法上は、事業者が事業として対価を得て行うものに該当しないため、不課税取引となります（消法 4 ）。

投資用固定資産の減価償却費は、税法上の償却限度額以内であれば損金となります。なお、消費税法上は固定資産の購入時に一括して課税仕入れとされているため、不課税取引となります（消法 4 ）。

第**12**章

特別損益

1. 前期損益修正益

[1] 勘定科目の概要

　前期損益修正益とは、前期以前に計上された損益の修正による利益をいいます（勘定科目分類）。

　前期以前に経常損益計算に計上すべきであった損益の修正による利益を、当期の経常損益計算に含めてしまうと、適正な期間損益計算がなされず、当期の経営成績が適正に表示されないおそれがあります。このような場合に、当該利益項目は前期損益修正益として特別利益に計上します。

　ただし、金額の僅少なものまたは毎期経常的に発生するものは、期間損益を歪めるおそれがないため、経常損益計算に含めることができます（勘定科目分類）。したがって、建設業の場合、完成工事未収入金計上不足額、完成工事未払金計上超過額及び労災メリット還付金等の未収入金計上不足額等のうち、金額の僅少なものまたは毎期経常的に発生するものは、それぞれ完成工事高または完成工事原価に含めて処理することとなります。

　なお、前期損益修正益の会計・税務処理について、建設業に固有の処理は定められていません。

[2] 会計処理

　前期損益修正項目として、企業会計原則注解において次の①〜④の例示がなされています（原則注解12）。

① 過年度における引当金の過不足修正額

② 過年度における減価償却費の過不足修正額

③ 過年度における棚卸資産評価の訂正額

④ 過年度償却済債権の取立額

主に前期損益修正益として処理するものとしては、償却債権取立益、減価償却修正益、貸倒引当金戻入益及び完成工事補償引当金戻入益等があげられます。

しかしながら実務上は、これらの勘定科目は個別に掲記するのが一般的となっています。また、負債の部に計上された引当金の会計事象の変化にともなう金額の変更、及び見積り過大による引当金の取崩し等の引当金の目的外取崩益は当該科目に含めます。

なお、上場会社等には「会計方針の開示、会計上の変更及び誤謬の訂正に関する会計基準」が2011（平成23）年4月1日以後開始事業年度から適用されております。それによると、適用対象会社においては、前期損益修正項目は営業損益もしくは営業外損益として計上され、前期損益修正項目としては発生しなくなります。

【事例Ⅱ−12−1】過年度の引当金計上誤り

前期に計上した役員退職慰労引当金のうち、2,000千円は計算誤りにより過大であることが判明した。

（借方）役員退職慰労引当金　　2,000　（貸方）前期損益修正益　　2,000

【事例Ⅱ−12−2】過年度の固定資産計上漏れ

前期に建物改修につき修繕費として処理した48,000千円のうち、26,000千円は資本的支出として固定資産計上すべきであった。なお、固定資産計上していれば計上されたであろう減価償却費は1,500千円である。

（借方）建物・構築物　　26,000　（貸方）前期損益修正益　　24,500

減価償却累計額　　1,500

[3] 税務処理

　前期損益修正益の税務上の取扱いについて特に規定はありませんが、原則として確定決算に基づいて収益計上された事業年度の益金になります。

2. その他特別利益

[1] 勘定科目の概要

　その他特別利益には、所有する固定資産を売却したときの売却益や、転売以外の目的で取得した有価証券を売却したときの売却益等、臨時に発生した利益を計上します。具体的な計上科目には、固定資産売却益、投資有価証券売却益、債務免除益及び保険差益などがあげられます。

　また、金額が重要でないものまたは毎期経常的に発生するものは、営業外費用に計上して経常利益または経常損失に含めることができます。

　なお、その他特別利益の会計・税務処理について、建設業に固有の処理は定められていません。

[2] 会計処理

❶ 固定資産売却益

　固定資産を売却した際に、売却価額が売却時の固定資産の帳簿価額を上回っている場合には、この上回った額が固定資産売却益となります。正確には、売却が期中である場合には、売却時までの減価償却費を計算し、売却時点の帳簿価額と売却価額の差額が売却益となります。

　固定資産売却益は、売却した固定資産の種類または内容を示す名称を付した科目により掲記することとされています。この点、それが困難である場合（売却した固定資産の種類が多い場合等）には、損益計算書上は固定資産売却益とし、注記での対応によることができるとされています。

【事例Ⅱ−12− 3 】 固定資産の売却

期首帳簿価額2,000千円（取得価額5,000千円、減価償却累計額3,000千円）の機械装置を期中に2,000千円（消費税別）で売却した。当期中の売却までの減価償却費は250千円であった。

（借方）現　預　金	2,200	（貸方）機　械　装　置	5,000
減価償却累計額	3,000	仮受消費税等	200
減価償却費	250	固定資産売却益	250

［消費税］機械装置の売却は資産の譲渡にあたるため、課税取引となります。

固定資産売却益＝売却額2,000千円−売却時帳簿価額（2,000千円−250千円）
　　　　　　　　＝250千円

【事例Ⅱ−12− 4 】 土地の売却

帳簿価額264,000千円の土地を300,000千円で売却した。あわせて不動産業者へ仲介手数料900千円（消費税別）を支払った。なお、支払手数料は、仕訳上、土地売却益と相殺している。

（借方）現　金　預　金	300,000	（貸方）土　　　　　地	264,000
仮払消費税等	90	現　金　預　金	990
		土　地　売　却　益	35,100

［消費税］不動産売買の仲介は役務の提供にあたるため、課税取引となります。

土地売却益＝売却額300,000千円−帳簿価額264,000千円−仲介手数料900千円
　　　　　　＝35,100千円

❷ 投資有価証券売却益

転売以外の目的で取得した有価証券を売却した際に、売却価額が売却時の帳簿価額を上回っている場合の超過額が投資有価証券売却益となります。

なお、売買委託手数料等がある場合には、売却益から控除して計上します。

【事例Ⅱ−12−5】投資有価証券の売却

その他有価証券に分類される株式（帳簿価額5,000千円）を6,000千円で売却した。この際、売買委託手数料25千円（消費税別）が差し引かれ当座預金に入金された。

（借方）現 金 預 金 　5,973　（貸方）投 資 有 価 証 券 　5,000
　　　　仮 払 消 費 税 等 　　　2　　　　　 投資有価証券売却益 　　975

［消費税］有価証券売買の仲介・代理は役務の提供にあたるため、課税取引となります。

投資有価証券売却益＝売却額6,000千円−帳簿価額5,000千円−売買委託手数料25千円＝975千円

［3］ 税務処理

❶ 固定資産の譲渡

固定資産の譲渡に係る収益の額は、別途定められているものを除いて、その引渡しがあった日の属する事業年度の益金の額に算入します。

ただし、その固定資産が土地、建物その他これらに類する資産である場合で、法人が当該固定資産の譲渡に関する契約の効力発生日において収益計上を行っているときは、当該効力発生日はその引渡しの日に近接する日に該当するものとして取り扱います（法基通2−1−14）。

❷ 固定資産の譲渡担保

法人が債務の弁済の担保としてその有する固定資産を譲渡した場合で、その契約書に次の①と②の事項をすべて明らかにし、自己の固定資産として経理処理しているときは、その譲渡はなかったものとして取り扱います。

ただし、その後この要件のいずれかを欠くに至ったとき、または債務不履行のためその弁済にあてられたときは、これらの事実の生じたときにおいて譲渡があったものとして取り扱います（法基通2−1−18）。

①　当該担保にかかる固定資産を当該法人が従来どおり使用収益すること

②　通常支払うと認められる当該債務にかかる利子またはこれに相当する使

用料の支払いに関する定めがあること

3. 前期損益修正損

[1] 勘定科目の概要

　前期損益修正損とは、前期以前に計上された損益の修正による損失をいいます（勘定科目分類）。

　前期以前に経常損益計算に計上すべきであった損益の修正による損失を、当期の経常損益計算に含めてしまうと、適正な期間損益計算がなされず、当期の経営成績が適正に表示されないおそれがあります。このような場合に、当該損失項目は前期損益修正損として特別損失に計上します。

　ただし、金額の僅少なものまたは毎期経常的に発生するものは、期間損益を歪めるおそれがないので、経常損益計算に含めるのが通常です。したがって、建設業の場合、完成工事未収入金計上超過額、完成工事未払金計上不足額及び労災メリット還付金等の未収入金計上超過額等のうち、金額の僅少なものまたは毎期経常的に発生するものは、それぞれ完成工事高または完成工事原価に含めて処理することとなります。

　なお、前期損益修正損の会計・税務処理について、建設業に固有の処理は定められていません。

[2] 会計処理

　前期損益修正項目としては、企業会計原則注解において次の①〜④の例示がなされています（原則注解12）。

　　①　過年度における引当金の過不足修正額

　　②　過年度における減価償却費の過不足修正額

　　③　過年度における棚卸資産評価の訂正額

　　④　過年度償却済債権の取立額

　主に前期損益修正損として処理するものとしては、過年度減価償却費や完成工事補償引当金不足額等があげられます。

なお、上場会社等には「会計方針の開示、会計上の変更及び誤謬の訂正に関する会計基準」が2011（平成23）年4月1日以後開始事業年度から適用されております。それによると、適用対象会社においては、前期損益修正項目は営業損益もしくは営業外損益として計上され、前期損益修正項目としては発生しなくなります。

【事例Ⅱ－12－6】過年度の減価償却不足

　過年度において計上した減価償却費50,000千円について誤りがあり、本来の計上額は55,000千円であった。

　（借方）前期損益修正損　　　5,000　（貸方）減価償却累計額　　　5,000

【事例Ⅱ－12－7】過年度の未収利息計上誤り

　前期に未収計上した貸付金利息について、計算誤りにより3,700千円過大計上となっていた。

　（借方）前期損益修正損　　　3,700　（貸方）未　収　収　益　　　3,700

[3] 税務処理

　当該事業年度前の各事業年度において、収益の額を益金の額に算入している場合に、当該収益の額について、契約の解除または取消し等の事実により損失が生じた場合にも、当該損失の額は当該事業年度の損金の額に算入します（法基通2－2－16）。

4. その他特別損失

[1] 勘定科目の概要

　その他特別損失には、所有する固定資産を売却したときの売却損や、転売以外の目的で取得した有価証券を売却したときの売却損等、臨時に発生した損失を計上します。具体的な計上科目には、固定資産売却損及び投資有価証券売却

損などがあげられます。

　また、金額が重要でないものまたは毎期経常的に発生するものは、営業外費用に計上して経常利益または経常損失に含めることができます（勘定科目分類）。

　なお、その他特別損失の会計・税務処理について、建設業に固有の処理は定められていません。

[2]　会計処理

❶　固定資産売却損・固定資産除却損

　固定資産を売却した際に、売却価額が売却時の固定資産の帳簿価額を下回っている場合には、この下回った額が固定資産売却損となります。売却時点が期中である場合には売却時までの減価償却費を計算し、売却時点の帳簿価額と売却価額の差額が売却損となります。

　固定資産売却損は、売却した固定資産の種類または内容を示す名称を付した科目により掲記することとされています。この点、それが困難である場合（売却した固定資産の種類が多い場合等）には、注記によることができるとされています。

　また、固定資産を除却した際には、除却時の帳簿価額に除却に要した費用を加えた金額を固定資産除却損として計上します。なお、除却日までは減価償却により費用化します。

【事例Ⅱ−12−8】固定資産の売却

　期首帳簿価額2,000千円（取得価額5,000千円、減価償却累計額3,000千円）の車両を、期中に1,000千円（消費税別）で売却した。当期中の売却までの減価償却費は250千円であった。

（借方）現　金　預　金	1,100	（貸方）機 械 ・ 運 搬 具	5,000
減 価 償 却 累 計 額	3,000	仮 受 消 費 税 等	100
減 価 償 却 費	250		
車 両 売 却 損	750		

［消費税］車両の売却は資産の譲渡にあたるため、課税取引となります。

車両売却損＝売却時帳簿価額（2,000千円－250千円）－売却額1,000千円
　　　　　＝750千円

【事例Ⅱ－12－9】固定資産の除却

期首帳簿価額1,000千円（取得価額3,000千円、減価償却累計額2,000千円）の機械装置を期中に除却し、除却に際し撤去費用を100千円（消費税別）支払った。当期中の除却までの減価償却費は400千円であった。

（借方）	減価償却累計額	2,000	（貸方）	機械・運搬具	3,000
	減価償却費	400		現金預金	110
	機械装置除却損	700			
	仮払消費税等	10			

［消費税］機械装置の撤去は役務の提供にあたるため、課税取引となります。

機械装置除却損＝除却時簿価（1,000千円－400千円）＋撤去費用100千円
　　　　　　　＝700千円

❷ 投資有価証券売却損・投資有価証券評価損

転売以外の目的で取得した有価証券を売却した際に、売却価額が売却時の帳簿価額を下回っている場合、この差額が投資有価証券売却損となります。なお、売却に際して要した費用がある場合には、これを売却損に含めて処理します。

また、投資有価証券について時価が著しく下落した場合に減損処理を行った場合には、投資有価証券評価損として計上します。

【事例Ⅱ－12－10】投資有価証券の売却

その他有価証券に分類される株式（帳簿価額5,000千円）を4,000千円で売却した。この際、売買委託手数料25千円（消費税別）が差し引かれ当座預金に入金さ

れた。

（借方）現　金　預　金　　3,973　（貸方）投 資 有 価 証 券　　5,000
　　　　投資有価証券売却損　　1,025
　　　　仮 払 消 費 税 等　　　　2
［消費税］有価証券売買の仲介・代理は役務の提供に該当するため、課税取引と
　　　　なります。

　　　　投資有価証券売却損＝帳簿価額5,000千円－売却額4,000千円＋売買委託手数料
　　　　　　　25千円＝1,025千円

【事例Ⅱ－12－11】投資有価証券の減損処理

　　その他有価証券に分類される株式（帳簿価額5,000千円）について時価（2,200
千円）が著しく下落しており、また回復可能性がないため、減損処理を行う。
　　（借方）投資有価証券評価損　　2,800　（貸方）投 資 有 価 証 券　　2,800
　　投資有価証券評価損＝帳簿価額5,000千円－時価2,200千円＝2,800千円

❸ 災害損失

　火災や水害等により会社が所有する有形固定資産や、製品・商品といった棚
卸資産が被った損失を計上します。直接的な災害による損失のほかにも、後片
付け等でかかった費用もここに含みます。

❹ 損害賠償金

　建設工事の途中で、隣接する建物を損壊したこと等により支払うこととなっ
た損害賠償金を計上します。

［3］　税務処理

❶ 投資有価証券評価損

　投資有価証券評価損については、帳簿価額と時価との差額など一定の金額を
限度として、以下3つのケースで評価損の計上が認められます（法法33、法令

68・68の2、法基通9－1－7）。

①　法人の所有する有価証券について次のaまたはbの事実が生じた場合で、その法人がその有価証券の評価換えをして損金経理によりその帳簿価額を減額したケース

　　a．取引所売買有価証券、店頭売買有価証券、取扱有価証券及びその他価格公表有価証券（いずれも企業支配株式に該当するものを除きます）について、その価額が著しく低下したことにより、その価額が帳簿価額を下回ることとなったこと

　　b．上記a以外の有価証券について、その有価証券を発行する法人の資産状態が著しく悪化したため、その価額が著しく低下したことにより、その価額が帳簿価額を下回ることとなったこと

　　c．上記aまたはbに準ずる特別の事実

②　法人の所有する有価証券について、更生計画認可の決定があったことにより、会社更生法または「金融機関等の更生手続の特例等に関する法律」の規定に従って評価換えをしてその帳簿価額を減額したケース

③　有価証券を所有する法人について次のaまたはbの事実が生じた場合で、その法人が売買目的有価証券及び償還有価証券以外の一定の有価証券の価額について、再生計画認可の決定があったときの価額により評価を行っているケース（確定申告書に評価損明細の記載があり、かつ、評価損関係書類の添付がある場合に限る）

　　a．再生計画認可の決定があったこと

　　b．上記aに準ずる事実

❷ 災害損失

近年では、法令解釈通達として2011（平成23）年に「東日本大震災に関する諸費用の法人税の取扱いについて」が、2016（平成28）年に「平成28年熊本地震に関する諸費用の法人税の取扱いについて」が公表されています。

第

13

章

法人税等

1. 法人税、住民税及び事業税

[1] 勘定科目の概要

　法人税、住民税及び事業税とは、当該事業年度の税引前当期純利益に対する法人税等（法人税、住民税及び利益に関する金額を課税標準として課される事業税。以下同じ）の額ならびに法人税等の更正、決定等による納付税額及び還付税額をいいます（勘定科目分類）。

　その他、法人税、住民税及び事業税には、次のものを含みます。

①　受取利息及び受取配当金等に課される源泉所得税額

　法人税法等に基づき税額控除の適用を受ける税額を含めます。税額控除の適用を受けない税額は、金額の重要性が乏しい場合を除いて営業外費用として処理します（法人税等会計基準13）。

②　外国法人税

　法人税法等に基づき税額控除の適用を受ける税額を含めますが、その他の金額は内容に応じて適切な科目で処理します。

　また、外国子会社からの受取配当金等に課される外国源泉所得税のうち税額控除の適用を受けない税額も含みます（法人税等会計基準14）。

③　更正等による追徴及び還付

　追徴税額には、延滞税、加算税、延滞金及び加算金を含み、利子税は除きます（法人税等会計基準6）。これらの金額に重要性が乏しい場合に含めます。なお、法人税、住民税及び事業税の会計・税務処理について、建設業に固有

の処理は定められていません。

[2] 会計処理

　法人税等の更正・決定等による追徴税額及び還付税額の金額に重要性がある場合は、誤謬に該当する場合を除いて「法人税、住民税及び事業税」と区分してその内容を示す科目で処理します（法人税等会計基準15）。一般に「過年度法人税等」あるいは「過年度法人税等還付額」として別掲されます。

　また、事業税のうち付加価値割及び資本割については、「法人税、住民税及び事業税」ではなく、原則として販売費及び一般管理費（租税公課）として処理することに注意が必要です（法人税等会計基準10）。

【事例Ⅱ－13－1】法人税、住民税及び事業税の計上

　決算における所得計算に基づき、各種税金を未払計上した。なお、期中において予定納税額200,000千円を仮払金として、受取利息配当金にかかる源泉所得税は租税公課として処理していた。

　・法人税：300,000千円（ほかに源泉所得税1,000千円）
　・事業税：100,000千円（うち外形標準課税部分30,000千円）
　・地方税：都道府県民税14,000千円、市町村民税6,000千円

（借方）法人税、住民税及び事業税　391,000　（貸方）未 払 法 人 税 等　220,000
　　　　租　税　公　課　30,000　　　　　仮　　払　　金　200,000
　　　　　　　　　　　　　　　　　　　　租　税　公　課　1,000

法人税、住民税及び事業税
　＝法人税300,000千円＋源泉所得税1,000千円＋事業税（100,000千円－30,000千円）＋都道府県民税14,000千円＋市町村民税6,000千円＝391,000千円

【事例Ⅱ－13－2】法人税等追徴額の別掲

　税務調査により、法人税等50,000千円の更正決定を受け、期中において法人税、

住民税及び事業税で処理していたが、当期の確定税額70,000千円等と比較して重要性があるものと判断した。

　（借方）過年度法人税等　　50,000　（貸方）法人税,住民税及び事業税　　50,000

　＜損益計算書の表示例＞

税引前当期純利益	150,000
法人税、住民税及び事業税	70,000
過年度法人税等	50,000
当期純利益	30,000

[3]　税務処理

　法人税の納税義務は、事業年度の終了のときに成立しますので（国税通則法15②）、法人税を未払計上することは合理的な処理といえます。法人税及び住民税は、所得計算に影響を及ぼしません。

　事業税については、原則として事業税申告書の提出時あるいは事業税の更正・決定時の事業年度に損金算入されます（法基通9－5－1）。また、特例的取扱いとして、前事業年度分の未納事業税について翌事業年度に事業税の申告、更正または決定がなされていない場合には、翌事業年度において損金算入が認められます（法基通9－5－2）。

2.　法人税等調整額

[1]　勘定科目の概要

　法人税等調整額とは、税効果会計の適用により計上される法人税、住民税及び事業税の調整額をいいます（勘定科目分類）。

　具体的には、将来加算一時差異及び将来減算一時差異の増減にともなう、繰延税金資産及び繰延税金負債の純増減額が法人税等調整額になります。そのため、法人税等調整額は法人税、住民税及び事業税と合わせた税金費用に対してプラスにもマイナスにもなります。

　その他有価証券の評価差額金や繰延ヘッジ損益にかかる繰延税金資産・負債

は、これらの評価・換算差額が損益計算書を経由せず、課税所得の計算に影響を及ぼさないことから、法人税等調整額に影響はないことに留意が必要です。

　なお、法人税等調整額の会計・税務処理について、建設業に固有の処理は定められていません。

[2]　会計処理

　法人税等調整額は繰延税金資産・負債の変動にともなって生じます。会計処理については、第Ⅱ部第4章「6．繰延税金資産　[3] 会計処理」(204頁)、及び同第7章「4．繰延税金負債及び再評価に係る繰延税金負債　[2] 会計処理」(263頁) を参照してください。

[3]　税務処理

　税効果会計は税務処理に関して何ら影響を与えません。したがって、会計上で計上した繰延税金資産・負債及び法人税等調整額等は、すべて申告調整における調整項目となります。

第14章

完成工事原価報告書

　当期完成工事の内訳を報告するため、損益計算書の付表として完成工事原価報告書を作成します（業施規別記様式第16号）。

　完成工事原価報告書は、個別工事の原価計算書に基づいて当期完成工事原価を材料費、労務費、外注費、経費に区分して記載します。

1. 材料費

[1] 勘定科目の概要

　材料費とは、工事のために直接購入した素材、半製品、製品及び材料貯蔵品勘定等から振り替えられたもの（仮設材料の損耗額等を含む）をいいます（勘定科目分類）。その価額は購入対価に引取運賃、買入手数料等の諸掛費を含めた額になります。

　材料費には、仮設材料のように複数の工種にわたって共通的に発生するものと、各工種に直接関連して発生するものがあります。

[2] 会計処理

　材料費にかかる会計処理については、第Ⅱ部第1章「8. 材料貯蔵品　[2]会計処理」（140頁）を参照してください。

2. 労務費

[1] 勘定科目の概要

　労務費とは、工事に従事した直接雇用の作業員に対する賃金、給料及び手当等が含まれます。工種・工程別等の工事の完成を約する契約でその大部分が労務費であるもの（労務外注費）は、労務費に含めて記載することができます（勘定科目分類）。

　なお、労務費のうち、労務外注費としては、工種・工程別等の工事の完成を約する契約でその大部分が労務費であるものに基づく支払額となります（勘定科目分類）。

[2] 会計処理

　建設業会計では、本支店等勤務の一般従業員に対する労務費は経費とし、現場作業員に対する労務費が当該労務費として集計されます。

　現場作業所では、出勤表等により個人別に月数・時間を集計し、雇用契約などで定めた労務単価を乗じて支給総額を計算します。

　さらに、所得税、社会保険料及び食事代などの控除を行って賃金台帳に記録します。そのうえで個人別賃金台帳を集計し、未成工事支出金（労務費）として計上します。

3. 外注費

[1] 勘定科目の概要

　外注費とは、工種・工程別等の工事について素材、半製品、製品等を実作業とともに提供し、これを完成することを約する契約に基づく支払額をいいます。ただし、労務費に含めた部分は除きます（勘定科目分類）。

　外注費には、いわゆる専門工事業者や職能工事業者などに、材料工賃込みで下請契約をした一切の内容が含まれるため、完成工事原価の中でも多額になります。

[2] 会計処理

外注費には、下請契約に基づく支払額のうち、労務費以外のものを計上します。工種・工程によっては本質的に労務費が大半を占める場合がありますが、これらは労務費とします。

4. 経費

[1] 勘定科目の概要

完成工事原価報告書における経費とは、完成工事について発生し、または負担すべき材料費、労務費及び外注費以外の費用をいいます。

具体的には、動力用水光熱費、機械等経費、設計費、労務管理費、租税公課、地代家賃、保険料、従業員給料手当、退職金、法定福利費、福利厚生費、事務用品費、通信交通費、交際費、補償費、雑費、出張所等経費配賦額等があげられます（勘定科目分類）。

[2] 会計処理

経費の中でも、機械等経費に関しては留意する必要があります。機械等経費の内訳には、機械等賃借料、機械等損料、機械等修繕費及び機械等運搬費などが含まれます。そのうち機械等損料は、社内機械を使用した場合の使用料をいい、減価償却費、修理費や管理費などから1日当たりの損料を計算して工事原価に含めます。

機械等損料について予定配賦を行っている場合には、決算時に実際発生額と予定配賦額との差額（原価差額）を処理しなければなりません。

索　引

【あ行】

預り金　243
圧縮記帳　158
圧縮積立金　284
洗替え法　138
一時点で充足される履行義務　39
1年内償還予定の社債　260
1年内返済予定の長期借入金　232，261
一括評価金銭債権　152
一括比例配分方式　63
一括法　259
一定の期間にわたり充足される履行義務
　　40
一般寄付金　358
一般競争入札　25
一般債権　149
移動平均法　188
インプット法　44
インプレスト・システム　115
インボイス制度　65
受取手形　119
受取手形記入帳　119
受取配当金　374
受取利息　374
裏JV　83
営業外支払手形　256
乙型　82
表JV　83
親会社　193

【か行】

会員権　209
開業費　215，218
開業費償却　384
外国法人税　398
会社法　3
回収可能性　202
外注費　403
開発業務　99
開発費　215，224
解約不能　167
確定給付型制度　265
確定拠出型制度　266
過去勤務費用　267
貸倒懸念債権　149
貸倒実績率　153
貸倒損失　351，383
貸倒引当金　149，205
貸倒引当金繰入額　349，382
貸倒引当金戻入益　388
課税売上割合　63
過年度減価償却費　392
過年度法人税等　399
過年度法人税等還付額　399
株式交付費　215，220
株式交付費償却　384
株式引受権　301
株主資本等変動計算書　16
株主、役員または従業員からの短期借入金
　　232
仮払金　147
為替手形　227
簡易課税制度　64
関係会社株式　193
関係会社出資金　193
関係会社短期借入金　232
関係会社長期借入金　261

完成工事原価　315
完成工事原価報告書　13，402
完成工事高　303
完成工事補償引当金　246
完成工事補償引当金不足額　392
完成工事補償引当金戻入益　388
完成工事未収入金　124
完成工事明細書　75
還付税額　399
関連会社　194
関連法人株式等　377
機械・運搬具　161
機械装置　161
企業会計原則　3
企業年金制度　265
技術・役務の提供業務　109，312
期待運用収益　267
寄付金　356
記名施工方式　83
キャッシュ・フロー見積法　150
級数法　361
協定原価　93
共同企業体　80
共同施工方式　81
業務連動給与　328
切放し法　138
銀行勘定調整表　117
近接する日　57
勤務費用　267
金融商品取引法　4
区分法　259
繰延資産　214
繰延税金資産　200
繰延税金負債　262
繰延ヘッジ　294
繰延ヘッジ損益　293
経営事項審査申請書　8

経営事項審査制度　29
経済的耐用年数基準　167
計算書類　3
経常建設共同企業体　83
経常 JV　83
経費　404
契約　35
契約資産　124
原価回収基準　40
減価償却修正益　388
減価償却費　360
原価比例法　44
研究開発費　345
兼業事業　98
兼業事業売上原価　323
兼業事業売上高　311
現金預金　114
現在価値基準　167
建設仮勘定　172
建設業許可申請書　7
建設業法　5
建設協力金　206
源泉所得税額　398
現場資金出納簿　115
甲型　81
工具器具・備品　163
広告宣伝費　347
交際費　354
工事完成基準　59
工事原価台帳　73
工事進行基準　58
工事損失引当金　248
工事未払金　229
工種　72
公募債　258
子会社　193
　　——及び関連会社株式　187

顧客との契約から生じた債権　124

コストオン契約　55

固定資産の減損会計　159

固定資産売却益　389

固定資産売却損　393

個別原価計算　68，315

個別工事原価台帳　132

個別財務諸表　4

個別対応方式　63

個別評価金銭債権　206

【さ行】

災害損失　396

最低価格自動落札　25

最低制限価格制度　26

再評価に係る繰延税金負債　262

財務内容評価法　149

債務免除益　389

材料貯蔵品　140

材料費　402

雑支出　385

雑収入　378

雑費　372

JV（Joint Venture）　80

JV 運営委員会　86

JV 協定書　85

JV 経理取扱規則　87

時価ヘッジ　294

時価法　188

支給対象期間基準　252

資金充当（不足出資）方式　89

自己株式　286

自己株式申込証拠金　289

資産除去債務　160，271

自社利用のソフトウェア　181

施設利用権　183

事前確定届出給与　328

実行予算　76

指定寄付金　358

支払手形　227

支払手形記入帳　228

支払利息　380

私募債　258

資本金　275

資本準備金　280

資本剰余金　280

資本的支出　157，338

事務用品費　340

指名競争入札　25

借地権　176

社債　257

社債発行費　215，222

社債発行費償却　384

社債利息　380

車両運搬具　162

従業員給与手当　329

修正受渡日基準　187

修繕維持費　338

修繕引当金　251

少額の減価償却資産　341

償却原価法　188

償却債権取立益　388

償却保証額　363

消費税　61

　　——の非課税取引　62

商標権　183

剰余金の配当　285

賞与引当金　251

所有権移転外ファイナンス・リース取引
　167

所有権移転外リース取引　171

所有権移転ファイナンス・リース取引
　167

新株式申込証拠金　279

新株予約権　297
新株予約権付社債　257
申告納税方式　368
随意契約　25
随時補給法　115
数理計算上の差異　267
ストック・オプション　300
スポンサー企業　88
スポンサーメリット　93
生産高比例法　361
前期損益修正益　387
前期損益修正損　392
船舶　162
全部純資産直入法　291
総合評価方式　26，27
総合評定値　31
総平均法　188
創立費　215，216
創立費償却　384
租税公課　366
その他営業外収益　378
その他営業外費用　384
その他資本剰余金　281
その他特別損失　393
その他特別利益　389
その他有価証券　187，190
その他有価証券評価差額金　291
その他利益剰余金　283
ソフトウェア　180
損益計算書　13
損害賠償金　396

【た行】

貸借対照表　9
対照勘定法　121
退職一時金制度　265
退職給付引当金　265

退職金　332
耐用年数　361
代理人　41
立替金　146
建物・構築物　160
棚卸資産　137
短期貸付金　141
短期借入金　231
短期保証金　147
単独原価　93
担保付社債　257
地域維持型建設共同企業体　83
地域維持型 JV　83
地代家賃　359
注記表　18
中小企業の会計に関する基本要領　6
中小企業の会計に関する指針　6
長期貸付金　195
長期借入金　260
長期前払費用　198
長期未払金　273
調査研究費　345
追徴税額　398
通信交通費　342
定額資金前渡法　115
定額法　361
定期同額給与　327
低入札価格調査制度　26
定率法　361
適格請求書等保存方式　65
電子記録債権　122
電話加入権　183
投資損失引当金　207
投資有価証券　186
投資有価証券売却損　393
投資有価証券評価損　395
動力用水光熱費　344

特定建設工事共同企業体　82

特定公益増進法人　358

特定 JV　82

特別償却　364

特別償却準備金　284

特別徴収方式　369

匿名施工方式　83

土地　164

土地再評価差額金　296

土地重課制度　101

特許権　175

取替法　361

取引価格　38

【な行】

入札契約制度　24

のれん　178

ノンキャンセラブル　167

【は行】

売買目的有価証券　130, 187

破産更生債権　150

破産更生債権等　197

販売業務　98

販売用不動産　137

引渡し等の日　57

評価勘定法　120

ファイナンス・リース取引　167

プール方式　88

賦課決定方式　368

福利厚生費　337

付随費用　156

附属明細表　21

普通社債　257

不動産管理業務　108

不動産事業支出金　137

不動産仲介業務　105, 312

不動産賃貸・管理業務　312

不動産賃貸業務　107

不動産販売業務　98, 312

部分完成基準　60, 310

部分純資産直入法　291

フルペイアウト　167

分担施工方式　82

分配方式　88

ヘッジ会計　293

ヘッジ手段　293

ヘッジ対象　293

変動対価　55

法人税、住民税及び事業税　398

法人税等調整額　400

法人税法　4

法人税法上の繰延資産　199

法定繰入率　154

法定福利費　335

保険積立金　209

保険料　369

本人　41

【ま行】

前受収益　244

前払費用　142

満期保有目的の債券　187, 190

未収入金　145

未成工事受入金　240

未成工事支出金　132

未成工事明細書　74

みなし配当　289

未払金　235

未払費用　236

未払法人税等　238

無形固定資産　174

無担保社債　257

索　引　409

予定価格制度　25

【や行】

役員賞与　327

役員賞与引当金　327

役員退職慰労金　332

役員報酬　326

約定日基準　187

約束手形　227

有価証券　130

　──の減損　191

有価証券台帳　189

有価証券売却益　378

有価証券売却損　385

有価証券評価損　385

有価証券利息　374

有形固定資産　155

【ら行】

リース会計　166

リース債務　233，262

リース資産　166，183

利益準備金　283

利益剰余金　283

履行義務　37

利息費用　267

連結財務諸表　4

労務費　403

【わ行】

割増償却　364

■編著者紹介

【編者】

東陽監査法人

1971（昭和46）年の設立以来、金融商品取引法、会社法に基づく監査を主たる業務とし、東京、大阪、名古屋の3事務所と約350名の公認会計士及び公認会計士試験合格者等から構成された会計専門家集団として、経験豊富な公認会計士を中心に編成した監査チームによる幅広い会計サービスを提供するとともに、Crowe Global のメンバーファームとして国際的なネットワークを活かし、トータルなサービスを提供しています。

・東京事務所：東京都千代田区神田美土代町7番地　住友不動産神田ビル6F
　　　　　　　TEL 03‑3295‑1040
・大阪事務所：大阪市中央区安土町2丁目3番13号　大阪国際ビルディング19F
　　　　　　　TEL 06‑6262‑1040
・名古屋事務所：名古屋市中村区名駅4丁目26番13号　ちとせビル5F
　　　　　　　TEL 052‑569‑1456
■東陽監査法人 Crowe Toyo & Co. ホームページ：https://toyo-audit.jp/

【編集委員】

川久保 孝之／池田 宏章／大森 義徳

【執筆者】

松田 千里／飯沼 力／大﨑 由夫／長屋 良／福田 貴之／阿部 亮太／鬼頭 舞

第3版／建設業の会計・税務ハンドブック

2012年 3 月 9 日　初版発行
2019年 2 月 1 日　新版発行
2023年11月10日　第 3 版発行

編　者　東陽監査法人 ©

発行者　小泉　定裕

発行所　株式会社 清文社

東京都文京区小石川 1 丁目 3 － 25　（小石川大国ビル）
〒112-0002　電話 03（4332）1375　FAX 03（4332）1376
大阪市北区天神橋 2 丁目北 2 － 6　（大和南森町ビル）
〒530-0041　電話 06（6135）4050　FAX 06（6135）4059
URL　https://www.skattsei.co.jp/

印刷：亜細亜印刷㈱

■著作権法により無断複写複製は禁止されています。落丁本・乱丁本はお取り替えします。
■本書の内容に関するお問い合わせは編集部まで FAX（03-4332-1378）又はメール（edit-e@skattsei.co.jp）
　でお願いします。
■本書の追録情報等は、当社ホームページ（https://www.skattsei.co.jp/）をご覧ください。

ISBN978-4-433-77023-5